富山文学探訪

立野幸雄

桂書房

はじめに

文学作品は、日々の人々の営みを基にして描かれている。そして、人々の日々の営みは、その人々が暮らしている土地の文化や自然環境によって影響を受けている。すると、一つの文学作品をよりよく理解するには、その作品を生み出した土地、人々が生活している環境の理解も必要となってくる。地酒に例えると、評判の地酒を別の土地で飲むと、美味しさには変わりはないが何か物足りなさを感じる。地酒は、その土地の天候、産物、住民の嗜好などによってその土地の人々に最も適した形で生まれているので、その土地で飲むのが一番美味しい。言わば、その土地の文化、環境が熟成したものが地酒である。この地酒に似たものが、その土地ごとに生まれている文学作品だと思う。

特に郷土色の濃い文学作品は、机上で読んでいるだけでは、その作品本来の芳香を嗅ぐことは難しい。その思いから、ここ四年間、本を片手に作品ゆかりの土地を巡り歩いた。幸いなことに巡り歩いた時の思いを新聞に連載でき、それを契機としてかような形でまとめて出版することになった。全体を三部に分け、平成27年から29年まで新聞で連載したものに訂正、加筆し、「小矢部・砺波・南砺地域」「高岡・射水地域」「北アルプス・黒部峡谷」「富山地域」「新川地域」に分けてまとめた。第二部は、「人と文学」として、「北アルプス・

黒部峡谷」を除く四地域にゆかりの作家の一～二名を選び、関係者からお聞きしたことや、先人の研究などを紹介して、郷土の文学の先輩としての作家の略伝を書いた。第三部は、評論として「泉鏡花「蛇くひ」「黒百合」の空間変容について」を加えた。平成27年に泉鏡花の「蛇くひ」に関しての評論「榎と洪水」で「とやま文学賞」（富山県芸術文化協会）を受賞した。これは、修士論文での泉鏡花の「蛇くひ」「黒百合」の研究から「蛇くひ」のみを書き直してまとめたものだったが、論としては「黒百合」との関連性が曖昧で、時折、その点に関しての質問を受けるので、この機に修士論文を修正し、まとめたものでお答えしたいと思い、加えた。

本書だけでは不十分な点が多く、補うために、前作「越中文学の情景」（桂書房）と併せてお読みいただければ幸いである。

目次

第二部　【人と文学】　167

第三部【評　論】　331

第一部　とやま文学街道

〈小矢部・砺波・南砺地域〉

〈小矢部市〉

1　倶利伽羅峠

富山と石川の県境、北陸新幹線では数分でトンネルを通過する地点に倶利伽羅峠がある。この加賀・越中の国境《くにざかい》の峠を、泉鏡花は、現世と魔界の境にし、その峠の茶店跡に二人の妖女を住まわせ、男を取り殺す愛執《あいしゅう》の地獄に陥らせる物語を書いた。明治41年発表の「星女郎」である。明治22年鏡花15歳の時に彼は3カ月ほど富山に滞在したが、その折りに取材したもので書いたのだろう。この峠は源平両軍の夥《おびただ》しい血を吸っているばかりでなく、彼が愛読した『加越能三州奇談』に「すべて死せる者必ず此坂を越えざるはなしと聞けり～此所にて鬼に逢ひしと云う物語人口にあり」との記もあり、この峠は越中の魔所との思いが強かったに違いない。

さて、「星女郎」は倶利伽羅トンネル開通後に金沢から富山へ帰郷する学生が寂《さび》れた峠道を上るところから始まる。途中、彼は峠の茶店跡で二人の女に出会う。二人は女学校の頃からの友人で、以前、その一人が多くの男たちの愛欲の生霊《いきりょう》に取り憑かれ、身を苛まれるので、

小矢部　倶利伽羅峠

もう一人の女が特異な方法でそれら生霊を追い払った。だが、助けた女はそのことで力を得て男たちを殺す楽しみを覚え、次々に男を呪い殺していく。その行状を案じた、助けられた女は、トンネル開通後に寂れた倶利伽羅峠の峠の茶店跡にその女を幽閉した。そこへ学生が訪れた。女はそこでこの学生を…。後は「星女郎」をお読みいただきたい。

この物語で、学生が峠に到着して目にする光景が「越中の立山が日も月も呑んで真暗に聳《そび》えたのである」との立山山中のようで、峠道を上り始める頃から現れるのが、『和漢三才図会』『諸国里人談』や、畜生ケ原伝説の立山地獄に現れる牛や蝶のようであり、どうやら鏡花は倶利伽羅峠を立山地獄に見立てて、その地獄で二人の女は苛《さいな》まれているらしい。一人は多情ゆえに男の生霊に弄《もてあそ》ばれ、一人は多淫な男を憎み続けている。男への愛憎両面を二人の女で描いている。鏡花は17歳の頃、辰口鉱泉の芸妓置屋の伯母の家で居候したが、その折りに彼を可愛がった従妹の姉妹は芸妓で、彼の妹も能登で芸妓、妻も神楽坂の元芸妓で、金のために男に媚びを売らざるを得ない身の悔しさから男を憎む芸妓の心情を聞き知り、その思いを峠の妖女に重ねたのかもしれない。それに鏡花は妖女の肌に赤痣《あかあざ》をつけ、斑犬《ぶちいぬ》のような「女《おんな》の狗《いぬ》」にして『南総里見八犬伝』の女とも重ねて、なかなか一筋縄《ひとすじなわ》ではいかない。また、「星女郎」執筆中に彼の妻は腫瘍（良性）の手術をし、その時の鏡花の周章狼狽《しゅうしょうろうばい》は甚《はなは》だしく、その折りの妻の苦痛の様子を生霊《いきりょう》に取り憑《つ》かれた女に投影したとも言われている。男でも女の生霊《いきりょう》に取り憑《つ》かれて神通川で酷い目にあった「鎧」（大正14年）もあるが、これは富山市の折に紹介する。現在、旧道の茶店跡は訪れる人もなく、「熊出現、注意」の看板はあるが、鏡花の世界をよく知るものには熊の出現よりも、もっと注意すべきものがあるのではないだろうか…。

旧北陸線が高岡まで延伸されたのが明治31年なので、「星女郎」の時代背景は31年以後のことだろう。トンネル開通に関わっては、石動《いするぎ》に在住していた畷文兵《なわてぶんぺい》が「遠火《おび》の馬子唄《まごうた》」（昭和31年）を書いている。倶利伽羅峠を通る駅逓（郵便）馬車の警護に当たっていた二人の男が一人の女をめぐって峠で決闘する。勝者は女を得て駅逓馬車の元締めとなり、敗者は去る。数年後、トンネル開通で駅逓馬車が廃されることになり、その廃止交渉で嘗《かつ》ての恋敵《こいがたき》同士が再会する。だが、二人の立場は…。苦労人の畷《なわて》らしく、人生の幸・不幸を巧みに描き、読者の興味をかきたてる。この作品は司馬遼太郎の「ペルシャの幻術師」と共に講談倶楽部賞を受賞した。当時、二人は新聞記者だったが、この受賞で小説家としてデビューし、その縁で、終生、二人の交友は続いた。司馬は昭和34年に「梟《ふくろう》の城」で直木賞を受賞し、その翌年、畷は「妖盗蟇《がま》」で直木賞候補になり、直木賞に手が届くところにいたが、その後、病床についた。畷は無念だったに違いない。

2 埴生・石動

倶利伽羅峠の古戦場跡を巡り、山を下って県道274号線を石動へ向かうと埴生の交差点に至る。その交差点の山手方向の道の突き当たりに大鳥居の神社がある。埴生護国八幡宮である。『平家物語』『源平盛衰記』には、源義仲が倶利伽羅峠での戦いの戦勝をこの神社で祈願したとの記がある。境内入口には巨大な源義仲騎馬像と、喉の渇きを覚えた源氏軍が鳩の案内で得たという「鳩清水」の名水があり、鳥居の傍らには「倶利伽羅源平の郷・埴生口」の館がある。

館には寿永2年5月の倶利伽羅合戦の関係資料と約百冊に及ぶ源義仲関連の本を集めた「義仲文庫」があり、これらに目を通していると源平の昔に思いが誘われ、時を忘れる。倶利伽羅合戦を扱っているものとして吉川英治「新・平家物語　くりからの巻」、檀一雄「木曽義仲」、松本利昭「木曽義仲」「巴御前」、山田智彦「木曽義仲」など、他にも多数あり、いずれも倶利伽羅峠での血湧き肉躍《おど》る合戦模様が描かれ、中でも「火牛の計」の戦法で平家を打ち破る場面が圧巻《あっかん》である。

義仲は「火牛の計」で数百頭の牛の角に松明《たいまつ》をくくりつけて平家勢に向けて放ち、それによる敵の混乱に乗じて攻めたと伝えられている。だが、この戦法は元々中国の戦国時代・斉の武将・田単《でんたん》が用いた戦法だが、田単《でんたん》は牛の尾に松明《たいまつ》を、その角《つの》に剣をくくりつけて、尻に火がつき、驚き、暴れる牛を敵地に突進させた。それと比べ、数百頭の牛を狭い山道から倶利伽羅峠に追い上げるだけでも大変なのに、眼の前の角《つの》に松明《たいまつ》をくくりつけられた牛が都合よく前方に突進するものだろうか…。この点から義仲の「火牛の計」を疑問視し、田単《でんたん》の故事を潤色《じゅんしょく》して『源平盛衰記』に記入したと見ている史家も多い。史実はともかく、作品中に「火牛の計」があるからこそ倶利伽羅合戦の話は歴史ロマンとして魅惑するのだろう。

倶利伽羅合戦を扱った作品の中でも、檀一雄の「木曽義仲」（昭和28年）は、彼が直木賞受賞後の最も脂が乗っている頃の作品なので、そのダイナミックな文体と野性味あふれる詩魂で登場人物たちを生き生きと描き、群を抜いている。檀の描く義仲像ほど痛快なものはない。また、源氏勢の活躍中心の描き方が多い中で、吉川英治の「新・平家物語　くりからの巻」は壮絶な平家武者の突撃も描いている。峠での負け戦の後、三河守知度《とものり》は僅かの手勢で源氏の大軍へと勇敢に突き進む。大阪夏の陣での家康本陣に斬り込む真田幸村の姿を髣髴《ほうふつ》とさせる。右兵衛佐《うひょうえのすけ》為盛の捨て身の突撃も見事だ。決死の突撃をし、力の限り戦ったあげく壮絶な最期を遂げる平家武者の悲壮な姿に「滅びの美」が感じられ、胸が熱くなる。

更に合戦の後日談として、畷文兵の「三夜の妻」（昭和33年）がある。戦いの後、谷を埋める平家の屍の遺品を村里の男が漁っていると、牛車の中にまだ息のある美女を見付け、その女を家に運んで落人狩りから匿《かくま》う。女は三日の願掛けの後、男の妻になると約束して部屋に閉じこもるが、約束の日に男が部屋を覗くと女は自害していた。そこで、男はその女を…。なかなかに面白い。

館から埴生護国八幡宮の１０８段の石段を踏み締めて上ると、足裏に義仲の息遣《いきづか》いがひしひしと感じられ、感慨もひとしおだが、木崎さと子はこの神社を念頭において「鏡の谷」（平成2年）を書いたらしい。由緒ある神社の娘が結婚して東京で暮らすが、夫との関係がこじれて離婚を考え、実家の神社へ帰る。だが、神社は弟夫婦が継いでいて、自らの実家での微妙な立場と盲目の青年への心の傾斜を細やかな筆遣いで描いている。作品中の神社と実際の護国八幡宮との佇《たたず》まいは多少異なるが、護国八幡宮の自然が醸し出す雰囲気がこの作品にぴったりとあう。

また、この埴生地域の寺を舞台にして稲垣一城（稲垣史生）は「小説チベット」（昭和39年）を書いた。埴生の寺の次男坊が地元での過酷な幼・少年期を経て教団のアジア探検隊員としてチベットへ派遣され、その地の独立のために英国と戦うという壮大なスケールの物語である。富山県在住の僧が日露戦争前後に中央アジアを探検したという話からこの作品を稲垣は思い立ったという。それに、稲垣は、中世の越中吉岡庄（後の五位庄、現在の福岡町赤丸付近）を舞台としていると思われる「乱世」（昭和39年）を書いている。作品では、宮家領の砺波郡高桑庄として、そこで育った桃井直吉（桃井直常の末弟）の子が、幕府に弓引く南朝方の謀反人の子として、自らの素性を隠し、後に都に出て、畠山政長・義就の家督争いから応仁の乱へと巻き込まれていく過程を描いている。ただし、時代考証家としての稲垣史生の面が作品中に多く見られ、応仁期にかけての時代背景は詳細だが、主人公が作品の中で十分に描かれていないのが難である。

小説ばかりでなく石動は詩も盛んだった地で、昭和の初め、北陸3県の詩人たちは石動在住の大村正次が主宰する詩誌『日本海詩人』に拠って詩作に励んだ。その中に、当時、四高生の井上靖がいた。井上は四高の柔道部員として練習に邁進する傍ら、詩作にも精魂を傾け、大村のもとに詩「冬の来る日」を井上泰の筆名で投稿し、それを大村は『日本海詩人』の昭和4年2月号に掲載し、以来、昭和5年11月までに13篇の井上の詩が掲載されている。これが井上文学の出発点となっている。その関係で井上は何度も石動を訪れていて、そのことは井上靖「わが文学の軌跡」（昭和52年）やエッセイ「青春放浪」から窺《うかが》い知ることができる。

〈砺波市〉

1 砺波駅界隈

石動から県道16号線を砺波市街に向かう。市街に入り、本町交差点を過ぎ、右への脇道に入ると、ホテルの裏手に寺の駐車場がある。この駐車場が井村医院跡で、「飛鳥へ、そしてまだ見ぬ子へ」（昭和55年）の作者・井村和清が生まれて死去した地である。幼い子、生まれてくる子、そして愛しい妻や老いた両親に想いを残し、31歳で死去した医師の生命《いのち》の叫びがこの本には書き留めてある。彼は自らの死を通して愛の尊さを訴え、それを愛しい人々に伝えた。その言葉が、井村の死後、感動を受けた人々によってまとめられ、出版されたのがこの「飛鳥へ、そしてまだ見ぬ子へ」である。

16号線に戻ると、左に砺波駅北口に続く道があり、その辻角から県道沿い左手の商店街の3、4軒目辺りがノンフェクション作家・山田和が生まれ育った所である。新聞社勤めの父親がその辺りに借家の地方通信部を置いていたという。山田は、全国の注目を集めた「庄川流木事件」の経過に、現地の自然や生活、それに恋愛までも織り込み、ノンフェクションタッチで「瀑流」（平成14年）を書き上げた。「瀑流」の内容については「庄川」の項で述べる。

※ **庄川流木事件**

木材関係者や青島村は庄川の流れを利用して木材を輸送していたが、途中にダムが建設されると流木の障害となるので、小牧ダム工事に反対していた。大正15年に飛州木材（株）は、発電工事認可の取り消しを求める行政訴訟を起こし、8年間にわたり争われた。

2　庄川・小牧

県道16号線から国道156線に入り、庄川に向かう。国道沿いには田園地帯が拡がり、しだいに山間部へと道は続く。砺波の田園地帯を見ているうちに、平成8年の第1回新潮ミステリー倶楽部賞受賞の永井するみの「枯れ蔵」を思い出した。風変わりなミステリーで〈米〉を題材にしている。砺波の有機米〈無農薬・無化学肥料で栽培した米〉作りの名人の田圃《たんぼ》に変異性トビイロウンカが異常発生し、農薬の効果もなく、瞬《また》く間に県内から隣接県に被害が拡大する。一方、有機米使用の食品会社に勤める主人公がその調査を始めるが、その矢先に友人の不可解な自殺を知り、その死の謎が害虫騒動と不気味な関連をみせはじめる……。扇情的な連続殺人など、一つもない、まさに〈地味《じみ》〉なミステリーだが、なかなかに読み応《ごた》えがある。

庄川に入ると、ゆず祭りの最中で、ゆずの香りに誘われて会場の庄川水記念公園に向かう。ゆずの香と鮎の味に堪能し、舟戸ダム（庄川合口堰堤《えんてい》）の水の激しさに見とれていると、大正元年にこの地を訪れた浅野総一郎の言葉が思い浮かんだ。「おお黄金が流れる、黄金が流れている」。浅野は後に庄川の電源開発に着手するが、「黄金が流れる」所には必ず人々の欲望、利権が絡み、愛憎悲喜こもごもの人間模様が綾《あや》なす問題が生じる。

再び国道156号に沿って庄川を15分ほど遡ると小牧ダムが見えてきた。高さ約79m、幅300mの曲線重力式ダムで昭和5年竣工の当時では東洋一の規模を誇った。だが、建設当初、庄川での「流木権」を主張する飛州木材会社と、川に水力発電用の堰堤《えんてい》を建設しようとする庄川水力電気会社との間に激しい抗争が生じ、「庄川流木争議」として全国的に注目される事件に発展した。この事件は訴訟され、大正15年から昭和8年の和解まで約8年間に及んだ。ダム建設は、庄川流域木材運搬に従事している関係住民にとっては死活の問題で、そのため、激しい反対闘争が生じ、そのつど、黄金の流れる川が夥《おびただ》しい流血の川に変じた。そして、この争議を題材に幾つかの作品が生まれた。

高見順の「流木」（昭和12年）は、行き詰まった作家が、新境地を得ようと、流木争議の木材会社側の大立《おおだ》て者へ取材を思い立つのだが、高山市から小牧までの途中の風物や人物を描く際に流木争議の経緯を織り込むのみで、最後は大牧温泉の湯に浸《つ》かり、筆を止めるという紀行文的なものだ。三島由紀夫の「山の魂」（昭和30年）は、煽動好きの木材会社側の大《おお》立《だ》て者と、その男に小判鮫のように吸い付いて利を貪《むさぼ》る男との交流から、争議を食い物にしている男たちの姿を描いたピカレスクロマン（悪漢小説）の類《たぐい》だ。また、源氏鶏太の「青春の旅」（昭和34年）は、争議の大立《おおだ》て者に商談に行く男が、途中で家出娘と知り合い、商談中にその娘が大立《おおだ》て者の孫だと分かり、かえって気に入られて孫娘の婿にと求められるユーモア小説の類《たぐい》である。いずれも都会に住む作家たちが、庄川流木事件を田舎の珍事として興味本位で見ている傾向が強い。だが、砺波市出身の山田和の「瀑流」（平成14年）は、流木事件の経緯とそれに伴う人々の生活の変化を生々しい緊迫感で綴《つづ》っている。克明な自然描写と作品全体に爽やかな浪漫性が漂っている。戦時中、妻子を中国大陸に残し、帰国した男が故郷の変容に翻弄《ほんろう》されながら電力会社の日雇いや運送の仕事に携わり、その間、旅館の女主人への一途な想いを胸に秘め、後には新聞記者になり、訴訟問題に真摯に打ち込んでいく姿を描いている。一読を勧めたい作品だ。そのひたむきな愛は、中河與市の「天の夕顔」の、薬師岳山麓で一途に一人の女を愛し続けた男の姿に匹敵する。

小牧ダムに目を移すと、今は訪れる人もなく谷間《たにあい》にひっそりと身を潜め、庄川流域の人々の幸・不幸を左右したとは思えぬほどに静寂を保っている。賑わいは消え、上流からの流木を運んだコンベヤーはダム湖の波間に為《な》す術《すべ》もなく錆びるにまかせ、放置されている。ダム左岸の舟着場のみに大牧温泉へ向かう人たちの姿が疎《まば》らに見えるだけである。

〈砺波市・庄川から南砺市・五箇山へ〉

1　砺波市・庄川、南砺市・利賀

再び国道156号線を小牧ダムから車で五箇山へ向かう。東海北陸自動車道の開通で行き交う車も少なく、陽も陰り、ダム湖周辺は薄暗く静かで不気味さが漂いだした。その時、ダム湖対岸に墓のような物が見えた。すると、山田智彦の「湖の墓」（昭和54年）が思い浮かんだ。出産間際の妻を失った男が妻の骨を納めたはずの山奥の墓を訪れると、妻の骨がない。その夜から妻が夢に現れ、湖の近くの墓に自分の骨があり、そこから骨を取り戻してくれという。その湖は庄川上流のダム湖らしく、湖畔の墓が、その墓らしい。だが、墓は男の旧友の家の墓で、旧友は既に死んでいるのだが、そこで…。奇妙な話だ。気味が悪くなり、スピードを上げてしばらく進み、橋を渡った所で、何気なくカーナビを見ると、山間《やまあい》の「隠尾」の地名に目が止まった。

「庄川を上流に向かってすすむ庄川バスが、隠尾の大橋の袂で、三人の客を降ろした。〜山あいに吸われる白い畷道《なわてみち》のつき当りに、段々になってみえる隠尾の村を見た」と水上勉「その橋まで」（昭和49年）にあるが、隠尾が作品の主人公の男が育った地である。彼は殺人罪で17年の刑期を終え、仮釈放で社会復帰するのだが、再び隠尾出身の幼馴染《おさななじ》みの女を殺した容疑をかけられ、警察から追われる。水上は彼が罪を犯すのは幼い頃の隠尾での体験が要因だとして、村での幼年時代のことを事細かに描いている。だが、実際の隠尾付近は山が険しく、むしろ、作品での山村の情景としては下流の舟戸橋や雄神橋辺りの村々の情景がふさわしい。水上はこの作品を書くにあたり、数カ所の刑務所を見学し、看守、教誨師《きょうかいし》、保護司、保護観察官、服役経験者などに取材し、発表当時、彼の「飢餓海峡」（昭和37年）の姉妹編のように批評された。だが、確かに似通った所もあるが、社会的地位を保つために殺人を犯した者を追及する「飢餓海峡」と、殺人を犯した後に服役し、その後にいかに生きるべきかを迫った「その橋まで」とは、まったく作者の視点が異なっている。

2　南砺市・見座、上梨、西赤尾

祖山ダムを通り過ぎ、国道１５６号線を下梨から更に庄川の上流へ進むと見座に着く。この集落の河原が見座貯木場跡で、電力会社と木材会社とが対立した場として流木事件を題材にした作品にはよく描かれている。更に車を進め、上梨に入る。右手に一際《ひときわ》大きな合掌造りの村上家住宅（国重文）があり、その前方の橋を渡り、しばらく行くと、加賀藩の流刑人を収容した茅葺《かやぶ》きの流刑小屋がある。元禄年間から幕末までに約２００人が送り込まれたという。

流刑人と言えば、お小夜《さよ》が思い浮かぶ。このお小夜《さよ》の悲恋伝説を高道正信が「五箇山秘話・輪島のお小夜《さよ》」（昭和31年）として作品にまとめた。輪島生まれの金沢の遊女・小夜は罪を犯した加賀藩士の累犯として五箇山に流される。美人で芸達者なので村の人気者になるが、村人・吉間と恋仲になり、彼の子を宿す。流人の身で妊《みごも》ったのを恥じ、彼女は川に身を投げる。その後、吉間はお小夜の菩提を弔い、出家の旅を続ける。そのお小夜《さよ》を哀れんで村人たちが「お小夜節《さよ》」を唄い伝えてきたという。国道をそのまま進み、小原橋を渡ると、左手の公園内にお小夜塚があり、国道を更に進むと、川側に「お小夜投身の地」の案内板が立っている。「名をつきょうなら／お小夜につきゃれ／お小夜器量よし／声もよし」の哀しげな「お小夜節《さよ》」の唄声が耳元に響いてくる。

小牧ダムから一時間余りで西赤尾に着く。聳《そび》えるような合掌造りの岩瀬家住宅（国重文）の横に妙高人・赤尾道宗ゆかりの行徳寺がある。道宗に関する著作は多く、岩倉政治も「行者道宗」（昭和19年、改稿昭和22年）を書いている。前・後編に分かれた中編小説で、前編では岩倉自らが行徳寺を訪れ、そこで行者となるまでの道宗の苦悩と葛藤の姿を、後編では師と仰ぐ蓮如との交流を軸として道宗関連の挿話を加えている。

谷間《たにあい》は早く暮れ、薄闇の立ち込める西赤尾の行徳寺の山門の前に佇《たたず》んでいると、もの寂しい中にも安らぎが感じられる。赤尾道宗の信仰心が未《いま》だに息づいているせいだろうか…。萱《かや》葺《ぶ》きの山門は鐘楼堂と山門を兼ねた四脚鐘楼門で、平入り合掌造りの庫裏《くり》に道宗遺徳館が隣接している。山を背負ったような寺の風情に見とれていると、司馬遼太郎が寺の真向かいの旅館に泊まり、翌日に行徳寺を訪れたのを思い出した。「五箇山の村上家」「山ぶどう」（『街道をゆく4』）では、昭和47年の秋に、新幹線の岐阜羽島駅で降り、国道156号線を北上して富山市へ抜ける途中、西赤尾で一泊している。旅館のイワナの骨酒に舌鼓《したつづみ》を打ち、行徳寺で道宗自筆の道宗心得二十一ケ条を見て胸打たれたと記している。また、昭和21年に、柳宗悦、河井寛次郎、濱田庄司、外村吉之介、棟方志功の日本民芸協会一行が寺を訪れた。この時のことは長部日出雄「鬼が来た」（昭和54年）の「現実と夢」に詳しく描かれている。中でもこの訪問での志功の感激は甚だしく、その後、23、25、31年…と何度も寺を訪れ、道宗心得第一条の文字と、割木に横臥している姿を彫った版画を制作し、版木ごと寺に寄進している。志功ゆかりの品々は寺宝と共に道宗遺徳館に展示されている。

　夕闇が迫ってきたので急いで国道を引き返す。帰路、司

南砺　五箇山　行徳寺

馬が訪れた上梨の村上家に立ち寄る。茅葺き4階の妻入り合掌造りで、家内には火薬の原料となる塩硝製造や和紙製造等の民族資料が数千点陳列されている。玄関左手に半地下式の「煙硝まや」があり、この穴に麻畑土、ヨモギ類の干し草、蚕糞、人馬の尿などを混ぜて積み、5年以上ねかせて抽出した液を煮詰めて塩硝を生成したという。五箇山の塩硝は良質で、元亀・天正年間の織田信長との大阪・石山合戦の折りに本願寺側に盛んに送られたそうで、加賀藩支配になってからは年貢の代わりに塩硝を納めることになり、藩の箝口令《かんこうれい》のもとで厳重に管理されていたという。

元々の平家落人伝説のある地に塩硝製造・流刑地という加賀藩の暗部が重なり、濃厚になった五箇山の闇からは様々な物語が生まれた。塩硝をめぐり幕府隠密が暗躍する戸部新十郎「檻の中」（『伊賀組同心始末』所収・昭和51年）、加賀騒動の大槻伝蔵の流刑と自刃をめぐっての諸田玲子「炎天の雪」（平成22年）、藩重臣の派閥争いが若侍の一途な恋を引き裂き、流刑地へ赴く苦痛を描く筆内幸子「悲恋の五箇山流刑」（昭和49年）、平家落人の祖先の地を訪ねた男が血の繋がりよりも人の真の温情に触れて安らぐ源氏鶏太「父祖の地の娘」（昭和25年）、そして、地元の生活振りがよく分かる勝尾金弥《かつおきんや》「五箇山ぐらし」（昭和47年）などがある。

また、利賀を舞台にして須山ユキヱは「万緑」（『九十九しゃんの店』所収・昭和63年）を書いている。夫に先立たれた初老の女が尚《なお》も夫の亡き先妻に嫉妬を抱き、後妻ゆえの義娘や実娘へのこだわりを女の業《ごう》として利賀の豊かな自然の中で描いている。なかなかの秀作である。

〈南砺市〉

1　城端・縄ケ池

幼い頃に母を亡くした男の子は母を慕うあまり、母を美化し、成人しても美化した母に似た女性を求めるという。泉鏡花も9歳の時に母を亡くした。鏡花の母は加賀藩お抱えの能楽の大鼓師《おおかわし》の娘で29歳の若さで亡くなった。江戸生まれの美しい女性だったという。そのせいか鏡花の亡母憧憬《しょうけい》の想いは強く、しばしば彼の作品には母の面影を宿す優艶《ゆうえん》な年上の女性が現れる。城端・縄ケ池に関わる「蓑谷《みのたに》」（明治29年）「龍潭譚《りゅうたんだん》」（同年）にも母のような妖《よう》艶《えん》な女性が描かれている。

城端の市街から国道３０４号線を五箇山方面に向かい、途中、左へ折れて高清水林道に入り、夫婦滝を横目に見て進むと眼下に城端が一望できる駐車場に辿り着く。そこから徒歩で５００ｍほど下るとミズバショウの群生する湿原になり、やがて四方を原生林に囲まれた湖が現れる。周囲２㎞ほどで最深部が約10ｍの神秘的な縄ケ池である。この湖には次のような話が伝わっている。藤原秀郷（俵藤太）が近江で大ムカデを退治したお礼に龍神から龍の子（姫）を貰い、その龍の子をこの地・蓑谷《みのたに》に掘った小さな池に放して周囲に縄を広く張り巡らすと、一夜にして大きな池になったという。それが縄ケ池で、年に一度、龍の子は美しい女性となって現れるという。この龍女伝説をモチーフに鏡花は「蓑谷《みのたに》」と「龍潭譚《りゅうたんだん》」を書いた。

7歳の男の子が蛍を追って魔所の蓑谷《みのたに》の滝に迷い込む。そこには美しい女神がいて、来てはならぬ所と戒《いまし》める。だが、男の子はなおも女神に甘えて蛍を求め、女神は許したが、しばらくしてハッと気が付くと、いつしか谷の外の野に戻っていた（「蓑谷《みのたに》」）。縄ケ池のある蓑谷は蛍の名所でもある。母のいない幼い男の子が躑躅《つつじ》の咲く丘で遊んでいると美しい毒虫（斑猫《はんみょう》）に刺され、姉さえも見間違《みまちが》うほどの醜い顔になる。男の子はこのことに戸惑う内に道に迷い、山奥の九ッ谺《ここのこだま》の谷で妖艶《ようえん》な女性に助けられ、母のように添い寝されて寝込んでしまう。その後、家に帰ることができ、寺で祈祷《きとう》を受けると、その夜に九ッ谺《ここのこだま》は嵐で大洪水になり、深い淵になる（「龍潭譚《りゅうたんだん》」）。作品中でその淵が決壊すると「城《じょう》の端《はな》の町は水底の都となるべし」とあるので、九ッ谺《ここのこだま》は縄ケ池のことであろう。「蓑谷《みのたに》」「龍潭譚《りゅうたんだん》」のように母を慕う少年が異界（山奥）に迷い込み、そこで年上の美しい女性（龍神の化身）に出会い、母への想いが募って癒される話が、いつしか妖女の棲む山奥の孤家《ひとつや》に迷い込み、奇怪な体験をする旅人の話に転じて、後の鏡花の「高野聖」「湯女の魂」「星女郎」などの作品に連なっていったのではないだろうか…。

恋に狂った龍女の話といえば鏡花に「夜叉《やしゃ》ケ池」（大正2年）がある。福井と岐阜の県境が舞台だが、昭和54年に篠田正浩監督が映画化した時、ラストシーンの夜叉ヶ池が氾濫して村が水没するシーンはイグアスの滝（アルゼンチンとブラジルの2国にまたがる世界最大の滝）を使ったが、池のロケ地としては縄ケ池だったという。これほど適した湖はない。龍女は坂東玉三郎で、映画での龍女・玉三郎の美しさは目を見張るものだった。鏡花が思い描く美女そのものだった。だが、絶世の美女が男が演じる女性だとは…。純然たる美とは性の如《い》何《かん》を超越しているものなのかもしれない。

2　城端・北市、西明

縄ケ池から車で城端の市街へ向かっていると、縄ケ池の禁忌《きんき》（タブー）が頭を過《よ》ぎった。池に金属を近づけてはいけないという。池の龍女が金属を嫌うからだそうだ。この禁忌《きんき》を破ると、この地域に豪雨、洪水、長雨《ながあめ》が生じ、冷害で凶作になるといわれている。この禁忌《きんき》を破り、大凶作に見舞われた農民たちが池の龍女に必死に許しを乞う場面から始まる作品がある。城端に一時《いっとき》住んでいた岩倉政治の「田螺《たにし》のうた」（昭和38年）である。

岩倉は農民を喋《しゃべ》らぬ田螺《たにし》に例えたのだが、この作品での農民は喋るどころか徒党《ととう》を組んで商家を打ち壊す。宝暦7年（1757）の大凶作の年に農民たちが城端の米商人を襲った「宝暦騒動（北市騒動）」を題材にしている。この騒動で城端近辺の北市では騒動の首謀者3人が磔《はりつけ》になり、11人が獄死した。だが、深刻な歴史事件を扱っているわりに、この作品には手裏剣の名人や悪奉行、美女、それに勤王の志士までが登場し、恋あり、乱闘ありの大衆時代劇のようで、それに加えて、農民の心情も生々しく描いてあり、読み物としても面白い。後に岩倉はこの作品を「ばんどり騒乱記」（昭和41年）として戯曲化し、それが東京、大阪、そして富山でも上演された。

城端の市街へと国道３０４号線を下る途中、右折し、県道２８４号線をゴルフ場へ向かうと、西明公民館がある。その後《うしろ》に「小麦農林10号」を育種した稲塚権次郎の生家跡がある。現在は記念公園になり、彼の胸像が建っている。主演・仲代達也で『Norin Ten〟農の神〟と呼ばれた男 稲塚権次郎物語』として映画化され、この辺りがロケ地になった。稲塚と米麦の品種改良については千田篤『世界の食糧危機を救った男・稲塚権次郎の生涯』（平成8年）が詳しい。

3　城端・善徳寺周辺

国道３０４号線に引き返し、城端市街に入り、城端曳山会館近くに車を止める。柳田國男が明治40年6月5日の旅日記「木曾から五箇山へ」で「城端は機《はた》の聲《こえ》の町なり。寺々は本堂の扉を開き、聴聞《ちょうもん》の男女傘を連ね、市立《いち》ちて甘藷《かんしょ》の苗を売る者多し。麻の暖簾《のれん》京めきたり。」と書いているが、城端は古くから絹織物が盛んで、城端別院善徳寺の門前町として栄えた。道路の向かいに赤レンガのレトロな建物がある。元は城端織物組合の建物だったが、現在は機織《はたお》りの工房見学や体験可能な「じょうはな織館《おりやかた》」になっている。筆内幸子は「川島甚兵衛覚書」（平成8年）で、城端出身の「川島機物セルコン」初代・川島甚兵衛の波乱に富んだ生涯を、粘り強く信義に厚い越中人気質の人物として巧みに描いている。

城端の中心街へと足を伸ばし、交差点を曲がると、善徳寺の山門が目に入る。城端別院善徳寺は、約530年前に蓮如上人によって開基され、瑞泉寺、勝興寺と共に越中一向一揆の拠点寺として活躍し、江戸期には越中の真宗寺院の触頭役《ふれがしらやく》（頭寺）を勤め、加賀藩主の子を住職として迎えたこともある古刹《こさつ》である。だが、その佇《たたず》まいは、信仰と伝統が醸《かも》し出す風格が滲《にじ》み出ているとはいえ、長い参道の高台に威風堂々《いふうどうどう》と厳《いか》めしく君臨しているわけでもなく、城端の街中《まちなか》に落ちついて融け込んでいる。

この寺で、民藝運動の提唱者・柳宗悦は一日で「美の法門」（昭和23年）を書き上げた。仏典の聖句から、民衆の美が仏の大悲（他力）で成就すると保証されると説いている。別院の庭には「美之法門」の石碑があり、昭和23年の第1回民藝協会の大会も善徳寺で開かれた。この大会の影のまとめ役として活躍したのが岩倉政治だった。

岩倉は昭和22年から富山市へ転居する26年まで、善徳寺裏手の川向かい、金戸の専徳寺に家族と共に住み、城端で幾つもの児童文学作品を書いた。その代表作が「空気のなくなる日」で教科書にも載り、映画化もされた。地球に接近する天体の影響で5分間だけ空気がなくなるという噂が静かな農村に流れ、村中パニックに陥る。その様子を滑稽に描く傍ら、農村にもある貧富の格差を巧みに織り込み、批判した秀作である。

4　城端曳山祭関連

善徳寺の山門を出て右に小路を進むと、左手に板塀と白塗り出窓の風情ある四つの蔵が廻廊で結ばれ（蔵廻廊）、曳山会館に直結している。会館内には曳山祭の曳山3基と、京都祇園の一力茶屋などを模した庵屋台《いおりやたい》、傘鉾、それに、蔵廻廊には城端の歴史や文化、先賢の功績などの資料等が展示されている。更に進むと、城端伝統芸能会館「じょうはな座」を経て城端神明宮に至る。この宮の祭礼が城端曳山祭である。笛、三味線の音色に江戸端唄《はうた》の流れをくむ城端独特の庵唄《いおりうた》が唄われる庵屋台《いおりやたい》に先導された6台の山車が町中を練り歩く粋な祭りである。この祭りに関わって幾つかの作品も書かれた。

筆内幸子は「葉姫流転　越中城端江戸端唄」（平成5年）で、富山藩主の御落胤《ごらくいん》・葉姫と城端の絹問屋主人との悲恋を軸に城端に伝わった江戸端唄の由来を書いている。奇抜な筋書きで娯楽読み物としては面白い。秋山ちえ子の「二人静《ふたりしずか》」（昭和55年）は、二十数年前に失踪した男の消息を求めて、男の妻と母が祭りの城端の町を探し求める姿を切々と描いている。一途に愛しい人を想う女性（妻と母）の情深く細やかな気持ちと、嫁姑の労《いたわ》り合う温かな心情が祭りの中に融け込み、しっとりと落ち着いた情感が伝わってくる秀作である。

また、ミステリーでありながら、単に謎解きミステリーに止《とど》まらぬ真摯な人間の生き方を小杉健治は「もう一度会いたい」（平成19年）で描いている。引きこもりの青年が、アルツハイマー病に悩む老人との出会いから、記憶が失われる前に消息不明の女に謝りたいとの老人の願いを叶えるために、祭りの城端を訪れてその女を捜す。だが、その女を見付け出した時、意外な真実が…。引きこもりの青年の自立の過程と、失われゆく記憶の中で痛切に罪の償いを願う老人の姿が胸を打つ。更に小杉は「曳かれ者」で、東京で起きた殺人事件の捜査のために城端を訪れた刑事が、その地で自らの出生の秘密に遭遇し、実の父の姿が見え隠れする。過去と現在の因縁の中に鮮やかな抒情を漂わせた人情ミステリーである。城端を舞台にしたミステリーは、その地の情趣が作品中に漂い、味わいがあり、深みがある。

5　井波、八日町通り界隈

井波交通広場駐車場に車を駐め、八日町通りに入ると、石畳の緩やかな坂道が瑞泉寺の山門まで続いている。道の両側には造酒屋や彫刻工房、格子戸の古い町屋が軒を連ね、木槌《きづち》を打つ微《かす》かな音が聞こえてくる。静かで落ち着いた街並みで、坂を上るにつれ、自ずと心が和んでくる。

この町に私は強く心を惹《ひ》かれ続けてきた。学生の頃から池波正太郎の小説が好きで貪《むさぼ》るように読んだ。池波が描く主人公に男の美学を感じ、その主人公の生き方に憧れ、その姿に近づこうと努めてきた。だが、気懸《きがか》りなことがあった。彼の作品に富山の地名、特に井波の地名が時たま出てくるのである。例えば、「秘密」（昭和61年）では、兄の仇と狙われる武士が医者に姿を変えて逃げ回るが、江戸で追っ手と戦った後、医者を本業にすると定め、井波へと旅立つ。また、「鬼平犯科帖」最終回「ふたり五郎蔵」（平成元年）では、髪結いの五郎蔵が盗賊に操《あやつ》られて鬼平の失脚を謀《はか》るが、この五郎蔵の生まれが井波である。生粋《きっすい》の東京生まれの池波がどうして越中の井波を知っているのかが不思議だった。

だが、その気懸《きが》りも、食通の池波が通った店を好んで食べ歩く、これまた食通の私の友人が贈ってくれた池波の〈食のエッセー〉で解決した。その『食卓のつぶやき』（昭和59年）の「越中井波」には、池波の父方の先祖は天保年間に井波から江戸に出た宮大工で、その縁で池波は何度も井波を訪れているという。そして、池波は井波が気に入り、自分の故郷のようだとも言っている。同様のことを『一年の風景』（昭和57年）の「越中・井波―わが先祖の地」にも書いている。池波が愛した井波と思うとますます私の井波への思い入れが強くなる。

石畳の坂道を瑞泉寺へと少し歩くと左手に「まちの駅・よいとこ井波」がある。その裏に小ぢんまりとした蔵ふうの「池波正太郎ふれあい館」がひっそりと建っている。井波に来ると真っ先に飛び込む館だ。広くはないが、館内には、井波の人たちと交わした池波の書簡や、自筆絵画、色紙、写真、著書本等、池波愛用の品々が展示してある。多くの著書本の前に立つと自分の書斎に立ち戻ったような安らぎを覚え、それとともに館内の至る所に池波の気配が感じられ、まさに至福の時で、池波と親しく交流した井波の人々が羨ましい。

館から石畳の道へ出て、そのまま道を横切って小路を真っ直ぐに進むと、門前に小さな地蔵の立つ浄蓮寺がある。境内には瑞泉寺11代住職・浪化《ろうか》上人が、俳聖芭蕉の遺髪を貰いうけて納めた翁塚と、加越能三国の俳人数百名の寄進によって建てられた黒髪庵がある。翁塚は、故郷・伊賀上野、義仲寺本廟の塚と共に芭蕉三塚とされる。浪化は芭蕉最晩年の直弟子で、越中俳壇の中心として蕉風俳諧を広め、著書に『浪化上人発句集』『有磯海』等がある。

再び石畳の道へ戻り、瑞泉寺へ向かう。通りの柱や町屋の玄関は様々の彫刻物で飾られ、仄《ほの》かな木の香と、木を打つ微かな音が絶えず聞こえてくる。この通りは環境省認定「残したい日本の音風景百選」に選ばれている。瑞泉寺の山門が目前に迫ると、門前に元禄年間創業の旅館「東山荘」がある。この旅館は、池波の井波での定宿で、井波に来ると、朝はこの宿で瑞泉寺の鐘の音で目が醒めたとエッセーに書いている。また、この旅館の宿帳には白洲正子の記名もあるという。

6　井波・瑞泉寺

さていよいよ瑞泉寺である。石段を上ると、荘厳な井波別院瑞泉寺の山門（県指定文化財）に、息が詰まるほど、圧倒される。正面梁の龍・周りの精緻《せいち》な彫刻に目を見張り、門から藤棚の傍らを通って本堂に上がる。一人、本堂広間に座り、合掌していると、汚《けが》れが拭い去られるようで心が洗われ、目前の仏にひたすら頭が下がる。太子堂まで行くと、堂の向拝《こうはい》の籠《かご》彫《ほ》りや手挟《たばさみ》の彫刻の精妙さに目を奪われ、井波建築・彫刻・塗師の粋を集めた瑞泉寺の素晴らしさに再び驚嘆する。

瑞泉寺は、明徳元年（1390）に本願寺5世綽如《しゃくにょ》によって開かれ、文明13年（1481）に福光の石黒光義と戦って勝ち（田屋川原の戦い）、砺波郡一円を勢力下においた。その後、城塞化した瑞泉寺を拠点に一揆勢は勢力を誇り、織田信長との石山合戦にも参戦したが、天正9年（1581）に佐々成政に攻められ、落城、焼失する。その時に焼失した元々の瑞泉寺（井波城）は、現在の古城公園から井波八幡宮辺り一帯にあったといわれている。現在の地への再建は慶長元年（1596）だという。

山門を出て門前の道を右に進むと古城公園にでる。公園は閑散としているが、天正年間には「南無阿弥陀仏」の旗が翻《ひるがえ》り、御仏のためにと、意気軒昂《いきけんこう》な一揆衆が犇《ひし》めいていたに違いない。だが今は人影もなく「無常」の一言だけが頭を過《よ》ぎる。一向一揆を描いたものに真継伸彦の「鮫」「無明」がある。「無明」（昭和45年）は、応仁の乱から天正年間の乱世、宗教と政治の軋轢《あつれき》を通して人間の極限の姿を描いた文藝賞受賞の「鮫」（昭和38年）の続編として書かれた。信仰の戦いの裏に渦巻く政争・謀略の中で、信仰の意味を問い続ける青年僧の苦悩を描き、加賀を主な小説舞台としているものの、瑞泉寺などの越中勢の動きがよく描かれている。時代的には長亨の乱から蓮如の死までを扱っている。また、畷文兵の「はもん乞い上げ候」（昭和38年）は、遊女に恋慕された僧が、その遊女の命を助けようと夫婦になり、瑞泉寺から女犯で破門されるが、一揆勢が苦戦に陥ると、その破門僧は命を顧みず、戦いに駆けつけ、獅子奮迅《ししふんじん》の活躍をする話でストーリーテラーの畷《なわて》らしくなかなかに面白い。

7　井波・高瀬

瑞泉寺から高瀬神社に向かう。古代、高瀬神社は射水神社と共に越中国最高位の越中一宮《いちのみや》として君臨し、鬱蒼《うっそう》とした杜の境内を歩くと厳かな雰囲気で身が引き締まる。この神社の大鳥居前から井波町の方へ百メートルほど先の地で岩倉政治が生まれた。岩倉の、戦前から発表してきた百篇を越す作品の多くは、高波村を小説舞台としているが、高波村は岩倉の生まれた高瀬村をモデルとしていて、この高波村（高瀬）について、岩倉はまだまだ書かねばならぬことがあると、『無告の記』（昭和58年）の後書きに書いている。トーマス・ハーディの「一村落の人びとの上に起こる出来事は、世界中のだれにでも起きる」の言葉に感銘した岩倉は、それを胸に刻んで高波村（高瀬）を自己の文学の原点としているようだ。

さて、この「無告の記」を読むには覚悟がいる。貧農の家に生まれ、激動する社会の中で真摯《しんし》に生きた岩倉の自伝的小説なのだが、原稿用紙二千五百枚に及ぶ大長編で、内容的にも善と悪、気高さと卑しさなど、相反するものを有している人間の性《さが》を、社会生活や様々な事件を通して生々しく描き、読むにつれ、読み手もその性《さが》が自らにあると気付くと、主人公同様の苦渋《くじゅう》が込み上げてきて、それに自らが堪えられるかどうかを迫られる。岩倉は、一時期、プロレタリア文化運動に関わるが、この作品を読むと、その根底にあるのは、瑞泉寺や高瀬神社の信仰の里で培われた信仰・宗教への問いかけで、信仰を観念でなく唯物論的に捉《とら》えようとする試みだったのではないかと思えてくる。まさに「無告の記」は岩倉の入魂の作品で、読み手もそれなりに居ずまいを正して読まなければならぬ富山文学の傑作の一つである。

南砺　井波　高瀬神社

岩倉は、他にも高波村（高瀬）に関わって多くの作品を書いている。中でも芥川賞候補となった「稲熱病」（昭和14年）と、農民文学有馬賞受賞の「村長日記」（昭和15年）は読み応えがある。警察による自宅拘禁の上、厳しい検閲下で書かれた「稲熱病」は、学生の頃に思想面で検挙された経験のある主人公が、帰郷して農業技術員になるが、郷土の田には稲熱病が発生して被害が広がる。主人公は防除対策に尽力するが、村の有力者や警察の圧力、農民の無知の思い込みなどで妨害され、深い挫折感を味わう。農民の中で自己の再生を目指す主人公の姿と農民の因循《いんじゅん》な閉鎖性が描かれている。また、「村長日記」は、革新農政を積極的に進める村長と、反骨の篤農家の議員との対立を軸に様々な逸話を織り交ぜ、戦時下の農民の姿を日記体で描いている。以前にあった東砺波郡南山見村と、その当時の村長・小橋文郎をモデルにしている。

8　井口

井波から県道21線を走り、福光に向かう。途中、井口を通る。この地で生まれた池田源尚は自らの一族をモデルにして農村の大地主が没落していく姿を「運・不運」（昭和15年）に描き、第2回文藝推薦を受賞した。

主人公は地主の三人兄弟の長男で、自尊心は強いが頭があまり良くなく、落第を重ねて中学を卒業し、東京の私大に入学する。その間、父が米相場で大損をし、家財が激減するが、主人公は文学に酔いしれるばかりでまったく自立心がない。大学卒業後、何度か勤めるが、長続きはせず、やがて実家は完全に没落し、一家は離散する。その後、ようやく職に落ち着くのだが、その頃には文学への憧れは消え、凡俗の人間になりきっているという内容である。登場人物は多彩なのだが、懸命に生きる小人物の愚かさばかりが目立って苦笑せざるを得ない。だが、当時の農村生活がよく描かれていて、良い悪いにつけ、明治期の越中の農民気質がよく分かる。

9　福光

福光の市街に入り、福光公園近くの愛染苑へと向かう。愛染苑は棟方志功ゆかりの建物で、棟方の作品を見られるほか、アトリエを兼ねていた旧居「鯉雨画斎《りうがさい》」が見学でき、民藝館「青花堂《しょうげどう》」と、説明パネルが展示してある「棟方志功資料館」に入館できる。

棟方は昭和20年から6年8カ月、福光に疎開した。この疎開は後の「世界のムナカタ」へと躍進させる重要な充電期間で、その棟方を訪ねて柳宗悦、河井寛次郎、水谷良一など、当時の一流の文化人が訪れている。これらのことは棟方の自伝「板極道」や、彼と同郷の長部日出雄の「鬼が来た・棟方志功伝」（昭和54年・芸術選奨文部大臣賞受賞）に詳しく書いてある。「鬼が来た・棟方志功伝」は棟方の伝記ではあるが、年譜的なものではなく、彼の興味深い逸話を中心として、交友のあった文化人の活動や、当時の文化の潮流を膨大な資料と綿密な調査を通してまとめ上げてあり、郷土の先輩である棟方への並々ならぬ長部の敬愛の情が作品の至る所に満ち溢れている。

棟方は、柳、河井、水谷等から仏教を教わり、それにより力作を生み出してきたが、この福光で改めて他力本願の真宗世界に目ざめ、彼れの口から「富山では大きなものをいただきました。それは南無阿弥陀仏でありました」と言わせ、「女人観世音」（スイス・ルガーノ国際版画展優秀賞）のような傑作を生み出して世界へと羽ばたいた。福光は棟方にとって新たな自分を生み出した母なる地だったのだろう。

南砺　福光　瞞着（だまし）川沿い

10　福野

福光から富山市への帰路の途中、福野に立ち寄る。幼い頃、父の転勤で2年ほど福野に住んだことがあるので懐かしく、以前に住んでいた辺りについ足が向く。周辺は昔の名残はないが、厳浄閣《がんじょうかく》（旧県立農学校本館）だけは昔と変わらぬ佇まいで建っている。厳浄閣は、明治36年4月建築で、「富山県の建築百選」に選定され、国の重要文化財に指定されている。この厳浄閣がある南砺福野高校は旧県立農学校跡で、後に童話作家として名を為す大井冷光は、明治33年から36年までこの農学校で学び、寄宿舎から通っていた。彼は明治36年3月の卒業だが、その後、補修科で学んでいたので、建ったばかりの厳浄閣を親しく見ていたに違いない。農学校時代の冷光のことは、彼が書き残した日記「波葉篇」（大村歌子編『天の一方より・大井冷光作品集』所収）で窺《うかが》い知ることができる。日記から見える彼の姿は、音楽、美術、スポーツ、文学、編集などと、様々なものに興味関心を示して、好奇心が強い一方、飽きやすく、なかなか一つのものに集中できなかったようだが、文学と編集には変わらぬ興味関心を抱き続けていたらしい。

この「波葉篇」の中に興味を引く記述がある。「福野近郊のある寺の法主が「恋のなやみ」と云う小説を幸田露伴の校閲の上で出版したからそれを読んで今晩くらす」（明治36年2月20日）とある。この「福野近郊のある寺の法主」とは、幸田露伴の門人で、一時は中央文壇で活躍したことがある斎藤素影のことだろう。「恋のなやみ」（明治36年）は現在ではなかなか目に触れることができない作品だが、次のような内容である。東京暮らしの男が故郷での結婚を思い立ち、福野駅に降り立つと、迎えの者から福野新町の湊文屋書店の娘だった初恋の女が嫁ぎ先から戻されたことを聞き、未練の想いで悶々《もんもん》と悩みだすところから物語が始まる。その後、男は初恋の女の従妹と井波で結婚するが、初恋の女への未練が募る一方で、福野での芸者遊びで憂《う》さを晴らすが、気鬱《きうつ》になり、夫婦で和倉温泉に出掛ける。その温泉には初恋の女も静養していて、そこへその女を離別した元夫《もとおっと》が寄りを戻そうと訪ねてくる。因縁絡まる2組の夫婦が和倉の温泉宿で顔をつきあわせて…。現在の不倫物のメロドラマにも通じるような話で、この物語を農学校生の若き冷光が、どのような顔をして読んでいたかを想像すると可笑しさが込み上げてくる。

斎藤素影は、元々、現在の福光地域の井口家で明治11年に生まれ、後に井波の斎藤家に入籍した人で、東京で幸田露伴の門人として活躍した後、帰郷し、農業に就いた。その関係で、井波に関わっての「うしろ影」「草篭」「故郷の雪」「虫の音」などの小品を書いているが、「恋のなやみ」と同様に貴重書として現在、県立図書館の書庫に保管されているのでなかなか目にすることはできない。また、斎藤素影の息子・越郎も父・素影の関係から幸田露伴の家に出入りして、その当時のことをまとめて『蝸牛庵覚え書』として出版している。越郎は、父・素影のことをあまり評価していない書きぶりだが、それも親子ならではの父への照れからきているのだろうか…。旧県立農学校には、冷光が卒業して16年後ほどに、岩倉政治も学んでおり、農学校からは優れた人材が輩出している。

〈射水・高岡・氷見地域〉

〈射水市〉

1　小杉

京都・同志社大学今出川校に立ち寄り、上立売通《とおり》の交差点で烏丸通《とおり》を渡ると、右手に大きな石碑が立っている。藤井右門邸跡だ。右門は、明治維新の百年ほど前、勤王の大業に火を点けたが、幕府に囚われて打首・獄門となった。宝暦・明和事件である。同志社大学の地が薩摩藩邸だったので、勤王の志士たちには好都合の連絡場所だったのだろう。右門・藤井直明は越中国射水郡小杉宿（射水市）出身で、父は赤穂・浅野藩断絶時の次席家老・藤井宗茂で、吉良邸討ち入りに参加しなかった赤穂浪士だった。

小杉駅から旧8号線を下条川に向かうと、川と社会福祉会館の間に、鳥居のある一際《ひときわ》大きな墓がある。藤井右門の墓である。右門は16歳で上洛し、前田利寛《としひろ》の知遇を得て養子となり、利寛の世話で、諸大夫・藤井忠義《ただよし》の養嗣子となって従五位・大和守に任じられ、皇学所教授として活躍した。後に竹内式部と語らって王政復古を画策するが、幕府に知られ、竹内は追放、右門は官位を剥奪されるが、右門は逃亡し、後に江戸で山県大弐と再挙を謀《はか》る。だが、企《くわだ》ては失敗して捕縛《ほばく》されて処刑される。享年48。波乱に富んだ短い人生だった。この右門を主人公に野村胡堂が「不義士の子右門」（昭和31年）を書いた。

右門は、父の汚名をそそぐために上京するが、吉良、浅野家再興を謀《はか》る両家の遺臣団の争いに巻き込まれ、八面六臂《はちめんろっぴ》の大活躍をする。野村は「銭形平次捕物控」の作者だけあって、内容は、剣客や美女入り乱れての恋あり剣戟《けんげき》ありの痛快時代小説である。話の中に右門を後援する前田利寛《としひろ》が富山4代藩主・利隆の世子として登場するが、利寛は2代藩主・正甫《まさとし》の8男で、利隆の弟であり、京都で神学研究をしていた。野村は、利寛を5代藩主・利幸《としゆき》と間違えているらしい。宝暦事件の後、利寛は幽閉され、利幸も叔父・利寛の関連から幕府から疑われたようで、後に富山藩に日光東照宮修繕費13万両の負担金が命じられ、利幸死後には彼の資料一切を富山藩は焼却している。

右門の父・藤井宗茂が不義士なら、義士筆頭は大石内蔵助（良雄）である。内蔵助は、父・良昭が早死にしたので祖父・良欽の養嗣子として育てられた。良欽の弟・具知は、富山藩重臣・奥村家に養子に入っているので、奥村具知は内蔵助の大叔父にあたる。そのため奥村家と内蔵助とは交流があり、吉良家討入り後に、富山藩2代藩主・正甫は、奥村家に討入りの事を書き付けさせ、後世に伝えさせたと言われている。蛇足になるが、内蔵助は、室町幕府鎌倉公方の重臣・小山氏の末裔《まつえい》だが、その妻・理玖《りく》は、豊岡藩家老・石束毎公《いしづかつねよし》の娘で、理玖の母は、佐々成政の次女と従兄弟の佐々清蔵との間の子の子孫で、吉良邸へ討入った内蔵助の子・主税《ちから》は佐々成政の血を確かに受け継いでいる。ちなみに佐々成政の次女と関白・鷹司信房の子が、徳川3代将軍家光の室・中の丸（成政の孫）で、彼女の従兄弟の狩野探幽・尚信も佐々成政の孫にあたる。更に詳しく知りたい方は、遠藤和子著『家光大奥・中の丸の生涯』（平成25年）をお読みになることをお薦めする。血の流れを辿《たど》ると、ミステリーを読むよりも面白く、波瀾万丈《はらんばんじょう》のドラマの世界が目の前に広がってくる。

下条川ほとりの藤井右門の墓前に佇《たたず》んでいると、この辺りの地名が「戸破《ひばり》」なのに気が付いた。すると、須山ユキヱの短編「戸破」（昭和63年）を思い出した。嫁姑の諍《いさか》いの中で育った男の子が、両親の夫婦喧嘩に触発され、母を労《いたわ》らぬ父親に反発して家を飛び出し、好きな女の子の住む戸破《ひばり》に行くが、その女の子に会えぬまま姉の家に行き、姉に説得されて帰宅する話である。須山は、射水市を舞台にして、穏やかな家庭に突如として波風が立つ様子を、当事者の女性の半生の思い出を織り交ぜて多く描いている。中央公論社女流新人賞受賞の「延段」（昭和56年）がその代表作である。亡き夫が願った延段を造り、ひと時、夫を偲び、生《な》さぬ仲の子を育てた苦労を思い浮かべて感慨に浸っていると、夫の知人の男が訪ねてくる。男との久しぶりの会話に、男に夫を垣間《かいま》み、懐かしむとともに、男へのその気持を恥じて雪降り積もる延段に足を運ぶ。老いても未だ身に宿る女の性《さが》が迸《ほとばし》り、男が容易に入り込めないような女性の繊細な心情と、奥底に潜む性への執着に囚われる情念の世界を巧みに描いている。「延段」は、後妻に入った須山の妹が、敗戦後、先妻の位牌を満州から大事に持ち帰り、先妻の子たちも苦労して連れ帰ったのに感動して須山が書いた「法悦」（昭和22年）の続編に当たる。「法悦」は鎌倉文庫女流新人賞を受賞している。

2　下村・新湊

国道8号線の小白石交差点から県道204号線を田の中の道を海の方へ進むと、下村加茂神社の杜が見えてくる。京都の下鴨神社の神領、倉垣庄の総社で、疾走する馬上から矢を的《まと》へ放つ春の「やんさんま祭り」、秋の「稚児舞」の神事が県内外に広く知られている。

これらの神事を題材にして、須山ユキヱは「トネリコの里」（昭和57年）を書いている。春の「やんさんま祭り」の日に、敗戦後、満州で息子を亡くし、幼い娘を残してきた夫婦が引き上げてくる。やがて妻は死に、その妹が後妻となって子を産むが、男は、外地に残してきた娘を愛《いと》おしみ、悲しみ続ける。そんな夫の姿を後妻は黙って見守っている。やがて「かっとんど」と呼ばれる稚児舞の祭りが近づいてきた日、中国残留孤児の肉親捜しが始まり、孤児の中に娘らしい女性がいるとの情報が伝わり、男は…。また、須山は「紫蘇かおる」（昭和59年）で、新湊を舞台にして、母と二人暮らしの40代後半の洋装店経営の独身女性が、兄との些細な喧嘩から憤《いきどお》って自分の半生を振り返り、自らの生き方に疑問を抱き、生きることの哀しみを切々と描いている。須山ユキヱの作品の多くは、どの家にもある複雑な家庭問題を、当事者たる女性の視点から捉えて、生きるとは何かを問いかけている。

そのまま海辺に行き、新湊の埠頭《ふとう》に立って海風に身を晒《さら》していると、松本清張の「疑惑」

（昭和57年）を思い出した。目前のこの海に、資産家の夫と元ホステスの妻・球磨子《くまこ》の乗った車が転落する。妻だけが助かり、妻は夫の保険金3億円を手にするが、殺人の容疑が生じ、地元紙は妻の過去を暴き、妻の犯行として烈しく非難する。だが、国選弁護人は、妻の容疑を次々に晴らし、それにつれ、非難した地元紙の記者は窮地に陥り、追い詰められた記者は弁護人を…。この作品は昭和49年に、大分県別府市で実際に起きた3億円保険金殺人事件をモデルにして、その時に疑われた夫の名が「虎美」で、清張は「虎美」の「虎」を球磨子《くまこ》の「球磨《くま》（熊）」にし、疑われるのを男から女に置き換えて、意表を突く結末に仕立てた。無責任なマスコミ報道を批判していて、今までに何度も映画・テレビ化されている。

3　高木・久々湊

国道472号線を新湊へ向かい、射水警察署前を過ぎると、高木交差点の手前に「石黒信由生誕の地」の案内板がある。案内板に従い、交差点を左折すると直ぐ左に高木農村公園があり、石黒信由顕彰碑が立っている。石黒信由は、宝暦10年（1760）に、この地の肝煎《きもいり》（村役人）を勤める豪農の家に生まれた。幼時より算学に興味を持ち、成人してからは関流和算や測量術、暦学を修めた。享和3年（1803）に、伊能忠敬が沿岸調査で越中を訪れた際には、忠敬の四方《よかた》方面の測量にも同行した。その後、加賀藩に命じられて越中・能登・

加賀の測量を行い、「加越能三州郡分略絵図」を作成した。その絵図は、極めて精度が高く、忠敬の日本全図と並ぶものとも言われている。

この石黒信由の若き修業時代を、和算を題材にして時代小説を書き続けている鳴海風が「八尾の廻り盆」（『和算の侍』所収・平成28年）で描いた。幼くして父を亡くし、年若くして肝煎になった石黒信由は、祖父の厳しい指導のもとで村方の仕事に励むが、和算への思いが止みがたく、暇を見付けては高木村から富山城下の中田高寛の算学の塾に通う。その塾で八尾出身の早希に出会う。早希は火事で家族を失い、算学好きの父の残した問題を解いて、算額奉納するのを願って学んでいた。信由は早希に心惹かれ、その問題を解き、算額を鹿島神社に奉納した後、早希を訪ねて廻り盆（風の盆）の八尾を訪れる。だが、早希は…。直向《ひたむ》きに算学に打ちこむ純粋な青年の清々しい心映えが描かれている。

再び472号線に戻り、新湊に向かう。途中、鏡宮高架橋を通り抜け、直ぐ左の射水市新湊博物館に立ち寄る。博物館には、信由、以下石黒家4代が残した測量術・天文暦学などの資料約1万2千点余り（「高樹文庫」）が所蔵され、信由使用の測量機器や、作成した地図など、約百点が公開されている。472号線で再び新湊に向かうが、博物館で見た、陶芸家で人間国宝の石黒宗麿の作品の素晴らしさに興奮冷めやらず、新港の森南交差点で左折して久々湊《くぐみなと》の宗麿の生家跡に向かう。宗麿には縁がある。京都での学生時代、比叡山麓の八瀬近くに下宿していた。散策の途中、高野川沿いの本道から櫟《くぬぎ》林の脇道に入ると宗麿の窯場があり、その辺りをよく通った。現在、生家跡には宗麿翁の碑が立っているだけだが、八瀬の窯場を思い浮かべると感慨《かんがい》ひとしおだ。

4　放生津

472号線を北進し、新港の森交差点を左折し、放生津に向かう。放生津は歴史的にも重要な所だが、その地名の響きに幼い頃の忘れがたい二つの話の思い出がある。小中学生の頃から伝説・奇談、特に怪談が好きで、その種の話を貪り読んだ時期があった。その中に田中貢太郎の「放生津物語」（『日本の怪談（二）』昭和61年）がある。昔、放生津の草原にお諏訪様と呼ばれる小さな祠があり、その前で村の子たちが怪談話に興じていると、江戸から移住してきた少年がやって来る。村の子たちは、少年にお諏訪様は白蛇で祈ると現れると言ってからかう。少年は信じて一心に祈る。それ以来、少年の前に白蛇が現れ、様々な形で少年を救うが、白蛇は少年にしか見えない。そんなある日…。この話は、小学生の頃、学校帰りに近くの神社の社殿で白蛇を見た直後に読んだので印象に残ったのだろう。更に一つは『太平記』巻11「越中守護自害の事附怨霊の事」である。

万葉線中新湊駅の踏切を渡って駅前通りを進み、直ぐ右に曲がると、放生津小学校がある。そのグラウンドの砂留め土盛りの傍らに、放生津城跡の石碑が建っている。この地で、鎌倉幕府崩壊時に、越中守護・名越《なごえ》一族は反幕府軍に攻められて滅亡した。また、室町期には、明応の政変で都を追われた十代将軍足利義材《よしき》（義稙）が、越中公方として5年間に渡り、この地から全国に御教書、御内書等を発給した。歴史の光と影に見舞われた貴重な史跡だが、今は訪れる人もなく、樹下の薄闇に一人佇《たたず》んで石碑を見ていると、風がやたらと冷たく、言い知れぬ寂しさに襲われる。更にこの城跡の近くの海には奇怪な話が伝わっている。名越氏滅亡の後、夜半、放生津の沖を商船が通りかかると、彼方の沖合から女の泣き悲しむ声が聞こえてくる。すると渚の方から「あの沖合まで船に乗せてくれ」と男の声がして、3人の男が船に乗り込み、沖へと船を進ませる。沖に出ると、波間から3人の美女が浮かび上がり、男女、互いに寄り添うと、両者の間を分かつように猛火が走り、忽《たちま》ち女たちは海中に消え、男も「我は名越遠江守、修理亮、兵庫助」と名乗り、姿を消す。『太平記』巻11「越中守護自害の事附怨霊の事」に描かれている話である。

『太平記』では、後醍醐帝の軍を迎え撃とうと、名越《なごえ》時有が、二塚城で幽閉中の後醍醐帝の皇子・恒性《こうしょう》皇子を殺して立て籠もるが、幕府軍の敗色濃く、放生津城に逃げ帰る。だが、戦い疲れ、反幕府軍の包囲の中で妻子を船で沖に逃がし、一族郎党79人余りが城で自害する。妻子もまた沖合で入水《じゅすい》し果てる。放生津の海での怪奇談は、別々に死んだ夫婦が死後も互いに慕い合って亡霊になって再会する話だが、幼い頃にはやたらと怖い話だった。だが、歳を重ねるごとに、愛し合う男女の哀話として心に残るようになった。名越《なごえ》一族が鎌倉幕府にこれほど忠誠を尽くしたのは、時有の祖は、幕府2代執権・北条義時の次男・朝時で、一族は代々北陸や九州の地で守護を務めたからだろう。余談だが、名越一族の北条篤時の子が周防の大内氏に仕え、後に子孫が、北九州に移り、中間で両替商「小松屋」として成功し、その血統に小田剛一こと、俳優の高倉健がいる。その縁か、鎌倉の執権館跡近くの篤時の菩提寺である宝戒寺には高倉健の奉納物が数多くある。

放生津城跡の石碑の前の道を海に向かって進むと、内川に架かる二の丸橋がある。橋の手前を左に曲がり、内川沿いに進むと、放生津橋があり、橋の両端には、正座と乗馬姿の足利義材の銅像がある。橋からは、全国でも珍しいベンガラ塗りの屋根が付いた、歩行者専用の東橋が見え、その佇《たたず》まいがエキゾチックで心惹かれる。そのまま放生津橋を渡り、放生津八幡宮へ向かう。八幡宮は、大伴家持が越中国守在任中の創始と伝えられ、13本の豪華絢爛《けんらん》な曳山が町を練り回る10月1日の新湊曳山まつりで有名だ。曳山囃子を響かせ、昼は花山、夜は提灯山と曳山を曳き回す祭りは勇壮華麗《ゆうそうかれい》で素晴らしい。新湊在住の詩人・池田瑛子氏の詩に「ひとつの叫びが／走ると／どよめきはいっせいに／無数の提灯を灯した　地の底から原始の足音がひびき／目にみえない太い綱が／すばやく／人々のたましいを結んでいくと／たかまりは巨大な鼓動となって／空を揺すぶった　祈りに灯を放って／燃え上がる海　ひととき／ささくれた日常を忘れ／心の内側を溶かしていく／あつく激しいものに／酔い揺れる」（「祭り」）があるが、新湊曳山まつりの様子はこの一編の詩に尽きる。内川沿いの風情が心に残り、川沿いを散策したくなり、放生津橋へと引き返す。

5　新湊内川沿い

放生津橋まで引き返すと、橋の両端には足利義材《よしき》の銅像がある。勇ましい騎馬姿だが、流浪のこの将軍は、都から追われ、鄙《ひな》の北陸の港町で何を思っていたのだろうか。だが、義材がこの地に滞在したおかげで、多くの文人が放生津を訪れた。「新撰菟玖波《つくば》集」の編者で文学史上名高い連歌師・宗祇も、文明11年（１４７９）から9回も放生津を訪れ、その内、明応2年（１４９３）と同6年（１４９７）には義材の許を訪ねている。その折りに宗祇が詠んだ歌が残っている。「心あひの風の名にあふ扇かな　さしかくす扇に薄き夕日かな」。宗祇は放生津でどんな夕日を見たのだろうか…。そう思いながら空を見上げると、青々と晴れ渡った空だが、この港町からこの空を、名越時有、神保長誠《ながのぶ》、足利義材、それに都からの諸々の公家、文人たち、そして宗祇までが見上げたかと思うと、感慨ひとしおで、この地に生まれた人々が羨ましくなる。伝統の曳山まつりや、新湊周辺で盛んな「前句」（舞句）なども、この地で嘗《かつ》て花開いた文化の名残を延々と引き継いできているのだろう。

放生津橋から内川沿いに、屋根付きのエキゾチックな東橋を横目に見て、「川の駅・新湊」に立ち寄る。そこで展示してある曳山を見てから駐車場傍らのステンドグラスが嵌《は》め込まれた神楽橋を渡る。朝陽や夕陽に映えるステンドグラスはどんなにか美しいことだろう。橋を渡って右に曲がると病院がある。しばし佇《たたず》み、病院の周辺を見る。江戸期、この地に廻船問屋・柴屋彦兵衛の家があった。享保3年（1803）8月3日に、沿岸測量を終えた伊能忠敬がこの家に泊まり、そこに鳴海風「八尾の廻り盆」で紹介した石黒信由が訪れて教えを乞い、象限儀（四分儀）等による天体観測を見学して、翌日から四方《よかた》方面の伊能忠敬の測量に同行した。この伊能との接見で石黒の測量術は一段と進展し、後に「加越能三州郡分略絵図」等を制作・提出して越中における測量・算学の発展に大いに貢献した。

神楽橋下から内川沿いに歩く。歩くにつれ、言いようのない郷愁と安らかさに満たされ、心の隅々まで癒される。内川は川と言うより、海と海とを結ぶ１８５０mほどの、川幅の狭い運河で、川の両側には嘗《かつ》ての北前船主の蔵や、古めかしい民家が建ち並び、両岸には、漁船が連なって繋留《けいりゅう》されている。仄かな潮の香と、時たま舞い飛ぶ水鳥、そして船の微かに軋《きし》む音、それ以外、川や時の流れは滞《とどこお》り、淀《よど》み止まって、ただ静かでゆったりとした雰囲気が川沿いに漂っている。

川沿いの雰囲気に酔い痴れて歩いていると、子ども連れの老人と行き違った。幼い子は屈託なく飛び跳ね、老人はそれを静かに見守っている。孫なのだろう。その時、ある小説の言葉が思い浮かんだ。「子供は育ち、こちらは老いる。納得して時は流れる。人生っていいなと思う」。「納得して時は流れる」…。内川沿いの雰囲気にぴったりとあう言葉だ。この言葉は山川健一の「人生の約束」（平成27年）中にある。映画も大好評だったが、この作品は、山川が映画の石橋冠監督や脚本家と話し合って映画制作と同時に書きだしたという。ストーリーは同じだが、映画はポイントを要領よく端的・手短かに繫ぎ合わせて感動を涌き上がらせたが、登場人物一人一人の背負う「人生の深み」が今一つ伝わってこない。その点、山川の作品は、相互の人間関係や、一人一人の背負う人生の重みをも描いているので、映画に感動した方はこの作品も合わせて読むことをお勧めする。

　内川沿いを歩いていると、初めての土地なのに、何度も訪れているようなデジャヴ（既視感）に見舞われる。だが、よくよく考えると、この川辺の光景は、スクリーンを通して何度も見ていた。湊橋・新西橋・中の橋・中新橋・奈呉の浦大橋・神楽橋・東橋は、竹野内豊主演の「人生の約束」で、中の橋・中新橋・中の橋・中新橋は、高倉健主演の「あなたへ」で、また、西橋は、三浦友和主演の「ＲＡＩＬＷＡＹＳ・２」で、そして、松本潤・有村架純共演による「ナラタージュ」では、内川周辺がロケ地になっている。「ナラタージュ」は、平成18年版「この恋愛小説がすごい！」で第１になった島本理生の作品の同名映画化されたものだ。

新湊　内川沿い

内川沿いを歩いていると、映画のスクリーンの中に舞い込んだようで気分が高揚してくる。内川のこの12の橋を巡る遊覧船もあり、晴れた日、遠くに立山連峰を望みながらの船旅は最高の楽しみだろう。さて、川はまだ続き、橋も連なっている。もう少し歩いて伏木へと足を伸ばすことにする。

〈高岡市〉

1 牧野

射水市から高岡市へ入り、伏木へ行く途中、牧野の宗良《むねよし》親王の屋敷跡を訪ねる。親王の父は後醍醐帝、母は歌の名門二条家出身で親王自身も『新葉和歌集』(准勅撰和歌集)、『李花集』(私家集)の撰者で著名な歌人である。若くして天台座主《ざす》となるが、父・帝に加勢し、元弘の乱で讃岐へ流され、後に還俗して南朝方の武将として各地を転戦し、越中のこの地で3年余りも過ごした。屋敷跡は、現在「樸館塚《ぼっかんづか》」と呼ばれ、民家の裏の空き地に石碑が、寂しげに立っている。余談になるが、後醍醐帝には17人の皇子と15人の皇女がいたという。僧籍に入った皇子は別格扱いなので、何番目の皇子かについては諸説がある。高貴な方は、政治的理由も絡んで己の血筋を広げる必要があるのだろうが、その高貴な血を継ぐ故《ゆえ》に、苛烈な生涯を強《し》いられた方々もいる。高岡市二塚で殺害された後醍醐帝の皇子の恒性《こうしょう》皇子や、宗良《むねよし》親王などである。この鄙《ひな》の草深い地で、「思ひきやいかに越路の牧野なる草の庵に宿からむとは」「玉くしげ二上山を見るたびに都のふしとおもひわびぬる」と詠んだ宗良親王《むねよし》の切ない心情を思いやると、胸が締め付けられる。

2 伏木・中央町

庄川、小矢部川を渡り、伏木に入る。伏木駅前の24号線を海の方に進み、伏木中央町交差点を通り越して直ぐ左に曲がると中央町である。この街筋は、現在は住宅街だが、以前は、玉川町と呼ばれた歓楽街だった。その歓楽街に、料亭・松田楼があり、「姉が嫁入りしてから私はよく海岸へ遊びに行った。〜一と月余りも滞在することがある。越中伏木の港も海べりに寄った小綺麗な遊女屋にはさまれた大きな料理屋で、姉はそこの磨き立てられた帳場にいつもきちんと坐っていた」と、室生犀星は「美しき氷河」（大正8年）に松田楼のことを書いている。この作品の「姉」が犀星の13歳年上の義姉テイ（テエ）である。

犀星は、生後間もなく近くの雨宝院へ養子に出され、厳しい養母のもとで辛い日々を送った。養母に叱責される度に、義姉のテイが犀星を優しく労《いたわ》ったという。そのことは、犀星の初期の自伝的作品「幼年時代」に描かれている。その時の優しさが忘れられなかったのだろう。犀星は、20代の頃、テイの婚家先・松田楼へ何度も訪れている。その折りの訪問から二つの短編が生まれた。姉の料亭を訪れた時に知り合った二人の美しい半玉（芸妓）との淡い交流を、繊細な筆遣いで描いた「美しき氷河」（大正9年）と、病気の夫を気遣う姉の様子をうかがうために、姉の料亭に長逗留した気鬱《きうつ》な日々を描いた「あら磯」（大正14年）である。犀星は、犀星にとって一時《いっとき》の青春の癒しの地だったに違いない。現在は以前の歓楽街のような賑わいもなく、作品に描かれていた料亭の後《うしろ》の砂浜も埋め立てられて波音一つ聞こえてこない。だが、犀星のこの2作品を読むと、彼の瑞々《みずみず》しい青春の息吹に満ちている。

伏木中央町の松田楼があった辺りで、ぼんやりと犀星に思いを馳せていると、陽も陰り、薄暗くなってきた。犀星が滞在していた頃は、通りには小川が流れ、川沿いに軒を並べた料亭の灯が川面に映え、松並木に吊された色鮮やかな提灯に、多くの人たちが束の間の夢心地に誘われたのだろうが、今はただ静かに夕なずんでいる。20代の犀星は、この花街《はなまち》に滞在して何を考えていたのだろうか…。

高岡や伏木は、義姉の関係からばかりでなく、犀星には縁がある。彼の父・小畠弥左衛門吉種は、加賀藩の伏木浦在番人を勤めたこともあり、また、歳の隔たる長兄・生種は、犀星が生まれた頃には作道小学校や下久津呂小学校の校長をしていた。それらのことからか、彼の出生には謎が付き纏《まと》っている。犀星の娘・室生朝子（犀星の「杏子」のモデル）の著書に『父犀星の秘密』（昭和55年）がある。彼女は、元国立国会図書館東洋文庫主査・中島正之氏に父の出生の調査を依頼し、中島氏から、犀星の実母は、高岡市川原町の待合茶屋・遊亀戸で芸妓として出ていた「山崎ちか」で、犀星は高岡市横田で生まれたとの報告を受けて、それを『父犀星の秘密』で発表した。その後の継続調査もあるのだが、何らかの事情で公表されていない。これとは別に、犀星は父・吉種の63歳の時の子なので、父が高齢すぎるとの疑いから、吉種以外の実父説も研究者から出ている。その中には、長兄・生種の名もあり、衝撃が走る。これらのことは事実か否か判明しない。犀星の出生に関しては米田憲三氏が研究を深めておられるので今後の研究に期待したい。仮に犀星が多少なりとも自らの出生の真実について知っていたならば、伏木玉川町で滞在中、花街《はなまち》の雰囲気に実母や、または父のことを考えていたのかもしれない。詩人は謎と翳《かげ》りが多いほど、その詩は憂いと気韻を帯び、美しく胸に響いてくる。

3 伏木・東一宮、本町

余りにも中央町に長居した。一路、伏木東一宮の高台の家に向かう。その家は「階下が六間、二階が二間という、古い家に比べれば小さな家」で、その家からの見晴らしは「海沿いに能登街道が通り、松並木が鉛色の日本海を背にして立ち並んで~白ペンキを塗った異国風の建物、避病院が見え」と「鶴のいた庭」(昭和32年)で堀田善衞が書いている。堀田が6歳頃から昭和6年石川県立二中に進学するまで住んでいた家である。その家からは、左に岩崎鼻燈台が見え、真下に氷見線が走り、町並みの向こうの、石油タンク越しに海が広がっている。今は薄暗くてはっきりしないが、晴れた日ならば眺望が素晴らしいに違いない。更にその眺めから、「町並みのなかに、一軒、白壁の倉にとりかこまれた、屋根の上に小さな望楼のついた家がある。それが私の生家で〜」と、約二百年続いた廻船問屋・鶴屋を営んできた堀田の生まれた家が見える。その家は伏木本町の伏木図書館がある通り並びにあった。現在は往事を偲ぶものはないが、鶴屋は、伏木を代表する船問屋の一つだったが、その繁栄も時勢には勝てず、堀田が物心付く頃から凋落《ちょうらく》し、彼が慶応大学に進学する頃には完全に没落した。

青春の多感な時期での家の没落はかなりの心の痛手であったろうが、そのことが反《かえ》って堀田に新たな視点を開かせたのではないだろうか…。彼は、受験で上京した折り、二・二六事件に遭遇する。そのことを「若き日の詩人たちの肖像」（昭和43年）で、「生家が没落したという経験とも重なって、国家もまた永久不変ではなく、軍隊の反乱などによって崩壊することもあるのだという、中世の無常観ともつながる感覚を与えられた」と書いている。家の没落が「無」からの何物にも囚われない冷徹な目を育み、世界へ向けて羽搏《はばた》いたのだろう。鶴屋は没落したが、伏木は優れた文学者を生み出した。さて、高岡市街へ向かうとする。

4　平米、川原

父の死の報せで師の尾崎紅葉の許から金沢に帰った泉鏡花は、悲しみと生活の貧窮から一《いっ》時《とき》、死を思い立ったことがある。その死を思い止《とど》まらせ、鏡花を作家として世に出した高岡ゆかりの作品がある。「義血侠血」（明治27年）である。鏡花21歳の時に、父が急逝《きゅうせい》し、東京から金沢に帰郷すると、借財の返済、家族の扶養《ふよう》が待っていて、その重荷で鏡花は入水自殺まで考えた。そんな鏡花に、師の尾崎紅葉は援助の手を差し伸べた。彼の小説を手直しして、東京の新聞に連載できるように計らい、鏡花が再び上京する機会を設けてくれた。後に、その作品を新派劇の創始者・川上音二郎が浅草座で上演し、興業は大当たりで、その好評の中で作家・泉鏡花は一躍《いちやく》世に出た。その際の上演の外題《げだい》が「滝の白糸」（「義血侠血」）だった。

現在、「滝の白糸碑」は、片原町（北）の交差点の角に立っているが、元々は片原中町の稲荷社の境内にあったという。碑文は、新派の名優・喜多村緑郎の書で「越中高岡より倶利伽羅下の建場なる石動まで四里八町が間を定時発の乗合馬車あり」との作品の冒頭が記されている。片原町の乗合馬車の待合所で、法曹を目指す馭者《ぎょしゃ》・村越欣彌《きんや》と、女水芸人・滝の白糸が出会い、途中の人力車との競争も絡

高岡　滝の白糸碑

ませ、金沢での再会後、二人は恋に陥る。白糸の学資援助で欣弥《きんや》は上京するが、学費を稼ぐために白糸は誤って人を殺してしまう。その白糸が裁かれる日、彼女の前に現れるのが…。切ない悲恋物語である。当時の新聞によると、片原町からの乗合馬車の運行は、明治21年6月頃からで、人力車と運賃面での諍《いさか》いもあったようである。鏡花は、明治22年6月頃から富山町に滞在したらしいので、この乗合馬車と人力車の諍《いさか》いを聞き知って作品中に書き入れたのかもしれない。

滝の白糸碑から万葉線を横切り、坂下町の坂を一路《いちろ》下ると称念寺に行き着く。その裏手が川原町で、嘗《かつ》て下川原町と呼ばれた花街《はなまち》で、その待合茶屋「遊亀戸」に関わって、北澤喜代治「雁の書」（昭和12年）と、室生朝子（犀星の娘）「父犀星の秘密」（昭和55年）の2作品がある。

北澤は、東京帝国大学卒業後、旧制高岡中学での5年間の勤めの間、遊亀戸（作品では遊喜楼）の芸妓との恋愛を貫き、妻にして滑川高等女学校に転任し、後に故郷・長野で文学に専念する。その芸妓・玉子の茶屋勤めでの苦しかった半生を「雁の書」で彼は克明に描いた。北澤については麻生茂夫氏が研究を進められ、纏《まと》めたものを県立図書館に寄贈されている。また、「父犀星の秘密」は、伏木・中央町の項でも触れたが、室生朝子が、法事で金沢へ帰省した折り、犀星宛の古いハガキの文面から父の実母に疑問を抱き、調査を始めるルーツ探しの随筆である。犀星の実母は、遊亀戸で芸妓として出ていた「山崎ちか」で、犀星は高岡で生まれたという衝撃的な内容である。最近、犀星の実父についても疑いが生じており、高岡の文学は、奥深い分だけ、なかなかミステリアスなことが多い。

5　山町筋、金屋町

川原町の遊亀楼跡地から白糸の滝碑まで引き返す途中、土蔵造りや真壁造りの家屋が目立つ町筋を横切る。国の重要伝統的建築物群保存地区に選定されている山町筋だ。明治33年の高岡大火の被災後に、土蔵造りで再建した町並みである。町並みに惹かれて右折し、通りを進むと、左に「土蔵造りのまち資料館」や、「ぎんぎんぎらぎら夕日が沈む」の歌い出しで有名な童謡「夕日」の作曲者・室崎琴月《きんげつ》の生家がある。その生家の向かいに、国の重要文化財・菅野家住宅もある。懐古趣味も加わり、落ち着きある街並みの風情に気持がゆったりと和む。

木舟町の交差点を渡り、更に通りを進むと、右に高岡御車山《みくるまやま》会館、左に赤レンガの建物が見えてくる。会館には、

高岡　山町筋

高岡御車山祭の御車山（山車）と、祭礼の由来・歴史を紹介する資料等が展示されてあり、見応《みごた》えがある。赤レンガの建物は、東京駅を設計した辰野金吾の監修によって大正4年に建築されて、現在は銀行になっている。

この銀行の裏手が一番町で、この町に代々住んだ蘭方医の長崎家の家系を中心に、幕末・明治維新の激動期を描いた大河小説がある。田村俊子賞受賞の木々康子の「蒼龍の系譜」（昭和51年）である。幕末・明治維新を、島崎藤村は木曽・馬籠宿から見て「夜明け前」で描いたが、木々は、幕末・明治維新を高岡から見て「蒼龍の系譜」で描いた。また、この作品の前半は、長崎家を中心とする高岡の「蘭学事始《らんがくことはじめ》」であり、全編を通して激動期の高岡の文化人の苦悩と、時流に弄《もてあそ》ばれる加賀、富山両藩の周章狼狽《しゅうしょうろうばい》ぶりが克明に描かれていて傑作の名にふさわしい。そのまま進み、郵便局前の交差点を右折すると公園がある。高峰譲吉の生家跡で、平成23年上映の『さくら、さくら〜サムライ化学者・高峰譲吉の生涯〜』（主演・加藤雅也）のロケ地にもなった。ただし、高峰はこの地に1歳までしかいない。後に彼は、米国に渡り、国際結婚をするが、その経緯《いきさつ》や、映画の内容をよく理解するには、飯沼信子「高峰譲吉とその妻」（平成5年）が好適だろう。

公園から千保川へと進み、橋を渡って高岡鋳物発祥地の金屋町に入る。銅片を埋め込んだ500mに及ぶ石畳の両側には、様々な銅像と千本格子の家屋が連なり、明治、大正の町並みを髣髴《ほうふつ》とさせる美しい風情を漂わせている。この町並みを、昭和8年11月5日に与謝野鉄幹・晶子夫妻が訪れ、鋳物工場に立ち寄って、寛は「ゐもの師はたのしかるべしみづからを釜ひとつにも出さんとする」、晶子は「われ入り鍋作りする爐《いろり》にあるを夕日と思ふひろきかな屋に」の歌を残した。歌碑は、高岡市鋳物資料館のある鋳物公園入口に立っている。二人はその夜、近くの内免町の大師殿真光寺で、歓迎歌会と揮毫《きごう》会を兼ねた晩餐会《ばんさんかい》に出席した。真光寺の近くには廃炉となった旧南部鋳造所のキュポラと煙突が虚《むな》しく聳《そび》えているが、二人が寺を訪れた時は、その煙突からは煙が盛んに立ち上《のぼ》っていたに違いない。この時の高岡での18首の歌は、晶子の歌集『いぬあぢさゐ』（昭和8年）に収められている。

6　御旅屋、定塚、末広、駅南

片原町の滝の白糸碑に立ち戻り、碑の前でしばし佇《たたず》む。鏡花の父、彫金師の清次は高岡の銅器製造元で一時働いたことがある。また、鏡花の「薄紅梅」のモデルで、彼とロマンスの噂もあった同門の女流作家・北田薄氷《うすらい》は、結婚して夫と共に高岡に赴いたが、24歳の若さで亡くなった。鏡花の妹・タカも、銅打ち職人と結婚して高岡に住んでいた。高岡は鏡花にゆかりのある土地にもかかわらず、彼の高岡関連の作品は「義血侠血」一作しかない。なぜなのだろう…。疑問に囚われながら坂道を上り、ふと見上げると、与謝野晶子が、鎌倉の大仏よりも美男と評した高岡大仏が、穏やかな笑みを浮かべて見下ろしていた。その笑みに誘われ、大仏台座下の回廊に入ると、奥の仏頭の傍らに詩額が掛かっている。「町なかの狭きかたえに／身を寄せて薄き衣に／胸あらは／カンカンと日の照るときに……」。堀田善衛の「高岡大仏に寄す」の詩の写しだ。真筆は寺の本堂に飾られている。元々、この詩は雑誌に載ったのを、大仏寺の関係者が堀田の母親を通じて堀田に頼み込んで、貰《もら》ったもので、同じ写しが、伏木気象資料館にも展示されているという。

大仏から御旅屋《おたや》町の交差点へ向かい、左折し、一際《ひときわ》大きなホテルの前に辿り着く。この辺りを舞台にした小説がある。森山啓の「谷間の女たち」（平成元年）である。森山は、4歳から8歳までこの辺りに住み、7歳の時に、自宅でカミソリで喉を切って自殺した母の死に直面する。血塗《ちまみ》れの母の姿は、少年の心を切り刻み、更に相次《あいつ》ぐ肉親の死で悲しみが深まる。その悲しさを癒すために、女性の愛を求める主人公の姿がこの作品には切実に描かれている。ホテル横の道から裏手にまわると、駐車場に松杉窟《しょうさんくつ》跡の案内板が立っている。俳人の筏井竹《いかだい》の門《かど》と、息子の歌人・嘉一《かいち》の住宅跡だ。竹の門《かど》は、明治30年に高岡を訪れた子規門下の河東碧梧桐《かわひがしへきごとう》に触発され、寺野守水老、山口花笠たちと、日本派俳句会「越友会」を起こし、郷土の近代俳句の発展に貢献した。ちなみに碧梧桐《へきごとう》が、高岡を訪れたのは盟友・高浜虚子との恋争いに負けた失恋旅行中でのことで、碧梧桐《へきごとう》の失恋が、本県俳句界の発展に大いに貢献したとは、なかなか世の中は面白い。

近くの末広町寄りの新横町は、後に竹久夢二の妻になる他万喜《たまき》が、前夫と新婚生活を送った地だ。高岡工芸高校の美術教師だった前夫は、早くに亡くなるが、そのことを、林えり子「愛せしこの身なれど　竹久夢二と妻他万喜」（昭和58年）に詳しく書いている。この時期が、他万喜《たまき》には、その後の夢二との愛憎地獄に陥る前の一時《いっとき》の幸せの時期だったに違いない。この界隈は複雑な小路が編み目のように続いている。井上靖の「七夕の町」（昭和26年）では、このような高岡の小路を、終戦後の七夕の日に、主人公の男が、死ぬことを共に誓い、その後、消息が分からなくなった女を探し求めて歩き巡ったのだろう。

末広町の市電通りに出て、高岡駅へと歩み、駅の構内を横切って瑞龍寺口に出る。そのまま駅南大通りを直進すると左に芳野中学がある。中学を過ぎ、すぐ右へ続く道の奥に前田家ゆかりの国宝瑞龍寺があり、左に進むと前田公園で、加賀2代藩主前田利長の墓所がある。その地で利長は荼毘《だび》に付されたという。先ずは墓所を訪ね、そこから引き返して瑞龍寺へと向かう。寺の山門の前に佇《たたず》み、振り返ると、今まで歩いて来た道が、芥川賞作家・木崎さと子の「楼門」（昭和58年）の中で、20年ぶりに高岡に帰郷した主人公の女が、前田利長の墓所の前で高校時代の男友だちと出会い、瑞龍寺まで一緒に話しながら歩いてきた道だったのに気が付いた。その男友だちは女を残して山門の階段を上り、階上の闇にそのまま消えていく。後に女はその男友だちが既に死んでいたのを知る。亡霊がなぜ現れたのかは分からない。不思議な話だと思いながら山門の下で階上の闇を見つめる。高岡の夕闇には得体のしれないものが暗躍しているようだ。

7　和田

高岡市街を国道8号線で小矢部に向かい、横田町を過ぎ、若富町の交差点を左折し、突き当たりのT字路を右に曲がって二つ目の小路に西光寺がある。付近は人通りもなく、これと言って変わりばえのしない、どこでも見かける住宅街だが、明治30年代の始め、この辺りは「和田俳人村」と呼ばれ、正岡子規が主唱した日本派俳句の盛んな土地だった。その中心が西光寺で、山口花笠を代表とする日本派俳句の越中での結社・越友会の活動拠点であった。その西光寺に、明治32年頃、当時、富山日報社主筆で、子規と親交のあった佐藤紅緑《こうろく》（佐藤愛子、サトウ・ハチローの父）がしばしば訪れて宿泊したという。

佐藤紅緑《こうろく》は、後に「あゝ玉杯に花うけて」「英雄行進曲」などの「少年小説の第一人者」として人気を博すが、彼の富山での記者時代を、佐藤愛子が「花はくれない」（昭和45年）の中で描いている。家庭を顧みず、政府批判の政治活動にうつつを抜かし、そのくせ酒宴や芸者遊びには目がなく、大言壮語で世の中を闊歩《かっぽ》した血気盛んな明治男の気質を、娘の愛子が少し冷ややかな目で描いていて面白い。話は逸《そ》れたが、この越友会に彗星のごとく現れ、ひときわ輝いた後、忽《たちま》ち消えた女流歌人がいた。沢田はぎ女である。彼女の句は、国民新聞の高浜虚子や松根東洋城の選で最上級の讃辞を受けたが、いつしか彼女の句は、夫が代作したものだとの噂が立ち、その真偽がはっきりしないままに俳壇から姿を消した。そのことに二人の女性が疑問を抱いて立ち上がった。一人は俳人の池上不二子、更に一人は作家の吉屋信子だった。

池上は、昭和32年に高岡・和田の沢田家を訪れ、山口花笠の言葉から広まった「夫の代作説」の真相を、はぎ女自身に尋ね、はぎ女から「自らの句」との言を得て、それを「俳句研究」10月号に発表した。また、吉屋信子もその話に触発され、昭和40年『オール讀物』2月号に「はぎ女事件」として発表した。はぎ女の「夫の代作説」が生じた経緯《いきさつ》や、池上が「俳句研究」に発表するまでの流れに自分なりの考えを述べたものだった。だが、はぎ女自作説を支持しながらも関係者の思いを憚《はばか》ってか、歯切れの悪い結びになっている。「夫の代作説（はぎ女架空説）」を唱えた山口花笠は、はぎ女の属する越友会の代表者で、多くの信奉者がいるし、山口の家は、道を挟んで、はぎ女の家の向かいで、彼女の家も越友会の拠点・西光寺の傍らにある。地縁、俳諧の人間関係が複雑に絡み、それに当時の女性の社会的立場や、女性俳人の俳壇での立場などへの配慮もあったのだろう。後に、はぎ女の句集も出版され、福田俳句同好会編『俳人はぎ女』（平成17年）もあるが、現在でも「はぎ女架空説」を支持する人もいて、この論争の火種は消えていない。ちなみに「田植女《たうえめ》や後ろは知らぬ通り雨」「とがり岩尖《とげ》つらつらと冬の月」「引絞り月の中なる撞木《しゅもく》かな」「いま通る雨に音あり夏の草」など、これらが二十歳の人妻・はぎ女の句で、なかなかに鋭い写生句だ。

吉屋信子と言えば、彼女は、昭和35年11月に、正力松太郎の選挙応援のために高岡に来ているが、その折りにつぶさに捺染《なっせん》工場などを見学し、前々から構想していた小説内容を具体化して「女の年輪」（昭和37年）を書き上げた。高岡出身の主人公の愛する女性が、高岡に来て見合いをするが、その相手が、捺染業を営む高岡きっての大地主の跡取り息子で、その家を取り仕切る気丈な老婆と、家の封建的雰囲気には、高岡の人たちも驚くに違いない。吉屋は、この高岡取材で一気に興が高まり、筆が走ったと書いているが、取材でどんな光景を見たのだろうか…。高岡での作品舞台は、憶測はできるものの、具体的な地名等が書かれてないのが残念だ。

8　常国、砺波市増山・頼成新

県道富山戸出小矢部線を戸出に向かい、串田神社を通り過ぎ、しばらく行くと下り坂になる。その坂の右に常国神社、左は崖で、その下に木々が茂る薄暗い窪地がある。環境省・平成の名水百選に選定された、源義仲ゆかりの「弓の清水《しょうず》」である。崖寄りの水源は、屋根付きの建物と、石柱の柵に囲われ、湧き出た泉水は、前方の方形の池に流れている。傍らには、弓泉碑と弓を持つ義仲像が立ち、崖の石段を上ると、「源平般若野古戦場」の碑が立っている。この辺りは、寿永2年（1183）に義仲の先遣隊・今井兼平の軍が、平盛俊の軍を破った般若野合戦の古戦場跡である。合戦後に義仲は兼平と合流し、倶利伽羅合戦へと向かうのだが、その折り、この地で、喉の渇きを癒すために弓で崖を突く（射る）と、水が湧き出たという。現在は穏やかな田園地帯だが、その昔は血で血を洗う戦場なので、名水が湧くとはいえ、その冷え冷えとした空気と、木立の薄暗さの中に、討ち果たされた亡者の怨念が、未《いま》だに漂い、寒々とした霊気を放っているように思われる。そんな思いを三島霜川も感じたのだろうか、彼はこの地を「霊泉」（明治38年）で魔境として描いている。

「霊泉」では、〈弓の泉〉と〈三重の塔〉があるこの地は、青葉城の址《あと》で、城が敵に包囲され、落城する際、城主を始め、家臣全てが恨みを飲んで城を枕に自害し、その折り、城主が恨みを込め、巌《いわ》を弓で打つと水が湧き出たとしている。それが弓の泉で、また、この泉付近を、青葉茂れる頃の深夜、恨みを宿す甲冑《かっちゅう》姿の武者の亡霊が彷徨《さまよ》い歩き、現在に至るまで、三重の塔では首を吊る者が後を絶たないというふうにも書いている。また、この三重の塔は、霜川の「笹ふえ」（明治34年）の中にも登場する。霜川は、高岡市指定文化財で名水としても名高い「弓の清水《しょうず》」を、死

高岡　弓の清水

を招く魔所として描いているのである。恐らく霜川は、「霊泉」中の青葉城を近くの増山城に、三重の塔を、千光寺の塔をイメージに置いて描いたのではないだろうか…。その増山城と千光寺を訪ねる。

「弓の清水」の裏手の道を、和田川ダムに向かって進むと、ダム湖近くに増山城址がある。守山城（高岡市）、松倉城（魚津市）と共に越中三大山城の一つで、今年、続日本百名城（135番）に選定されて話題になった。婦負・射水両郡に勢力を誇った神保氏の拠城で、現在は閑散とした山間《やまあい》だが、この城は、永禄5年（1562）、天正4年（1576）に上杉謙信に攻められ、天正9年には織田勢の総攻撃で落城している。この付近一帯の土にも夥《おびただ》しいほどの血が染み込んでいる。更に千光寺に向かって田畑の中の道を進むと、田の中の一本の桜の樹の下に五輪塔がある。長尾為景《ためかげ》の塚（墓）との案内がある。為景《ためかげ》は、長尾景虎《かげとら》（上杉謙信）の父で、海音寺潮五郎は『天と地と』の「花に死す」（昭和37年）で、栴檀野《せんだんの》で一向一揆勢と戦い、無惨に討ち取られる為景《ためかげ》と、側室・松江の男勝りの武勇を面白く描いている。だが、どうも為景《ためかげ》と、長尾能景《のうかげ》（謙信の祖父）とを取り違えているように思われる。長尾能《のう》景《かげ》は、永正3年（1506）に越後から越中に進出し、栴檀野《せんだんの》で一向一揆勢に討たれた（芹谷野の戦い）。後世、能景《のうかげ》と為景《ためかげ》との混同が生じたらしく、為景《ためかげ》の死因は諸説あるが判明していない。ともあれ、この山間《やまあい》一帯は、戦乱の一時期、多量の血が流れ、平和、穏やかとは程遠い土地だったらしい。常国の「弓の清水《しょうず》」から増山城を経て芹谷の千光寺に至る。三島霜川の「霊泉」に触発されての訪問だが、2体の仁王像を安置した山門の威容に驚嘆する。県内最古の二階二重門で、江戸後期の代表的建築である。山門を通ると、正面に観音堂（北陸観音霊場第28番札所）、門の左には明治期に高岡の瑞龍寺の裏門を移築した御幸門がある。厳かで身が引き締まる霊場に相応《ふさわ》しい境内だが、この寺も上杉謙信の越中侵攻の際に戦火に見舞われ、灰燼《かいじん》に帰している。

9　中田

三島霜川のことが頭から離れず、千光寺から霜川ゆかりの地を目指して、庄川右岸の道を流れに沿って下り、中田に向かう。やがて中田橋が左に見え、交差点を直進すると、右に「あしつき公園」、左の河川敷に「生き物の里公園」がある。「あしつき」とは清流に自生する緑褐色で塊状の寒天《かんてん》様藻類で、県指定天然記念物である。「あしつき公園」には、佐々木信綱揮毫《きごう》の大伴家持の「雄神河くれなゐにほふ少女等《ら》し葦附《あしつき》とると瀬に立たすらし（雄神川の川《かわ》面《も》に紅の色が映えて匂うように美しい。娘たちが葦付《あしつき》を取ろうと瀬に立っているらしい）」（万葉集巻17・4021番）の歌碑がある。雄神川は庄川の古名で、この辺りで少女たちが食用として葦附《あしつき》をとっていたのだろうか…。葦附《あしつこ》の生態については「生き物の里公園」で観察することができる。また、この中田付近は、県指定天然記念物の源氏螢《ゲンジボタル》、平家螢《ヘイケボタル》の生息地で県内屈指の螢の里である。この近くの下麻生で生まれた三島霜川は、故郷を懐かしんでか、螢を題材に「水郷」（明治39年）を書いている。

ある晩、螢狩りに夢中になった少年が、螢が飛び交う魔境・螢谷に迷い込む。そこで不思議な老人に助けられ、いつの間にか、自分の部屋に戻っているという話だ。螢と言うと、宮本輝の「螢川」が思い浮かぶが、それよりも、「水郷」は、城端・縄ケ池の折りに紹介した泉鏡花の「蓑谷《みのたに》」（明治29年）に構成が似ている。少年が螢を追って魔所・蓑谷《みのたに》に迷い込む。そこで女神に助けられ、気が付くと魔所の外にいたという話だ。霜川、鏡花、それに霜川と同居したこともある徳田秋声がいた文学結社・硯友社《けんゆうしゃ》の作家たちは、現代の作家の個性を重んじる創作意識とは異なり、初期には多分に職人的で、創作面での発想や構成に類似が見られ、互いに代作などもしていたらしい。

庄川寄りの県道大門中田線を下麻生へ向かうと、道の傍らの田の中に「三島霜川誕生地」の石碑が建っている。この地で霜川は医者の子として明治9年に生まれた。彼の作品を思い浮かべて農道をしばらく彷徨《さまよ》い歩く。両親を亡くし、叔父の家で冷遇される少年が、井戸端《いどばた》で少女から優しく慰められ、二人の間に淡い恋が芽生えていく「埋れ井戸」（明治31年）の、その井戸を捜す。医者の父が自殺し、故郷を離れた男が久しぶりに家に帰るが、心寄せる義母には情人がいるとの噂で落胆し、再び旅立つ「村の病院」（明治37年）の、その医院跡を捜す。更に霜川の様々な作品に描かれた田園風景の一コマ一コマを思い浮かべ、その名残りを捜すが、田が広がるばかりで何の名残りもない。明治期の中央文壇であれほど名を為した三島霜川の痕跡は、その故郷に石碑を除いて何もない。こんなことでいいのだろうかと思うと、この上なく寂しく、切なさで胸がつまる。

10　戸出、東藤蔵

中田橋で庄川を渡り、県道9号線を戸出に向かう。途中、戸出北町の交差点で左折してしばらく進むと、左に御旅屋門が見えてくる。戸出は、宿場町としても繁盛したが、22棟の蔵からなる砺波郡最大の加賀藩蔵「戸出御蔵」のある藩の重要な拠点でもあった。また、御旅屋門は、加賀藩主が、領内巡見や鷹狩りをする際に、休息や宿泊した御旅屋《おたや》の遺構《いこう》である。その左横に永安寺がある。

永安寺は、小矢部市の道林寺、砺波市の真寿寺と共に、藤枝静男「凶徒津田三蔵」（昭和46年）の作品中に出てくる寺である。明治10年の地租改正に絡んで、砺波郡の農民が一揆化し（戸出騒動）、それを鎮圧するために金沢から二個中隊が出動した。その兵の中に津田三蔵がいた。津田三蔵は、後に警察官になって警護中にロシア皇太子を襲撃した人物である〈大津事件〉。政府は、道林寺、真寿寺で、一揆化する小作人の説得に当たるが失敗し、次の永安寺では、数千人の怒った小作たちが押し寄せ、恐れをなした政府要人は、夜陰に紛れて金沢へと逃げ帰る。その時の暴徒化した小作人や、臆病な官員の様子を三蔵の冷笑的な眼差《まなざ》しで克明に描いている。今、永安寺の静かな境内で佇んでいると、明治初期の砺波郡の農民の激しい息遣《いきづか》いが鮮やかに蘇ってくる。

戸出から156線で高岡市街に向かうが、途中、西藤平蔵に寄る。この地域の旧家を舞台にして、木崎さと子は「青桐」（昭和59年）を書き、芥川賞を受賞した。西藤平蔵地区に住む主人公の女のもとに、東京の従妹から「乳癌の母を故郷に連れて帰る」との連絡が入り、叔母が帰郷する。女は、幼い時に両親を亡くし、叔母に育てられたので叔母の看護に専念するが、叔母は「医者にかからんで自分の病をいたわる自由というものも人にはあると思う」と言い、医者の治療や女の看護を拒み、自然にまかせて生命を全うしようとする。家にある若桐（青桐）は、叔母の命の象徴で、適度な舞台まわしの役割りをしている。この乳癌の女性は、木崎の高岡高校時代の友人の母がモデルだったという。現在、モデルの旧家はなく、土蔵だけが残っている。木崎の他の高岡関連の作品には、「離郷」（昭和56年）、「夏草」（昭和56年）、「祝賀会」（昭和60年）などがある。「離郷」では、夫の浮気に嫌気がさして、大金持ちの妾となっている又従兄弟《またいとこ》を頼って上京した主婦の数奇な体験を描き、「夏草」では、高岡出身のＯＬが、同僚を伴って旧盆に帰郷し、土地の風習に戸惑う同僚の姿を描いている。また、「祝賀会」では、高岡で開いた芥川賞受賞祝賀会が題材になっていて、嘗《かつ》ての富山大学官舎が回想的に描かれている。

11　太田、氷見市仏生寺

書棚を整理中に手が滑り、本が一冊、床に落ちた。以前、宴席で直木賞作家の津本陽氏から戴《いただ》いた本だ。その折りの津本氏の剣豪の話が面白く、その本の剣豪ゆかりの地に向かう。

国道160号線を氷見に向かい、途中、西海老坂交差点を左折し、再び岩坪西交差点を右折して三千坊へ向かうと、右手に諏訪社、向かいに仏生寺・脇之谷内公民館がある。山間《やまあい》の長閑《のどか》な集落で、公民館の敷地内に銅像と石碑が建っている。斎藤弥九郎像とその生誕の地の碑だ。

斎藤弥九郎は、この地の貧農の子で、高岡での丁稚奉公の後、15歳で江戸に出て武芸・学問に励み、神道無念流を修めて練兵館道場を開いた。練兵館は、千葉周作（北辰一刀流）の玄武館、桃井春蔵（鏡神明智流）の志学館と共に幕末江戸三大道場の一つとして門弟三千人を誇り、その門下からは桂小五郎・高杉晋作、品川弥二郎等が輩出した。斎藤弥九郎については、古くは大坪武門『斎藤弥九郎伝』（大正7年）、氷見出身の能坂利雄による『北陸の剣豪』（昭和46年）、戸部新十郎の『日本剣豪譚幕末編』（昭和58年）、それに童門冬二『日本剣豪列伝3』（平成19年）等で描かれている。

だが、この地にもう一人、異色な剣豪が生まれている。仏生寺弥助である。斎藤弥九郎と同郷で、当初は練兵館道場の風呂焚きだったが、その剣才を斎藤弥九郎に認められ、「練兵館の鬼」と怖れられるほどの強さを誇った天才的剣士だった。だが、読み書きできぬ野人であり、その奔放さゆえに身を滅ぼし、33歳で横死する。その波乱に富んだ生涯を津本陽は「修羅の剣」（昭和61年）で描いている。他に小山龍太郎「鬼剣の果て」（昭和39年）、峰隆一郎「鬼剣・仏生寺弥助」（平成5年）などの時代小説で面白おかしく描かれている。また、中里介山「大菩薩峠」（大正10年）にも仏頂寺弥助の名で登場している者がいる。

仏生寺から県道296号線を経て国泰寺に向かう。国泰寺は臨済宗国泰寺派の大本山で後醍醐帝の勅願所として名高く、「北陸鎮護第一禅刹特進出世之大道場」として京都南禅寺と同格の勅願所だった。この寺院に関わりある剣・禅・書の達人がいる。山岡鉄舟である。明治11年に天皇の北陸巡行に随行した鉄舟は国泰寺の管長・越叟を訪れ、廃仏毀釈《はいぶつきしゃく》で荒廃した寺の状態を嘆き、直ちに屏風一千二百双、掛軸・額一万枚の墨蹟《ぼくせき》に没頭し、加越能三国の有志に勧進を呼びかけた。鉄舟の働きで寺は再生し、これが機縁で鉄舟の葬式では、鉄舟から「禅門の律僧」と評された、越叟の後々の管長・雪門玄松が導師をした。雪門玄松は、若き日の西田幾多郎や鈴木大拙がその下《もと》に参禅した高僧だが、後に在家禅を唱えて国泰寺の管長の座を捨て還俗し、その後、乞食僧として若狭の寒村で没した。この異色の高僧の生涯を、若狭出身の水上勉が「破鞋《はあい》」（昭和61年）で描いている。水上の「良寛」「一休」など、伝記文学の中での秀作で、水上は雪門に良寛の姿を垣間見《かいまみ》ている節がある。

国泰寺の近くには鉄舟が寺に来るつど滞在した武田家（国重文）がある。武田信玄の弟・逍遙軒《しょうようけん》信綱の子孫と伝えられる旧家で、代々肝煎《きもいり》を務め、伏木勝興寺本堂再建の余材で建築されたとの伝承もあり、鉄舟や横山大観の作品も多く残っている。

〈氷見市〉

1　下田子、朝日丘、朝日山公園

国泰寺から国道160号線を横切り、田子浦藤波神社に立ち寄る。藤の老木が絡み付いた鳥居から急な石段が延々と社殿に続き、石段を上りながら大伴家持の「布勢《ふせ》の水海《みずうみ》」の遊覧や謡曲「藤」を思い浮かべ、一時《いっとき》、万葉の昔に想いを馳せた後、田畑の中の道を十二町潟《じゅうにちょうがた》へと向かう。長閑《のどか》な田園地帯だが、万葉の頃はこの辺り一帯が内海だったという。すると、不意に井上靖「夜の声」（昭和43年）の鏡老人の憤慨《ふんがい》する姿が思い浮かんだ。

鏡老人は交通事故に遭い、その時、不意に神の声を聞く。「魔物を駆逐して万葉のよき時代を取り戻せ」と。その声に従い、鏡老人は万葉集ゆかりの地を巡り、高岡から英遠《あを》の浦、布勢《ふせ》の海を訪ねるが、水田が広がるだけで昔の面影はなく、地団駄《じたんだ》を踏む。万葉集に取り憑《つ》かれたドンキホーテ的な老人の姿が描かれている。

十二町潟《じゅうにちょうがた》の水面《みなも》に万葉の内海を想像し、160号線に戻って市街地へ向かい、朝日丘交差点を右折して、しばらく行くと仏生寺川沿いに中越工業がある。この地に昭和の初め、水産醤油《しょうゆ》株式会社があった。この会社では鰯《いわし》から醤油を造り、その方法を発明した長山長太郎をモデルにして横光利一は「紋章」（昭和９年）を書いた。名門家系の発明家・雁金が発明によって斜陽の実家を再建し、社会をも豊かにしようとする姿と、知識人・山下の内面とを対比して描いている。雁金のモデルが長山で、横光は菊池寛を介して長山を知り、長山の体験記を基に「紋章」を書いたという。だが、残念なことに作品中には氷見を舞台にした小説場面はない。また、灘浦海岸九段浜に野口雨情の「春が来たやら有磯の海も今朝は沖から花ぐもり」の詩碑があるが、これは野口が同郷の誼《よしみ》で長山長太郎を訪ねた昭和７年、旧制氷見中学で「童話と歌謡」を講演した際に揮毫《きごう》した一節だという。

再び１６０号線に戻り、南部中口交差点を左折し、朝日山公園へ向かう。途中、氷見高校の前を通る。以前、ＨＩＭＩ学で講演に招かれた折り、生徒たちが仕舞「藤」を披露してくれた。郷土の文化をしっかりと伝承して未来に羽ばたこうとしている若者たちの姿に胸打たれた。車から降り、公園の展望台に向かう。その眺望は「目の下に氷見市の屋根屋根が見えていた。近代ビルらしい物は殆どなく、昔ながらの家がひっそりと集まっているようであった。その向こうに富山湾、更に遙かに立山連峰が見えていたのである」と、これは源氏鶏太「優雅な欲望」（昭和53年）の最終章で、主人公の女性が初めて氷見を訪れ、展望台から市街を見渡した場面である。婚約が破談になり、新たな恋にも破れた傷心の女性が初めて実母の墓を訪れ、心が癒されていくのだが、氷見に吹く風は確かに人の心を優しく癒してくれる。

公園は、春には２４０本に及ぶ桜が咲き乱れ、５月には千本以上の躑躅《つつじ》の花が満開となり、訪れる人々の目を楽しませてくれる。園内には神武天皇の巨像や仏生寺で見た斎藤弥九郎像が立ち、野口雨情の「波は静にお日和つつき大魚かまたつつく」の昭和７年に氷見を訪れた際の歌碑が建っている。このまま公園を下りて上日寺へ向かう。

2　朝日本町、南大町

朝日山中腹の上日寺に着くと、境内の一際《ひときわ》大きな公孫樹《いちょう》が目に止まった。樹齢千年余り、幹周りは12ｍで大正15年に国指定の天然記念物に指定されている。創建・白鳳10年（６８１）の真言宗の古刹で、室町後期の能面師・氷見宗忠が観音堂に籠もり、能面を彫ったとの伝説があり、その伝説は多くの作品の題材に扱われている。

当時26歳の杉本苑子は、この伝説を題材に「燐《りん》の譜」（昭和27年）を書き、サンデー毎日大衆文芸賞を受賞し、作家デビューをした。面打ちに行き詰まり、京から逃げ出した能面師・宗忠は氷見の観音堂で安住を得たが、雪の夜の葬式で見た死顔《しにがお》に惹かれ、土葬の墓を暴き、死骸を観音堂に運んでそれを見ながら狂ったように面を打つ。面は完成し、一路、京へ面を運ぶ途中で死ぬが、面は能の観世家に伝わり、それが「瘠男《やせおとこ》」の能面だという。この面は怨念を漂わせる庶民の亡霊の表情だといわれているが、面と同じように奇怪な内容の話だ。

現在、上日寺に「瘠男《やせおとこ》」の面がある。その面は昭和62年に歌人・馬場あき子が「氷見市制35周年記念事業」として氷見市民会館で講演に招かれた折り、馬場が能面師・北川英に制作依頼して上日寺に奉納したものだ。その時の講演録『痩面《やせめん》のドラマ』を読むと、痩面《やせめん》への興味と、巻末を「氷見の寺人はさびしき音させて飛ぶこともなき落葉を踏めり」「大銀杏大黄落の秋の陽に泣かで物言へ氷見の痩面《やせめん》」「くれなゐはみな散り果てぬ氷見打ちの痩せ男見よ北の白菊」の三首で結んでいて、「痩面《やせめん》」への並々ならぬ関心が窺《うかが》える。釈超空《しゃくちょうくう》賞受賞の歌集『葡萄唐草《ぶどうからくさ》』（昭和61年）にもこの能面を題材にした歌が多く収められている。エッセイでは高田宏が「能面師氷見宗忠」（『雪日本心日本』所収・昭和60年）で、宗忠が亡霊面に執着し、その面を打つのは雪国の降る雪のなせることだと述べ、山田正紀の「氷見痩面堂」（『闇の太守』所収・昭和59年）では、宗忠の血を受け継ぐ能面師が妖術を使って人の生顔《なまかお》を剥ぎ取り、面打ちをするという娯楽小説で面白い。

上日寺に後ろ髪を引かれながら南大町の西念寺に向かう。この寺の先代の故関野住職の下《もと》を昭和30年頃に武田泰淳が訪れて一泊した折り、上日寺の痩面《やせめん》のことを聞き、その話が二・二六事件を背景にした武田の「貴族の階段」（昭和30年）の中に盛り込まれたという。「氷見子とは、気味のわるい、不吉な感じのする名前である。あの氷見の面～能登半島の淋しく荒れた、氷見の海岸で彫られたものだ～」と、痩面《やせめん》ゆかりの「氷見子」という名を持つ女主人公の目から見てこの作品は綴られている。次に光照寺に向かう。この寺の富樫住職との縁から木崎さと子は住職の取材と協力を得て「沈める寺」（昭和62年）を書いた。大寺の坊守りとして尊敬を受ける祐子。その一人息子を巡っての女子高生と美貌の女祈祷師との恋争い。そして、坊守りの祐子にも恋の炎が…。愛憎の煩悩《ぼんのう》と、信仰と救いの問題を絡ませて濃密に描いている。芸術選奨新人賞受賞作である。木崎は、氷見が、彼女が以前滞在したことのある仏のブルターニュ地方に似ていることから、その地方に伝わるケルト伝説を基にしたドビュッシーの同名の曲「沈める寺」を題名にしたという。

3　窪、中央町、大境

吹く風に潮の香を感じ、海を見たくなって幼い頃に海水浴に行った松田江浜を訪ねる。松林と長々と続く遠浅の浜辺、海越しには雄大な立山連峰が一望でき、息が詰まるほど美しいとはこのような光景のことを言うのだろう。「白砂青松百景」「日本の渚百景」に選ばれ、大伴家持が『万葉集』で「渋谿《しぶたに》の崎《さき》たもとほり／麻都太要《まつだえ》の／長浜《ながはま》過ぎて／宇奈比河《うなひがは》…」と詠んだ名勝地である。

岩倉政治は「大伴家持」（昭和23年）で、青年・家持の失恋や、名門・大伴氏の後継者としての苦悩、歌一途《いちず》に打ち込む越中国司時代、それに晩年の大伴一族の零落《れいらく》を代表的な歌を交えて描いている。その中には、この松田江浜のことも描いている。また、この地を舞台に

「煙草」（昭和21年）を書いている。戦争末期、僧侶出身の監視兵が俘虜《ふりょ》に優しくした廉《かど》で松田江浜で重労働を科せられる。だが、終戦後、その兵は俘虜《ふりょ》たちに感謝され、煙草や様々な物を贈られるという話である。敗戦直後の日本兵の浅ましさを「いんちきで不勉強で弱点だらけのほうが敗けたのです。強くて立派なものを持ってゐたほうが勝つたのです」と述べる主人公の兵の言葉が胸に残る。

　海岸沿いに氷見漁港に向かうと、漁港の沖３００ｍに唐島がある。この小島を題材にして畷《なわて》文兵は「越のむらさき」（昭和33年）を書いた。天平の頃、都から国分寺の落成式に来た役人が式で失態をし、その科《とが》で空島（唐島）で雷神を討つように命じられ、悪戦苦闘する話である。また、天平時代の氷見周辺を舞台に、運命に弄ばれた醜《みにく》い男が防人から大盗賊になり、最後には愛慕する女に裏切られて悲惨な最期を遂げる直木賞候補の「妖盗蟇《がま》」（昭和35年）も畷《なわて》文兵は書いている。そのまま海沿いの道を北上すると、阿尾城跡口の信号機がある。右手の岬突端の断崖に阿尾城があった。この城は勇猛果敢で戦国一の傾寄者《かぶきもの》と呼ばれた前田慶次（前田利家の甥）が一時《いっとき》治めた城で、尾崎士郎「石田三成」（昭和13年）には、城を抜け出し、城下の居酒屋で遊女と戯れる慶次の逸話を載せている。

　更に北上し、宇波に入り、橋を渡ると脇方信号機がある。この信号機を右折し、県道70号線を進み、18号線で右折すると国見へ、更に70号線を進み、３０６号線を右折すると戸津宮へと続く。共に山間部だか、国見を舞台に木崎さと子は「光る沼」（平成8年）を書いた。

幼女失踪、地滑りの廃村に一人残る老人、そして日中戦争の傷跡などを交えて現代社会の歪みを描いている。岩倉政治は、上戸津宮の神明社で実際に起きた立木伐採事件をモデルに「かなしい歌うれしい歌」（昭和30年）を書き、敗戦後の僻地《へきち》の農民の苦しい生活を描いている。

国見から18号線を石川県境へと山道を上りつめると、荒山峠がある。この峠付近で、天正10年（１５８２年）に、前田利家・佐久間盛政率いる連合軍と、温井景隆率いる上杉軍（畠山再興軍）・石動山衆徒の連合軍との能登の争奪をめぐる荒山合戦があった。その時の石動山衆徒の本拠地が、この地の尾根筋にある石動寺（天平寺）だった。越中・能登の国境にある天平寺は、修験道の山としても知られ、中世には３６０坊、３０００人の衆徒を擁するほどの大勢力を持っていたが、度重なる戦乱で灰燼に帰し、現在はその面影もない。この寺を題材にして、村上元三は、長編「流雲の賦」（昭和50年）を書いた。この寺の檀家の郷士・谷部氏が、戦火から寺を必死に守ろうとする姿を、その子孫の姿も含めて、南北朝時代から戦国時代までの歴史を通して書き綴っている。後半は、利家、利長、利常の前田家三代と天平寺を守ろうとする谷部氏との関わりを描き、利長の高岡城築城から廃城にいたるまでの興味深い話も含んでいる。時流に翻弄される登場人物たちの生々流転する姿が、滔々と流れる大河のごとくに描かれ、長編小説の醍醐味を満喫できる傑作である。

更に海沿いの道を進むと大境に入り、海側の崖に国の史跡指定の洞窟住居跡がある。日本初の調査された洞窟遺跡で、この付近を野村尚吾は「浮標燈」（昭和49年）で最高の盛り上がりの場として描いている。氷見出身の既婚者の新聞記者の男と戦争未亡人との情事を描いた作品で、その際の男女の情の駆け引きなど、胸奥のドロドロした心理を覗き見たように描き、大境洞窟付近で、子を宿した未亡人の死という意外な結末で終わる。野村の立山・芦峅寺を舞台にした「アルプスの見える庭」(昭和33年)での若い女性の溌剌とした愛とは異なる、許されぬ男女の情事の複雑な心の機微を描いた秀作である。

〔富山地域〕

〈富山市〉

1　磯部、旅籠町界隈

富山駅から市内軌道「大学前行」に乗り、安野屋電停で降りて松川の磯部堤をしばらく歩くと、案内板と一本の榎がある。通称「一本榎」と呼ばれるこの木には、おぞましい話が伝わっている。戦国の頃、佐々成政が愛妾・早百合姫の不義を疑い、この木の下で早百合姫とその一族悉《ことごと》くを惨殺した。成政を恨んだ早百合姫は、死後、自らの生首を携え、鬼火に包まれてこの木の周辺を彷徨《さまよ》い、出会う人を取り殺し、黒百合にまつわる呪いの言葉で成政を自刃《じじん》に追い込んだという。早百合姫の「ぶらり火伝説」と「黒百合伝説」である。この話は『絵本太閤記』（江戸中期）から生まれたようだが、元々は『絵本太閤記』の別々の話が早百合姫で結びつき、現在に伝わったらしい。

この早百合姫伝説の、特に一本榎に関わることにひどく興味を持ったのが泉鏡花だった。鏡花は、一本榎周辺に屯《たむろ》し、蛇を好んで食べる異様な集団が、蛇を囓《かじ》っては富山町の町家を脅す「蛇くひ」（明治31年）を書き、女の生霊《いきりょう》に取り憑《つ》かれた男が、一本榎付近で神通川の女神に除霊を乞うが、却《かえ》って女神の嫉妬で手酷《てひど》い目にあうという「鎧」（大正14年）も書いている。更に一本榎近くの県知事邸に出入りする花売り娘が愛する男のために盗賊貴公子と連れ立って禁断の地で黒百合を採ったことから富山町が洪水で崩壊する「黒百合」（明治32年）

も書いている。いずれも一本榎に関わる早百合姫伝説からヒントを得て創作したものだろう。鏡花（15歳）は、明治22年6月から3カ月ほど、富山町に滞在したようだが、これらの作品はその折りに取材したものだろう。この旅は鏡花にとって生まれて初めての一人旅で、富山での体験は終生忘れられないものになったに違いない。

一本榎から堤を左に下りると、早百合観音の祠と三尊道舎の石碑が立つ家がある。翁久《おきなきゅう》允《いん》の家である。祠堂は、早百合姫の死後の冥福と、昭和20年８月の富山大空襲の折り、神通川原で亡くなった人々の菩提を弔って翁が建てたものだ。翁は19歳で単身米国シアトルに渡り、その地での体験を綴って移民文学での第一人者になった。また、この家の高志人社からは、県内外へ郷土研究誌『高志人』が３９０号まで発刊され、富山の文化発信の要の地となり、翁の功績は大きい。隣接する護国神社を含めたこの辺り一帯は、富山城から続く富山藩前田家の広大な磯部庭園の跡で、金沢の兼六園と競ったという。

護国神社から立山連峰を真向かいに仰ぎ、平和通りを進み、平吹町交差点に差し掛かる。そこを左に進むと松川の船橋があり、小寺菊子「河原の対面」（大正４年）の小説

富山市　磯部　一本榎

舞台になった所である。平吹町交差点からそのまま平和通りを進むと、旅籠《はたご》町交差点に至る。明治12年に旅籠町12番地で、岡田八千代、田村俊子と共に大正の三閨秀《けいしゅう》（女流作家）と呼ばれた小寺（尾島）菊子が生まれている。小寺は、幼い頃に父が事件に巻き込まれて服役したので、彼女は家計を助けるために17歳で上京し、様々な職を経て三島霜川の紹介で徳田秋声に師事し、作家になった。小寺の作品には、服役中の父が河原で労役に従事する姿を見て胸痛める少女の切ない心情を描いた「河原の対面」、その父が出獄し、帰宅した時の子どもたちの動揺を描く「父の帰宅」（昭和9年）、父の入獄で家が没落した娘の哀しい恋情を描く懸賞小説入選の出世作「父の罪」（明治44年）など、幼い頃を思い出して、この界隈を彼女はしばしば作品に描いている。その中には彼女の家の斜向《はすむ》かいの友達の家に鏡花が英語を教えに来ていたことを書いた随筆もあり、鏡花の富山での足跡が確かめられる。

2　総曲輪、大手、小島町、白銀町界隈

旅籠町交差点から大手モールへ向かう。歩きながら小寺菊子の随筆から富山での泉鏡花のことを考える。彼の自筆年譜では、国文・英語の補習の座を富山で開いたとしているが、釈然としなく、3カ月にも及ぶ富山滞在の目的は不明で、それに滞在場所すらも不確かで、鏡花の富山滞在は謎に満ちている。頭をひねっているうちに越前町交差点に着いた。

交差点を左に大手モールを進み、富山市民プラザの手前で、この辺りに嘗《かつ》て富山城の大手門があり、市民プラザがある辺りに明治期に県知事邸があったのを思い出した。まさにこの周辺が鏡花の「黒百合」（明治32年）の小説舞台である。美少年の盗賊華族・瀧太郎、それに美少女の花売り娘・お雪は、県知事邸に足繁く出入りし、近くの大手門の濠端《ほりばた》には、早百合姫ゆかりの一本榎がある。県知事邸からの帰り、瀧太郎はその木の下で、彼と縁ある女盗・お兼に出会う。花売り娘・お雪は、お兼の属する非社会的組織の若首領で目を患う若林を愛していて、そのお雪を瀧太郎が恋い慕う。お雪は、若林の目の治療代ほしさに禁断の地・石滝へ黒百合を採りに入り、その後をお雪を気遣って瀧太郎が追う。二人がタブーを破ったことで大雨が降り続き、富山町を大洪水が…。三島由紀夫が浪漫小説の傑作として賞賛したのだが、地元富山では、意外に知られていない。

大手町交差点から富山城を横目に、右に進み、城址大通りへ向かう。大通りの交差点手前はホテルだが、以前は市公会堂があり、昭和40年代の後半、この付近で市街戦まがいの暴動が起きた。昭和47年の春頃から土日にかけて、夜間、若者たちが、多くの見物客を意識して城址大通りをレースまがいに車を走らせ、そのあげく、6月17日の深夜、西町交差点で車どうしが正面衝突をした。それを機に見物の群衆が興奮し、暴徒化して周辺の商店や公会堂に乱入した。この事件から「暴走族」の言葉が全国に広がった。そして、運転する若者と同世代の者が、この事件を小説にまとめ、その年のオール読物新人賞を受賞した。それが川村久志の「土曜の夜の狼たち」（昭和47年）である。往事を思い出させる懐かしい短編だ。

41号線の総曲輪一丁目交差点を通り過ぎ、一路、イタチ川へと向かう。この総曲輪で、富山藩の勘定奉行を勤めた家柄で、保険代理店を営む裕福な家庭に生まれながら生涯を奔放無頼に送った男いる。明治34年生まれの梅原北明である。我妻大陸《あづまたいりく》の名義で大衆・探偵小説も多く書いているが、翻訳した『デカメロン』がベストセラーになると、彼はその金で雑誌『文芸市場』を創刊、『変態資料』『グロテスク』などの性風俗関係の雑誌・書籍を次々に刊行し、その大方が発禁となった。46歳で亡くなったが、控えめで生真面目《きまじめ》な富山県人にしては型破りの人物だった。この梅原をモデルにして野坂昭如が自らの姿も作品に投影して「好色の魂」（昭和43年）を書いている。

荒町の市電通りを横切り、41号線を、日の出、白銀町を通ってイタチ川の月見橋に至る。この白銀町で明治45年に野村尚吾が生まれた。早稲田大学卒業後、『早稲田文学』の編集に携わり、後に新聞社に入り、勤務の傍ら創作に励んだ。「旅情の華」（昭和17年）などで3度の芥川賞候補、また、直木賞候補や小説新潮賞と毎日出版文化賞を受賞し、谷崎潤一郎から最も信頼された谷崎研究者として著名だった。特に「旅情の華」は、イタチ川沿いの売薬行商人3代に渡る生活を、富山市の変遷の様子を交えて描き、古き好きイタチ川沿いの富山市の風情が漂う秀作である。また、雪見橋近くの没落した商家の老女の忸怩《じくじ》たる懐旧の想いを描いた「鼬川《いたち》」（昭和18年）もある。イタチ川沿いにはまだまだ優れた作品が数多くある。

3　豊川、石倉、泉町界隈

月見橋からイタチ川の右岸を川の流れを見ながら遡《さかのぼ》る。右岸が豊川町である。昭和31年に9歳の宮本輝は、父の事業の都合で大阪市から豊川町に転居してきた。近くの八人町小学校（廃校）に通い、父が夏に大阪に帰ったので、母と二人、大泉本町に転居し、翌年の春には父の待つ尼崎市に帰った。宮本にとって、イタチ川沿いの富山での暮らしは僅か1年ほどだが、幼い頃の記憶は鮮明で、よほど印象深かったのだろう。当時を思い出し、「螢川」（昭和52年）を書き、その作品で翌年に芥川賞を受賞し、昭和62年には映画化された。また、「螢川」は「泥の河」「道頓堀川」とともに「川三部作」で、大阪の安治川を舞台にした「泥の河」（昭和52年）も太宰治賞を受賞している。「螢川」は、富山の春から夏への季節の移ろいの中で、中学3年の竜夫が、父や友の死、そして、仄かな初恋の想いをイタチ川上流の螢の大群の光の中で描いた。生と死の狭間《はざま》の、つかの間の青春

富山市　鼬川沿い

の輝きを描き出した秀作である。この作品でイタチ川がロマンの川になってしまった。以前、この川筋を、作家の吉村昭氏を案内した時、「螢は元々イタチだったのか。東京に帰って文壇の仲間に話してやろう」と笑っておられたが、間もなく他界された。東京の文壇の方々は、その話をお聞きになったのだろうか…。

更に川を遡《さかのぼ》ると雪見橋がある。旧北陸道に架かっていた橋で、江戸期には藩主が参列の際に通るので「表ノ橋」とか、城下町で一番大きいので「大橋」とも呼ばれた。また、南画家・池大雅《いけのたいが》が来富の際「雪の立山を描くのに絶好の地」と言ったことから「雪見橋」の名も付いたという。月見橋は藩主が参列の帰路に通ったので「裏ノ橋」とも呼ばれ、下って次の橋が「花見橋」で、この三橋は風流三橋と呼ばれている。花見橋の近くに「富山県教育発祥の地」の石碑があり、明治6年に教員養成所（県師範学校の前身）がこの辺りに建てられた。本県教育はこの地から大いに発展したのだろう。そのせいか、この付近にノーベル賞受賞者・田中耕一さんの実家がある。

雪見橋から更に遡ると右岸は石倉町になり、泉橋に至る。橋の傍らには、名水と評判の延命地蔵堂があり、橋を渡った左岸の橋詰めに、源氏鶏太の文学碑が立っている。源氏直筆の原稿「一本の電柱」を模した銅版が自然石に嵌《は》め込まれてある。その石碑から右斜めの小路のガレージに面した最初の十字路辺りが源氏の生家跡である。この地で源氏は明治45年に生まれ、旧制富山商業学校を卒業するまで過ごした。卒業後、大阪の住友合資社（住友本社）

に勤め、25年ほどの勤務の傍ら創作に励み、「英語屋さん」（昭和26年）などで直木賞を受賞した。ユーモアとペーソスに富むサラリーマン小説で好評を博し、「三等重役」などの多くのベストセラーを生み、流行作家として一世を風靡《ふうび》した。晩年、幽冥《ゆうめい》（幽霊）小説に興味を示し、対岸の石倉町が舞台の「みだらな儀式」（昭和53年）を書いている。友人の病気見舞いに富山に帰省した60歳の男が、初恋の女に出会い、その女の営む石倉町の居酒屋で、若い頃のその女にそっくりの娘と一夜を明かすのだが、後に友人からその二人は以前に死んでいることを聞く。幽冥小説の中では、富山市の桜木町のバーも作品中に出てくる長編「永遠の眠りに眠らしめよ」（昭和52年）が群を抜いて面白い。明治45年にイタチ川を挟《はさ》んで野村、源氏という優れた作家が生まれた。二人の人生と作風は対照的だったが、両者は文学に素晴らしい業績を残した。だが、現在は「忘れられた作家」になりつつある。少なくとも地元富山では、この二人をもっと顕彰すべきではないだろうか…。

4　富山駅界隈、呉羽山付近

富山駅の改札口を出るつど、いつも一瞬、戸惑う。自分はいったい何処《どこ》に降りたのだろう。富山駅は…。新幹線の開通で駅は近代的に整備され、都会の賑わいの中に舞い降りたような錯覚に囚われる。そこにはもう嘗《かつ》ての故郷の臭いはしない。だが、何処《どこ》かに昔のままの富山駅がまだあるように思えてならない。

井上靖の「七夕の町」（昭和26年）の主人公の男は、会社の金を使い込み、あげく自殺しようと富山駅に降りた。駅前の喫茶店で自殺願望の女と知り合い、共に死ぬことを誓う。だが、男は警察に捕まり、女との約束を果たせぬまま、5年が経ち、再び富山を訪れ、昔のように女を捜す…。終戦直後の富山駅周辺の情景がつぶさに描かれている。また、飯島耕一の「冬の幻」（昭和57年）では、飯島自身と思われる主人公が、敬慕していた男・Tが死に、その彼の面影を追ってTゆかりの地をめぐる。その折り、富山駅に降りて周辺を歩き回る。駅前の雑居ビルの様子や露天の雑誌売り、八百屋、魚屋の呼び込み、シネマ食堂街の居酒屋や蟹の店など、昭和後半の雑然としながらも活気に満ちていた駅前界隈の様子が描かれている。現在の澄まし顔の駅前より、その形振《なりふ》り構わずのバイタリティに満ちた駅前風景が妙に懐かしい。Tは、詩人で美術評論家の瀧口修造のことである。瀧口は明治36年に婦負郡寒江村、現在の富山市大塚の生まれで、彼の書いた「三夢三話」（昭和55年）には、少年時代の富山の生家や黒部の山中を歩き回る場面が出でくる。現在でも、瀧口を多くの人が慕い、彼の命日の7月1日を橄欖《かんらん》（オリーブ）忌として、大塚の彼の墓前に赤い薔薇を持参して人が集う。

駅前の右手に小高い山が見える。司馬遼太郎は「越中の野の中央に、呉羽山という低く細ながいナマコ形の丘陵が隆起しており、この平野の人文を東西にわけている。」と「立山の御師」（『街道をゆく4』昭和47年）に書いている。司馬の足跡を辿り、駅前から神通大橋を渡り、富山市民俗民芸村の坂を上って展望台に向かう。司馬は再び言う。「呉羽の頂に立つと、夕闇の底に越中の野がひろがり、呉西のかなたは野を焼くけむりが靄《もや》のようになびいていた。」と。あたかも万葉集の「〜天の香具山登り立ち国見をすれば国原は煙立ち立つ〜」の国見の歌のような心境だ。その時に、司馬は同行の島村美代子（当時・富山女短大教授）に「茜さす呉羽の田の面暮れなずみ雲よりあかき野火のほのむら」の一首を贈ったという。また、昭和8年11月4日に富山を訪れた与謝野鉄幹・晶子夫妻は、総曲輪小学校、富山女子師範学校での講演後、呉羽山に登り、「富山平野と其れを横ぎる神通川を展望するのは快心な大歓であつた」とし、「吉林の北山のごと呉羽山みやびやかなり大河のうへに」「黄昏《たそがれ》に総曲輪町もしづかなり深雪降る日の夢を見るごと」と詠んだ。展望台には「立山開山佐伯有頼少年像」が立っている。童話作家・大井冷光の死後80年、冷光の志を受け継いだ有志が、畑正吉の原型に基づき、楢原北悠の制作によって建てた銅像だ。

　展望台から桜谷の方に向かうと長慶寺の五百羅漢がある。ここを舞台に、水上勉は短編「呉羽の羅漢山」（『鬼のやま水』所収・昭和57年）を書いた。この地の五百余りある羅漢像の表情は、遊女が相手をした客の表情だという逸話から、水上は薄幸な遊女がこの地で首を吊る話を書いた。それにしても、羅漢のモデルが遊女の客だったとは…。言葉が続かない。

5　福沢、上滝、布市

富山市の南部、東黒牧の富山国際大学で仕事を終え、長い坂道を車で下る。学舎は熊野川の河岸段丘上の台地にあり、坂道からは富山平野が見下ろせる。途中、右に片山学園、左に福沢小学校を見て下るが、この辺りに津毛《つげ》城があった。南北朝の頃に桃井直常が築城し、戦国時代には飛騨の塩屋秋貞、上杉の村田修理亮らが居城にしたとも言われ、上杉勢と越中進出の織田勢との戦いの舞台にもなった。坂を下りきると田園が広がっている。だが、往事、この辺りは飛騨へ通じる長棟《ながと》往来《おうらい》で、近くに有峰往来もあり、交通の要所として賑わった。また、この地から魚津松倉城までの山裾は甲斐の武田に服した飛騨勢、越後の上杉勢、新興の織田勢が三つ巴《どもえ》に戦い、鎬《しのぎ》を削った地域でもある。しばし戦国の越中に想いを馳せていると、桃井直常のもう一つの拠点・布市城のあった地を訪れたくなり、布市に向かうが、その前に佐々成政ゆかりの上滝に立ち寄ることにする。

大川寺駅傍らの常西合口用水に沿って、桜並木の堤を佐々堤へと向かう。最初に佐々堤を訪れた時、その場所が分からなくて途方にくれた。私ばかりでなく、佐々成政研究の第一人者である遠藤和子でさえ最初は分からなく、建設省の上滝出張所の職員から聞いたと自著『佐々成政〈悲運の知将〉の実像』（昭和61年）に書いている。この本には、極寒の立山越え、埋蔵金、早百合姫ぶらり火伝説など、成政に関わる全てが、念密な調査によって詳細に、かつ、興味深く書かれてあり、佐々成政研究には打って付けの好著である。

さて、堤《つつみ》と言うと、川に平行した連続堤防を思い浮かべるが、佐々堤は、幾本もの堤が用水を斜めに横切り、急流の勢いを緩めるように築かれた、いわゆる霞《かすみ》堤《てい》である。霞堤は、甲斐の信玄堤が有名だが、成政の生まれ育った尾張《おわり》比良は、長雨の度に川が氾濫する沼田地帯で、その環境から自ずと優れた治水技術を成政は身に付けていたのだろう。この堤が築かれたのは、成政が富山城主・神保長住の援助に来ていた時で、国主でない彼が、農民の苦境を見かねて治水工事を行ったのである。このことからも早百合姫伝説とは異なる成政の、慈愛に満ちた為政者の一面が窺《うかが》われる。

布市に着き、周囲を見渡す。江戸期まで飛騨街道と信濃往来が交差する交通の要所として賑わい、桃井直常が城を築き、居城にしていた地だが、今は穏やかな田園地帯になっている。観応2年（1351）、文和3年（1354）に、直常はこの地から越中勢を核とした北国勢を率いて京都を占拠した。だが、往事の面影は全くない。周辺を散策して

富山市　大山　佐々堤

いると、津本陽の「加賀百万石」（平成8年）での逸話を思い出した。前田利長が布市を通った時、あまりの道の悪さで落馬し、激怒した利長が郡奉行を呼びつけると、布市は、前田領ではなく一万石の土方領（布市藩）だと言う。翌朝、土方雄久が利長に詫《わ》びに参上し、その時に所領替えを申し出たので、喜んだ利長は、能登での一万三千石と交換したという。利長は、交通の要所である布市付近を前々から手に入れたかったらしい。土方雄久は、慶長5年（1600）から8年間、布市を北端して飛騨街道沿いの東猪谷までを領していた。土方雄久は、利長の従兄弟とかで、戦国の世を上手く生き抜き、後に加増され、徳川秀忠の伽衆にもなっている。身近な処にも歴史があり、その歴史がまた面白い。

6　安養寺、今泉

朝、窓を開けると、雲一つない真っ青《さお》な空が広がっていた。眩いほどに澄み切った青空だ。久世光彦は、富山市安養寺の熊野川べりで見た青空が一番美しい青空だと「時を呼ぶ声」（平成11年）の中で書いている。彼が見た、その青空が見たくなった。早速、安養寺に出掛け、熊野川の土手に寝ころんで青空を仰いでいると、空の青さに吸い込まれ、身も心も空っぽになっていく。久世が、この青空を見たのは昭和20年8月、富山の小学校に転校して直ぐに空襲に遭い、焼け出されて安養寺に一時《いっとき》疎開していた10歳の頃だった。その後、転々とし、旧飛騨街道沿いの今泉の二軒長屋に落ち着いて、堀川小学校、富大付属中学校、富山高校に通い、その家で9年間を送る。

見上げる青空から心を取り戻し、彼が住んでいた今泉の二軒長屋を訪ねる。彼が住んでいた家の斜め向かいに、富山高校のグランドがある。ここから堀川小学校まで歩いて10分程度、同じ小学校に通っていた私には、幼い頃より見知っている土地だ。現在は、住宅地や公園になっているが、以前は、一面の田圃《たんぼ》で、その中に農事試験場や、屋敷のような農家が散在し、富山市郊外の長閑《のどか》な田園地帯だった。久世はこの辺りを舞台に、奇妙な味わいの「早く昔になればいい」（平成6年）を書いている。富山に疎開していた14歳の主人公は、月夜の晩、仲間の少年たちと一緒に、神社で、綺麗だが狂っている女を陵辱《りょうじょく》する。女は、その後しばらくして死ぬが、主人公は、20年経ってもその時のことが忘れられず、その神社を訪れ、女への想いを募らせる。映画なら差し詰め、ＰＧ指定・Ｒ指定の内容だが、作品からは生々しい不快感がわき上がってこない。エロチックでグロテスクな内容なのだが、襲われた女が、被害意識のない狂女だということと、主人公の回想を中心として、狂女への一方的な思慕を久世流の洗練された言葉遣いで描いているので、一種のファンタジーの趣があり、主人公の耽美的なエロ・グロの夢の世界に誘いこまれる。内容とは裏腹な甘美な味わいが、いつまでも尾をひき、狂女を襲った忍《しのぶ》檜葉《ひば》の茂る神社へ訪れたくなる。

久世の住んだ家の近くに、彼が通った富山高校がある。この高校（旧制富山高等学校）からは、『日本之下層社会』の横山源之助、『日本文法論』の山田孝雄《よしお》、英文学者の南日恒太郎・田部隆次・田部重治（『山と渓谷』の著者）の3兄弟、詩人・美術評論家の瀧口修造、小説家・ジャーナリストの翁久允《おきなきゅういん》など、多士済々の人物が輩出している。中でも翁久允は、原稿用紙4千枚に及ぶ自伝的長編「わが一生」の「生い立ちの記」で、この学校で自らが関わった明治38年の事件を具に描《つぶさ》いている。翁らは寄宿舎の陰険な舎監《しゃかん》に制裁《せいさい》を加えるため、深夜に火事騒ぎを起こし、舎監が部屋から出た隙に、彼の寝床に便所の糞《くそ》を撒《ま》き散らす。戻った舎監は寝床に…。夏目漱石の「坊っちゃん」（明治39年）では、宿直室の坊っちゃんの寝床に蝗《いなご》が入れられたが、富山では糞《くそ》とは…。富山高校でのこの事件は、新聞にも報じられ、知事や県議会を巻き込む大事《おおごと》にまで発展し、翁らは放校処分になる。その後、翁は19歳で単身、渡米し、様々な労働に従事しながら創作に励み、移民文学の第一人者となる。帰国後の晩年は、富山で『高志人』を刊行し、富山の文化発展に大いに貢献した。人生、何が幸か、不幸か分からない…。

7　水橋

久し振りに水橋駅を訪れた。駅の真向かいの家が、国文学者・俳人・角川書店創立者の角川源義、その子の俳人の春樹、そして作家・歌人の辺見じゅんの生家である。現在は別の人が住んでいるが、角川源義の家は複雑で、清水真弓の「花冷え」（昭和39年）には、角川家三代の骨肉相争う愛憎劇が描かれている。清水真弓とは、辺見じゅんの本名である。角川家の人たちは優れた才能を持ち、銘々素晴らしい作品を生み出しているのに、その内実は嫁姑問題、離婚騒動、血族間の確執などと、骨肉相食む修羅場で、彼らの作品は、愛憎の泥沼に咲いた美しき蓮の花のような感がある。

水橋駅といえば、坂東眞砂子の「曼荼羅《まんだら》道」（平成14年）では、マレーから売薬業の夫を訪ねて現地妻が、また、東京から売薬業になるために男が、この水橋駅に降り立つところから始まる。後に女の夫も、東京から来た男も、薬師岳の幻の道で消息を絶つのだが、その主な舞台の一つがこの水橋である。水橋は、駅前に「くすりの町」の看板が立っているほど、越中売薬には関わり深い土地である。常願寺川と白岩川が合流した水橋川の河口に位置し、昔からの交通の要地で、近世には北前船も発着した交易の要所で、薬売りの原材料となる薬種が大阪からこの地で荷揚げされた。それにより、越中売薬の拠点としても栄えてきた土地でもある。坂東はそのことを調べた上で、水橋をこの作品の主要舞台にしたのだろう。

駅から白岩川沿いに河口へ向かい、水神社を越えてしばらく進み、右に曲がると古社・水橋神社がある。その奥の海士ケ瀬《あまがせ》神社は、売薬行商の安全祈願の社《やしろ》として現在も信仰を集めている。この神社の周辺、大町通りに本陣跡の看板がある。その本陣の南隣が、小寺菊子の父方の祖母の実家・尾島家である。その関係で、水橋を舞台にした小寺菊子の作品が幾つもある。久しぶりの帰郷の折りに家の没落を振り返り、親戚の仕打ちを思い浮かべる「朱蝋燭の灯影」(大正2年)や、その折りの郷土での疎外感を描く「郷愁」(大正3年)、その他にも「念仏の家」(昭和9年)やエッセイなどがある。そこから少し足を伸ばすと、河口の常夜燈の立つ艀《はしけ》場《ば》跡に辿り着く。夕なずむ河口は静かで、小寺菊子も、この河口から沖を見ていたのかと思うと感慨ひとしおである。

河口から常願寺川を遡り、三郷へと向かう。この地で童話作家の大井冷光が、明治18年に生まれた。父親は、彼が生まれる前に亡くなり、母親は、彼が常願寺小学校3年の時に亡くなった。その後、大田村西番の伯母の家で養育された。太田小学校卒業後、県立農学校(現・南砺福野高校)へ入学、寄宿舎生活をして卒業し、上京するものの家の事情で帰郷、県米穀検査所勤務や兵役を経て地元紙の記者になる。その折り、来県した童話作家の久留島武彦の知遇を得て再び上京し、童話作家として活躍するが、神奈川県逗子小学校での口演中、心臓発作で急逝する。享年35。親の愛に薄い波乱に富んだ短い人生だったが、親の縁に薄かったゆえに、子どもたちに童話を語ることで、そこに親の姿を思い描き、自らも癒していたのかもしれない。

8　大沢野

国道41号線を車で大沢野に向かい、途中の大沢野消防署から左に折れ、しばらく直進して田の道を左に右に曲がって小川を渡ると、大沢野万願寺地区に着く。目前まで山裾が迫り、左には田園が開け、その田の細い道沿いに一軒家がポツンと建っている。「ピースフルハウス・はぐれ雲」（NPO法人・北陸青少年自立援助センター）である。

この家を直木賞作家・乃南アサは何度も取材に訪れ、「ドラマチックチルドレン」（平成8年）を書いた。「この物語は、すべて事実に基づきます。登場人物は一部を除き仮名にしました。」とあるノンフィクション作品である。川又夫妻が主宰する「はぐれ雲」は、様々な問題を抱えた子どもたちを預かり、共同生活を通して立ち直らせる施設である。この施設に、登校拒否、無断外泊、シンナー常習の15歳の少女・恵を迎え入れたところから始まる。この少女を中心に、傷つき、生きている意味や、生きる希望をなくし、自分や家族を苦しめずにはいられない子どもたちに対して、その悩み苦しみから立ち直らせようと力を注ぐ夫婦のありのままの姿を具《つぶさ》に描いている。事実からの取材だけに真に迫り、身につまされることも多く、強く心を打つ。乃南は、問題を持つ子の親に「あきらめないでもらいたい。そのつもりさえあれば人は必ず変わることが出来るのだ。その子のペースで目標を見つけ、ゆっくりと歩いていけばいいのだ」と訴える。一読をお薦めしたい本である。

万願寺地区から41号線に戻り、国道を横切って神通川沿いの塩地区へ向かう。現在は豊かな田園地帯だが、江戸期は荒野で、その開発から文化10年（１８１３）に、富山藩最大の農民一揆が起きた。藩は塩野開発で、富山町の岡田屋嘉兵衛、河原町屋宗五郎、八尾町の玉生屋久左衛門らの有力町人に新開地を与える条件で、開発の資金を出させ、労働力は各村に割り当てた。この年は、初秋まで雨が降り続き、藩に年貢の減免を願い出たが拒まれ、更に、蝋《ろう》をつくる櫨《はぜ》の実の強制植え付けや労役まで命じられた農民は、不満が一気に爆発し、10月15日に、岡田屋、河原町屋を、19日には八尾の玉生屋を含め11軒を打ち壊した。藩は、直ちに郡奉行を八尾に派遣し、首謀者を捕らえて1カ月余りで一揆を鎮圧した。この事件を題材に、新田次郎は「槍ケ岳開山」(昭和43年)を書いた。だが、内容は史実と微妙に異なり、八尾での騒動を殊更《ことさら》大げさに描いて、主人公・岩松(後の播隆上人)の姿を際立《きわだ》たせている。小説はあくまでも虚構で史実とは異なるものである。「槍ケ岳開山」については八尾の項で述べる。

時代小説と言えば、柴田錬三郎は、神通川上流の左岸、小羽地区生まれの大工の棟梁《とうりょう》・清水屋喜六を「度胸時代」(昭和53年)に登場させている。一人の夜盗が、裏長屋生まれの赤子と10万石の大名の赤子をすり替え、それによって生じたお家騒動を、剣と恋を織り交ぜて描いた痛快時代活劇で、様々な個性的な人物が登場する。中でも清水屋喜六は利に聡《さと》く、目先の損得勘定だけで働く俗臭芬芬《ふんぷん》たる大佞人《ねいじん》である。この後の魚津の項で紹介する柴田の「蜃気楼」でも、魚津を訪れた主人公を騙《だま》すのは悪趣味で悪賢い土地の男女で、柴田は、越中人に対して、狡猾《こうかつ》で狡辛《こすから》い印象を抱いているのではないかと疑いたくなる。

9　八尾・下新町、西町、諏訪町

祭りの後は寂しいものだが、「おわら風の盆」が終わった八尾の街並みは、ガランとして物哀しさがいっそう募る。そんな八尾の町を訪れた。越中八尾駅から井田川の十三石橋を渡り、坂道を上ると左に八幡社がある。例年5月3日に催される越中八尾曳山祭《ひきやままつり》発祥の神社である。更に坂を登り詰めると、荘厳な伽藍の聞名寺《もんみょうじ》に辿り着く。寺の開祖は、本願寺3世覚如の高弟・願智坊で、飛騨より天文20年にこの地に移り、建立したという。本堂は、柴田新八郎貞英の建築による総欅造《けやきづく》りの銅板葺《ぶ》きで、本願寺様式としては全国白眉《はくび》で、八尾はこの古刹の門前町として栄えた。曳山祭の曳廻《ひきまわ》しは聞名寺から出発し、「風の盆」では、本堂向拝《こうはい》にて「聞名寺風の盆講中」や「越中おわら道場」による「おわら」が盛んに踊られる。この聞名寺と「越中おわら保存会」11支部による町流しや、野外演舞場での盛況なおわら踊りは、おわら風の盆を題材にした作品には必ず描かれる。

若い頃、互いに愛し合いながらも別れた男女が、20年の歳月を経て「風の盆」の八尾の夜に忍び逢い、罪の意識に苛《さいな》まれながらも、一夜限りの愛に身を燃やす高橋治の「風の盆恋歌」(昭和60年)。東京のテレビ局関係者が「おわら」の取材を名目に、別れた恋人の消息を確かめに彼女の出身地・八尾を訪れるが、娘は既に自殺し、その悔悟《かいご》から男は独り「おわら」の哀しい調べの中で佇《たたず》む五木寛之の「風の柩《ひつぎ》」（昭和46年）。風の盆の前夜祭の夜、八尾の街並みを見下ろす城ケ山で、老舗旅館の若旦那が殺され、その死の謎を追うにつれ、貧しい山間《やまあい》の悲恋の人間模様が次々と浮かび上がる内田康夫の「風の盆幻想」（平成17年）など、「おわら風の盆」は悲恋とミステリーに充ちている。関連ミステリーとして和久峻三「越中おわら風の盆殺人事件」や西村京太郎「風の殺意・おわら風の盆」などもある。

聞名寺の横の坂道を更に進むと、左に歌碑の建つ旅館がある。八尾を訪れた文人墨客《ぶんじんぼっきゃく》が泊まった宮田旅館である。この老舗旅館は女優・柴田理恵の母の実家で、彼女も幼い頃より出入りしていた。門前の歌碑は「旅籠屋の古看板に吹雪きして飛騨街道を行く人も奈《な》し」の吉井勇の歌で、吉井は昭和20年の2月から翌年8月まで八尾で疎開し、最初の2カ月は、この旅館で過ごした。その年はよほど大雪だったらしい。「きさらぎの越の旅籠《はたご》の古炬燵《こたつ》にこもりてあらむわが身か」などと、八尾での歌は『寒行』『流離抄』（昭21年）に収録されている。柴田理恵『台風かあちゃん』（平成23年）によれば、彼女の母と伯母が、吉井に誘われてよく散歩し、作歌の指導を受けたとあり、羨ましい限りである。また、テレビ番組の取材で八尾を訪れた五木寛之もこの旅館に泊まり、その時の彼の世話係が当時小学生の柴田理恵だったという。翌年、五木が「風の柩《ひつぎ》」を発表すると、八尾出身の自殺した演劇研究生の名が理絵で、宮田旅館では世話係の「理恵」の名を使ったと騒いだそうだ。これは柴田さんから直接聞いた話だ。なお、宮田旅館の古い宿帳には、高田浩吉とか鶴田浩二とかの往年のそうそうたる俳優たちの名前も載っているという。

10 八尾・東町、上新町、西新町、諏訪町

聞名寺から宮田旅館を通り過ぎ、左に曲がり、本通りに出ると、伝統的な町屋風の建物が目に入る。おわら中興の祖、初代おわら保存会の会長・川崎順二の生家跡に建てられた「おわら資料館」である。映像展示室では、おわらの輪踊りの中にいるような擬似体験ができ、資料展示室では、川崎順二と小杉放庵、野口雨情ら、多くの文人墨客《ぼっきゃく》との交流の様子や、おわらの歴史的背景が窺《うかが》える。おわら資料館から僅かに坂を上り、諏訪町本通りへ入る所に常松寺がある。この寺に吉井勇夫妻が宮田旅館から次に移り住んだ所だ。だが、この寺での日々はかなり辛《つら》かったようで、「あれ寺の鼠寺とも申すべし住むにはよけむ無慙《むざん》なる身は」と惨憺《さんたん》たる思いをうたっている。誤解がないように付け加えるが、これは当時の寺の様子で現在とは異なる。

富山市　八尾

諏訪町本通りに入ると思わず目を疑う。緩やかな石畳の坂道の両側に、格子戸の家並みが連なり、江戸時代に舞い戻ったような感がする。この通りは「日本の道百選」に選ばれ、「風の盆」には三味線や胡弓の哀切な調べに、笠を目深に被り、無言で踊る優美で艶やかな踊りと、路地を覆《おお》い尽くす見物客の感嘆の熱気が充満する。だが、今は人影もなく、通りの両側のエンナカ（雪流しの側溝）の水音と、軒の風鈴の音《ね》が、石畳を踏み締める靴音に涼やかに響いてくる。歩きながら戸口に酔芙蓉《すいふよう》がある家を探している自分に気がつく。高橋治「風の盆恋唄」の主人公の男女は、朝に咲き、夕方には萎《しぼ》む儚《はかな》い酔芙蓉《すいふよう》の咲く家で愛し合う。頭の中を「蚊帳《かや》の中から花を見る／咲いて儚《はかな》い酔芙蓉／若い日の美しい／私を抱いてほしかった／しのび逢う恋風の盆」の石川さゆりの「風の盆恋唄」の歌声が何度も過《よ》ぎる。この歌詞は、作品に感銘した〈なかにし礼〉が高橋治と八尾に赴き、3年がかりで作り上げたものだ。

石畳の坂道を途中から右に曲がり、本通りを越えて進むと八尾観光会館がある。会館の前に長谷川伸の石碑が建っている。長谷川伸の「一本刀土俵入り」（昭6年）では、相撲取りくずれの主人公・駒形茂兵衛に恩を施す取手宿の酌婦・お蔦は、八尾出身でいつもおわら節を口ずさんでいる。石碑には、後にお蔦親子が取手宿から八尾に落ち着いたとして「お蔦あみ笠背に投げかけて越中八尾の風の盆」の長谷川の歌が記されている。町流しの折り、踊り手が被る菅笠《すげがさ》を〈お蔦笠〉と呼ぶのは、このお蔦に由来しているという。以前、作家・平岩弓枝を八尾に案内した折り、この碑の前で「ああ、先生の字だ…」と絶句され、茫然と立ち尽くされたのを思い出す。彼女は、長谷川仲の弟子だった。傍らに吉井勇の歌碑もあり、「吾もいつか越びとさびぬ雪の夜を八尾の衆と炉端《ろばた》酒酌む」「この町のとりわけひとり善人の秋路笛吹く月夜あかりに」「山の町秋さびし町屋根の上に石のある町八尾よく見む」の3首が記されている。八尾観光会館には絢爛豪華《けんらんごうか》な曳山3台が展示され、曳山に関する歴史的資料や、八尾町の養蚕に関する資料も展示されている。日を決めて風の盆の風情を再現した「風の盆ステージ」の実演もあり、一見の価値がある。

11　八尾・西新町、鏡町、城ケ山、角間

八尾観光会館から再び諏訪町の緩やかな石畳の坂道に戻り、軒の風鈴の音と、エンナカ（側溝）の水音に耳を傾けながら、八尾の歴史を思い浮かべてゆっくりと坂を上る。この道沿いの町家は、職人町の名残を色濃く残していて、宮田旅館があった西町周辺の町家の趣とは幾分異なる。江戸期、八尾は飛騨との交易拠点として、また、売薬用紙の販売や、養蚕での収益で「富山藩の御納戸《おなんど》」と称されるほどに経済力が豊かだった。その中心が西町周辺で旦那町と呼ばれ、造り酒屋や呉服屋、米問屋などが軒を並べていたという。

そんな繁栄にも一時《いっとき》影が差した。文化10年（１８１３）に大久保塩野の開墾に不満を抱く農民たちが、富山、八尾町の米問屋を襲った。この富山藩最大の農民一揆を題材に、新田次

郎は、播隆上人の生涯と結び付けて「槍ケ岳開山」（昭和43年）を書いた。八尾の米問屋の番頭・岩松は、農民が八尾に押し寄せてきた時、騒動のさなか、誤って妻・おはまを槍で突き殺す。それを悔いて出家し、播隆として苦行の旅を続け、信仰の証として笠ケ岳や槍ケ岳を開山する。その発心の地として八尾を描いている。

気が付くと、いつの間にか石畳の坂を上りきっていた。左に伸びる道は、若宮八幡社から城ケ山へ至り、このまま下ると西新町から井田川へと向かう。西新町の公民館が、嘗て呉服屋だった小谷契月宅跡で、吉井勇は常松寺の後にこの家で逗留《とうりゅう》した。そのまま井田川まで下ると、鏡町の川沿いに桂樹舎和紙文庫がある。売薬の袋に使われた伝統的な八尾和紙や、国内外の紙製品を紹介し、紙漉《す》き体験もできる。文庫の創設者・吉田桂介は民藝運動の伝道者であり、著名な芸術家でもある。93歳の時にこれまでの短歌を『けいろく』として上梓している。今度は若宮八幡社から左の道を城ケ山へと進む。若宮八幡社には養蚕宮《かいこのみや》も合祀されている。境内玉垣には製糸工場の名が刻まれ、先ほどの八尾観光会館も県の養蚕試験所跡地に建っていて、養蚕の盛んな地だったことが窺《うかが》える。山道をしばらく登ると、展望が開け、八尾の町並みが一望できる所に出る。内田康夫「風の盆幻想」（平成17年）では、この辺りの桜の木の下で、老舗旅館の若旦那が死んでいて、探偵・浅見光彦の活躍が始まる。また、森村誠一「人間の証明」（昭52年）では、東京から八尾を訪れ、犯人の見当を付けた棟居《むねすえ》刑事が、この場所で同僚に「遠くにありて想う郷里とは、こんな町でしょうか」と呟《つぶや》く。まさに人恋しくさせるような穏やかで、優雅な八尾の町並みだ。城ケ山頂上付近は公園で、「富山さくらの名所70選」に選ばれている桜の名所で、芭蕉塚や「君のする古陶《ふるすえ》かたり聴きてゐぬ越の旅籠に春を待ちつつ」の吉井勇の歌碑も立っている。

城ケ山を角間の方に下ると、大正13年創刊の伝統を誇る俳誌『辛夷《こぶし》』の誌名命名の由来となった老辛夷《こぶし》の樹のある八幡社がある。この社には主宰の前田普羅《ふら》もよく訪れたという。また、八尾在住の医師で詩人の萩野卓司の詩集『青い雪』『熱い冬』も胸を打つ。八尾の文学はその町の風情と同じく奥ゆかしくて語り尽くせない。

12　婦中

八尾から車で婦中に向かい、県道7号線を走っていると、黒田付近で杉原神社の案内が目に止まった。思わず神社の伝説が頭を過《よ》ぎる。黒田の杉原彦（辟田彦《さきたひこ》）が、咲田姫（辟田《さきた》姫《ひめ》）と共にこの地を開拓された時、大洪水が生じ、互いに協力して田畑を水から守ったが、咲田姫が疲れで倒れ、その姫を杉原彦が背負って館に連れ帰り、看病したという。この伝説の「姫（婦）を背負う」ということから「婦負《ねい》」という地名が生まれたという。男女仲睦《むつ》まじい土地柄の印象で好ましい。「婦」の漢字は、「女」と「帚《ほうき》」から成っているので、女性を家事労働に縛り付けるものとして、女性への差別語だと非難する人も多いが、「婦」は、古代中国では王の妃を指す文字として使われることもあり、「帚《ほうき》」は祭壇を浄める物で家事とは関係なく、神事に関わる女性のことを指すことが多い。決して女性を差別している語ではない。

黒田（北）の信号を右に曲がり、直進すると神通川に至り、成子大橋が架かっている。寿永2年（1183）に木曽義仲の軍勢が、深夜に鳴子《なるこ》を鳴らし、合図しながら瀬踏みして川を渡り、一路、倶利伽羅峠へと突進した。その鳴子《なるこ》から成子の地名が生まれたという。この地は長らく舟の渡し場で、昭和2年に吊橋が架けられ、それが成子橋の始まりである。橋を渡らずに左に曲がり、神通川の左岸を婦中方面へと向かう。やがて右手に萩野病院が見えてくる。この病院の萩野昇医師をモデルにして、新田次郎は「神通川」（昭和43年）を書いた。復員して実家に帰った医師・熊野正澄が、奇病に悩む村人たちの懇願で奇病の原因究明に携わり、誹謗《ひぼう》中傷の中で遂にその原因を探り当てるという内容である。だが、新田自らが「熊野正澄イコール萩野昇ではなかった」と書いているように、実在の人物を下敷きにしているが、主人公・熊野正澄に新田の理想像を投影しているだけで萩野昇の実像ではない。この作品は、新田56歳の時、富山市に20日間滞在し、現地で取材・執筆して百枚の原稿にまとめて書き上げた生粋《きっすい》の富山産の作品である。この作品を契機に、新田は現地取材に重点を置いて小説を書くようになった。また、岩倉政治は、イタイイタイ病患者の老女の目を通して、イタイイタイ病裁判で証言台に立つことになった同病の友人が、証言する苦悶の余りに自殺する姿を捉えて「尋問」(『ニセアカシアの丘で』所収・昭和47年)を書いている。抑えた表現の中に、ひしひしと病の悲惨さが伝わってくる。加藤秀も7年がかりで、汚染された川に関わった人々の人生の断面を、鉱毒事件の進展に伴って加害者・被害者の両側から「姿なき企業殺人」(昭和54年)で描き上げ、事件の全貌がよく分かる作品である。

いつ頃から神通川は汚染されたイメージを持つようになったのだろう。神通川は「売比河《めひ》」「鵜坂河《うさか》」、もしくは「辟田河《さきた》」とも呼ばれた万葉の昔から川の幸の宝庫だった。戦前は、長良川(鮎・鯉)と神通川(鮎・鱒・鮭)は、日本に2カ所しかない皇室の川の「御猟場」だった。その清浄な川が人の身勝手さで汚された。今は清澄さを取り戻したが、繰り返してはいけない。その思いを強めていると、車はいつしか有沢橋に着いていた。新田の「神通川」は、この川辺付近から書き出される。

13　大山・小見、有峰

紅葉には少し早かったが、昨年10月中旬に訪れた有峰の紅葉の美しさが目に浮かぶと、我慢できず車で有峰に向かった。亀谷《かめがい》温泉から和田川沿いに谷間《たにあい》の道を遡る。亀谷は、近世初頭、金銀の産出高を誇った「越中七かね山」の主要銀山として栄え、最盛期の慶長年間には家数百軒、人足二千人余りを使役したと伝えられているが、今は人影もなく閑散としている。

落石に注意し、幾つもの真っ暗な隧道を通り抜けて進むと、坂東眞砂子の「曼荼羅道《まんだらどう》」（平成14年）で描かれた、薬師岳中腹の地獄へと続く道に迷い込んだような気がしてきた。老若2人の売薬行商人が、山裾の粟巣野駅（廃駅）から、異形のものが彷徨《さまよ》い歩く地獄の山道に紛れ込むという奇妙な話だ。心細さが募り、谷間《たにあい》の山道にも飽きてくると、急に目の前が開け、満々と水を湛《たた》えたダムと湖の彼方に薬師岳が見えてきた。高さ140mの重力式コンクリートの有峰ダムで、広大なダム湖と山々が連なる雄大な景観に、自ずと心が洗われる。有峰は、江戸期、加賀藩の直轄地で、元々は山奥にある水源の山里という意味の「うれ（有嶺）」と呼ばれていたが、加賀藩5代前田綱紀が「憂《うれ》い」に通じるのを嫌い、「有峰」に改めたという。平家や南朝の落人《おちうど》、佐々成政の埋蔵金の番人の末裔などの伝説を持つ有峰集落は、ダム建設にともない、湖底に沈んでしまった。

富山市出身の英文学者で登山家の田部《たなべ》重治は、自らの山岳文学の古典的名著『山と渓谷』（昭和4年）で、有峰を訪れた際の集落の生活を好奇の目で「薬師岳と有峰」として書き留《とど》めている。それに前田英雄編纂の『有峰の記憶』（平成21年）を加えて読めば、有峰の全貌がより明確になってくる。また、永井荷風に、ゲーテの「ウェルテル」に匹敵すると激賞され、6カ国語に翻訳された中河與一の「天の夕顔」（昭和13年）で、主人公が許されぬ恋の切なさを堪《た》えようと最初に訪れたのが有峰で、後に有峰から山一つ隔てた山之村で山籠《やまこも》りをする。だが、ロマンの名著と言われるこの作品にも翳《かげ》りがある。中河は、作品創作の発想を懇意の按摩《あんま》の話から得たとしているが、按摩の体験そのものが作品の主要内容になっている。

当初、中河は、そのモデルの按摩の存在を否定し、後に認めはしたが、モデルの実名を公表しなかったことから、実在のモデルとの間に確執が生まれた。そのモデルを中井三好氏が調査して『『天の夕顔』のかげで』（平成7年）を著し、モデルは数奇な運命を経て按摩となったが、元々は大阪の大富豪の息子で、同志社大学卒業後、中学の英語教師を勤めたこともある不二樹浩三郎（瑩）だと述べ、彼の隠された姉への愛も明らかにした。後に不二樹は、自叙伝「冷たき地上」（昭和45年）を書くが、その内容は中河與一の「天の夕顔」と酷似している。精緻《せいち》な描き方で文章力もあり、特に彼の山籠《やまこも》りの部分は生々しく迫力がある。中河は、不二樹の体験を聞いて、その体験談の特に恋愛部分に焦点を当て、それを独自のロマン世界の物語として創り変えたのだろうが、不二樹は、恋愛の体験も含め、自分の全ての半生を中河に忠実に描いてもらいたかったのだろう。創作でのモデル問題は厄介《やっかい》である。ともあれ、ダム湖から吹き寄せる風は爽やかで、全山紅葉でないのが残念だ。このまま、薬師岳の登山口・折立へと向かう。

14　大山・有峰・折立、千寿ケ原

有峰ダム湖を傍ら下方に見ながら、林の中の曲がりくねった坂道を上ると、急に目の前が開け、駐車場と小屋が見えてきた。薬師岳（標高２９２６ｍ）の登山口・折立ヒュッテ（休憩所）に辿り着いた。ヒュッテから少し登山道を上ると、立派な石造十三重之塔がある。昭和38年の３８《サンパチ》豪雪の冬に、薬師岳で遭難した愛知大学山岳部13人の慰霊碑だ。この遭難によって県山岳警備隊が発足した。慰霊碑に手を合わせていると、遭難者の母親・牛田てる子さんの短歌が思い浮かんだ。「そうなん死のわが子思いて冬山の姿もとめてきぬ小見駅」「そうなんを知るよしもなく山に入る子をとむるすべなかりし悲しみ」。有峰口駅に掲示してある歌だが、子を持つ同じ親として牛田さんの悲しみが胸に響いてくる。

愛知大学山岳部13人の遭難が確認されたのが1月14日、最後の2遺体が発見されたのが10月14日、だが、その年の2月に、新田次郎は、この遭難を題材にして「薬師岳遭難」を発表し、急迫時《きゅうはくじ》の集団心理と、リーダーの在り方を描いている。遭難から日が浅く、全貌も分からない時に、「創作で事実ではない」と新田がいくら明記しても、読む側は果たして「創作」として受けとめるだろうか…。遭難者の家族や関係者の気持ちを察すると痛ましくてならない。当時、山好きの高校生だった私は、作家とは何と非情なものかと憤慨《ふんがい》していたのを覚えている。

紅葉時に再び訪れることにして有峰を去り、途中、亀谷の大山民俗資料館に立ち寄る。常願寺川の治水と発電、有峰の歴史と文化、亀谷銀山や大山地域（旧大山町）出身の三賢人の資料などが展示されている。三賢人とは、金山穆韶《ぼくしょう》（高野山真言宗管長・金剛峯寺座主）、播隆上人、宇治長次郎のことで、新田次郎が「槍ケ岳開山」（昭和43年）で播隆上人の生涯を描き、「劒岳・点の記」（昭和52年）で宇治長次郎（亀谷近辺の和田出身）を、劒岳下見《したみ》登山から翌年の剣岳初登頂まで柴崎測量官に従い、頂上付近で錫《しゃく》杖《じょう》の頭《かしら》と剣を発見した副主人公的な役どころとして描いている。だが、長治郎の剣岳初登頂は、当時の公的な記録や、新聞・雑誌の報道、柴崎測量官のメモも含めて、まったく記されていない。それに錫《しゃく》杖《じょう》の頭《かしら》等も長次郎が発見したのではない。このことは事前取材で新田も知っているのだが、あえて長次郎の発見として描いている。憤慨する前に、小説は事実とは異なるものと弁《わきま》えて虚構を楽しむ心のゆとりが必要だろう。

小見から粟巣野を経て立山駅近くの立山カルデラ博物館に立ち寄る。この博物館主催の体験学習会（応募抽選）で、トロッコやバスで立山カルデラや、立山温泉跡地を巡ることができる。昭和51年、当時72歳の幸田文は、立山カルデラの鳶《とんび》崩れを訪れ、背負われてカルデラ内を巡り、その崩壊のエネルギーの凄さに驚嘆し、「崩れ」（平成3年）に感動を書き綴《つづ》った。孫の青木奈緒も祖母が訪れた崩壊地を巡り歩き、心打たれて「動くとき、動くもの」（平成14年）を著した。幸田露伴《ろはん》の文学の血を受け継ぐ二人をこれほど惹《ひ》きつけたのは何だったのだろうか…。現在、カルデラ内・多枝原《だしはら》展望台に幸田文文学碑が立っている。

〔北アルプス・黒部峡谷〕

1 立山・地獄谷、雷鳥沢

梅雨が上がり、晴れ渡った青空に立山・剣岳の岩肌が眩《まばゆ》く煌めくと、胸が騒ぎだす。高校生の頃、夏の補習が終了するやいなや、夏山に入り込んだ山への熱い想いが、まだ胸の内で燻《くすぶ》っている。その想いに駆られ、立山室堂までやってきた。標高475mの立山駅からケーブル、バスで順調に乗り継ぎ、標高2450mの室堂まで1時間余り、目前に広がるパノラマの素晴らしさに感嘆する。

ミクリガ池へ足を伸ばすと、池向こうの谷間から頻りと白煙が立ち上っている。地獄谷だ。立山は信仰の山として知られているが、この地獄谷の伝説も古くから全国に知れ渡っていた。人々が死ぬと、その霊は、全国津々浦々からこの地獄谷に集まり、その罪過によって立山地獄に堕ちるという。日本文学史上重要な平安末期の説話集『本朝法華験記』に1話、『今昔物語』に3話も立山地獄のことが載っている。越中と言えば、近世以降、売薬が有名だが、それ以前は地獄谷伝説がよく知られ、越中は全国で最も地獄にゆかりのある国だったといえる。この地獄谷伝説を題材にして、室町期に、世阿弥は謡曲「善知鳥《うとう》」を書いた。諸国を巡る僧が、越中立山の地獄谷を見て下山しようとすると、猟師の亡者に出会う。亡霊は、僧に陸奥国・外の浜に住む妻と子に、生前に犯した自らの罪過を、仏の力で消滅させてくれるようにと供養を頼む。僧は承諾して、陸奥国へ訪れ、亡者の頼みを伝える。また、江戸期には、山東京伝が、立山地獄谷を舞台に「善知鳥安方忠義伝」を書いた。現代に至って、戸部新十郎は謡曲「善知鳥《うとう》」と埋蔵金伝説を絡ませた伊賀同心の活躍を描く「善知鳥」(昭47)を書いている。地獄谷の亡霊の話はこの後も色々な形で書き続けられるだろう。

地獄谷のガスの噴出が余りにも激しく、立入禁止の区域が多いので、迂回して雷鳥沢に向かう。雷鳥沢には忘れがたい思い出がある。高校の頃、雷鳥沢でテントを張り、夜中、湯に浸かるため雷鳥荘の湯殿に忍び込んだ。あまりにも湯が気持ちよいので湯殿でそのまま眠り込み、明け方、管理人に大目玉を食らったことがある。その雷鳥荘も、その年の冬に雪崩で崩壊した。雪崩による山小屋崩壊といえば、新田次郎の「孤高の人」(昭和43年)がある。単独山行の主人公・加藤文太郎が冬の剣岳登攀で、生涯初めて、あるパーティに同行を頼んだのだが断られ、寂しく小屋から立ち去る直後に雪崩が発生し、小屋は崩壊する。その小屋が、雷鳥沢を登り切った反対の沢の剣沢小屋だ。新田は、よほど剣岳が気に入っているらしく、剣岳チンネでの遭難死からのを連鎖で、関係者が次々に死に、「山男には悪人はいない」とのテーゼを覆《くつがえ》すことを狙った異色の山岳推理小説「チンネの裁き」(昭和34年)を書き、「剱岳　点の記」(昭和52年)も書いている。

「剱岳　点の記」では、宇治長治郎が、明治39年の剣岳下見登山から、翌年の剣岳測量登頂に至るまで柴崎測量官に伴い、頂上付近で錫杖頭、鉄剣を発見したとしているが、当時の公的な記録や、新聞・雑誌の報道、柴崎測量官のメモも含め、長治郎の剣岳登頂に関わることは、まったく記されていない。その上、柴崎自体も登頂したか否かについては曖昧で、その柴崎も長治郎の剣岳登頂については、「記憶にない」「まったく知らなかった」と言っている。なぜだろうか…。新田は、実在の人物をモデルにして小説を書くが、それは伝記でなく、あくまでも彼が作り上げた理想の人物像で、読者は、全てが事実ではないとの一線を引いて作品を読むべきであろう。

また、剣岳の黒部峡谷側の長治郎谷での遭難を扱って、江戸川乱歩賞作家の真保裕一は「黒部の羆《ひぐま》」（平成16年）を書いている。主人公である剣岳の北峯ロッジの主人は、県警山岳警備隊からの遭難救助要請で、独り、吹雪の中を源次郎尾根へと向かう。その場所は、主人公が大学生の時、友人と共に登攀し、遭難した場所だった。救助に向かいながら、嘗《かつ》て遭難した時の緊迫した状況が次々に男に思い浮かんでくる。見せかけの信頼というロープで身を繋ぎながら、互いに殺意を秘めて剣岳の頂を目指したが、吹雪の中で谷へと滑落する…。主人公が、遭難現場へ辿り着いた時、その状況は、昔、彼が遭難した時と同じだった。

立山　剣岳

そして、遭難者二人の心の内もあの時と同じで、主人公には二人の思惑が手に取るように分かる…。短編だが、雪山の厳しさと遭難救助の過酷な状況が真に迫る山岳小説である。剣岳に見とれているうちにガスが出てきた。室堂に引き返すことにする。

2 立山・室堂、一の越

立山雷鳥沢から室堂へと引き返す。陽がやや翳り、山裾から白い靄《もや》が這い上がってくると、忽ち周囲が白濁色の深い霧に包まれた。立山は雲に覆われたらしい。霧の中は静かで、寒さと共に不安を募らせる。足下に注意を払い、慎重にルートを確かめて先へと進む。雲の中を歩いていると、ある童話の一節が思い浮かんだ。「〜それは夏になりますと、お天気のよい日には屹度《きっと》、午後二時か三時ごろにこの谷間《たにあい》からむくむく真白な、綿をちぎってほうったような雲の子供が産まれ出て〜小草の花をぬらしたりして、立山の嶺《みね》にのぼり、それから嶺《みね》をこして向こうの谷間《たにあい》にかくれ行く面白さ〜」。童話作家・大井冷光の「雲の子供」(『母の御伽噺』大正9年)の一節だ。だが、濃霧の中では雲をこのように楽しめない。幸いなことに室堂に近づくにつれ、霧は次第に薄れ、辿り着く頃には、立山の稜線がくっきりと一望できるほどに晴れ渡った。

室堂で一息入れると、先ほどの冷光の童話の続きが思い浮かぶ。「〜わたくしは或る夏の三十日間この山にいましたが、その時はいつも、この雲の子供と鬼ごっこして遊びました」。当時、地元紙の記者をしていた冷光は、立山通信特派員として、明治42年7月24日から1カ月間、室堂に滞在し、取材した記事を日々書き送っていた。それらの記事は、大村歌子編『天の一方より・大井冷光作品集』（平成9年）に所収され、その緻密な観察による躍動感ある文章は、高山から吹き下ろす一陣の爽やかな風のようで心地よい。

室堂から一の越まで足を伸ばす。不揃いの石畳の道を、40分ほど登ると一ノ越山荘に着く。山荘前の急な坂を、雄山へと多くの人が列をなして登っていくが、反対方向の浄土山、五色ケ原へ向かう人は疎らだ。近年、雄山、剣岳方面は賑わっているが、以前は、むしろ五色ケ原、ザラ峠から立山温泉（廃湯）への往来が盛んだった。後立山連峰・針ノ木岳の鞍部・針ノ木峠から平ノ渡場（現・黒部湖）を経て、立山連峰の五色ケ原、ザラ峠、立山温泉へと続くコースが、信州と越中を結ぶ要路だった。また、五色ケ原、ザラ峠付近には、天正年間に佐々成政が徳川家康を訪ねて冬期に越えたという「さらさら越え」の話も伝わっている。この伝承は、遠藤和子の「物語・佐々成政」（昭和57年）、安川茂雄の「黒部奥山軍記」（昭和35年）や、最近では風野真知雄が「沙羅沙羅《さらさら》越え」（平成26年）で描き、中山義秀文学賞を受賞した。成政の立山越え伝説と、早百合姫伝説などを絡め合わせ、前田利家との確執や、落雷・猛吹雪・大雪崩などの大自然の猛威の中での、極限状態まで追い詰められての雪中行軍は圧巻で、謀略渦巻く戦国時代小説でありながら、山岳冒険小説の醍醐味もあり、中々に面白い。

成政が浜松で徳川家康に会ったのは史実だが、どのコースで浜松と越中を往復したかは諸説があり、極寒期の立山を越えたことに難色を示す人も多い。私は、大学で西岡秀雄先生の地理学を受講したが、先生は、気候の寒暖七百年周期説を説かれ、戦国時代は暖期の絶頂期だと力説しておられた（西岡秀雄『寒暖の歴史』）。この説に賛同する気候学者も多く、この説に従うなら、成政が立山を越えた頃は、現代よりも気候は穏やかで、積雪も少なく、越えやすかったのかもしれない。ザラ峠を経て信州と越中を結ぶルートは、江戸期には加賀藩奥山廻り役の巡回路となり、明治8年に日本初の山岳有料道路「越信新道」として開拓され、そこを舞台にして幾つかの作品が生まれている。

3　越信新道、黒部源流

一ノ越山荘から五色ヶ原方面へ、獅子岳付近まで歩いてみる。出来れば越信新道があったザラ峠や五色ヶ原まで行きたいのだが、時間的には無理だろう。越信新道は、明治8年に大町から針ノ木峠を越え、黒部川を渡り、立山温泉を経て富山に至る有料の山岳道として開発された。開通当初は、アーネスト・サトウ（英国領事館書記官）、アトキンソン（開成学校教師）、チェムバレン（東京帝大教授）などの著名な外国人も多く訪れて賑わったが、冬期での道の破壊・破損が甚《はなは》だしく、明治15年に廃道になった。だが、廃道後も利用者が多く、ウォルター・ウエストンは『日本アルプス・登山と探検』（明治29年）で、この峠を世界に紹介し、河東碧梧桐、長谷川如是閑、窪田空穂、田部重治、中西悟堂などの文人たちも訪れ、その景観を紀行文で賞賛している。

また、泉鏡花も新道付近を舞台に短編「さらさら越」（明治32年）を書いている。鉄砲上手の貴公子が、山中で猟犬とはぐれ、その上に鉄砲をなくし、失意の状態で杣《そま》小屋に泊まる。だが、その小屋の老猟師から、短刀一本での熊狩りの体験を聞き、貴公子は、勇気を取り戻し、再び狩猟に出掛ける。この話の前半部に、貴公子と、荷運びの牛曳《ひ》きたちと諍《あらが》う場面がある。この場面などは、塩荷を背負った牛の群れが、信州と越中を往来した越信新道の往事の様子が窺《うかが》われて興味深い。

立山　五色ヶ原

歩を早めて龍王岳の国見谷側を巻き、鬼岳とのコルに下る。そして、鬼岳の御山谷側を巻いて雪渓を横切ると、獅子岳の鞍部に着く。稜線に登り、お花畑が散在する尾根道に腰を下ろすと、彼方に薬師岳が望め、眼下に黒部川源流が流れている。爽快な気分に満たされ、叫びたくなる。剣岳・立山から薬師岳、黒部五郎岳を経て三俣蓮華岳、槍ケ岳へと続くこの道を、若い頃から何度歩いたことだろう。高校生の頃、図書館で田部《たなべ》重治の「槍ケ岳より日本海まで」を読み、自分も必ずや日本海から槍ケ岳までの道を踏破すると誓ってから数十年、全コースは歩いていないが、田部の、その小編を所収する『新編山と渓谷』（平成5年）を手に取ると、今でも熱く胸が躍る。富山市出身の田部は、著名な登山家であるが、東京帝国大学で夏目漱石から教えを受けた英文学者でもあるので、文章は簡潔平明で、的確に自然を描写しながらも詩的で、かつ、行動的で野性的な内容なので、山登りが好き嫌いに関わりなく、誰でもが本に引き込まれてしまう。『峠と高原』（昭和28年）、『わが山旅五十年』（昭和39年）など、田部は余す所なく立山・剣・黒部の魅力を描いている。

　薬師岳が少し曇ってきた。薬師岳は、高校・大学と毎年登った、言わば私にとっては青春の山なのだが、これほど薬師岳に惹きつけられたのは、1冊の本による。最近、久々に再版されたが、伊藤正一の『黒部の山賊』（昭和39年）である。北アルプスで三俣山荘をはじめ、4つの山小屋を経営し、伊藤新道を開拓した伊藤正一の、山荘での出来事や黒部川源流域での椿事を綴った手記である。北アルプス登山黎明期の、奥黒部の驚天動地《きょうてんどうち》のエピソードで、山小屋に居付く山賊や、埋蔵金、山の強盗事件、狸、河童、川獺《かわうそ》、人を呼ぶ白骨、火の玉、謎の遭難などと、奇々怪々な山の話がまことしやかに書かれてある。私が薬師岳に魅惑されて毎年登ったのは、この本の出来事に遭遇するためだった。実際、奇妙な事にも出遭ったが、小説とは違った意味での青春の書で、この本は、今も私の机の傍らに置いている。そろそろ室堂に引き返すが、奥黒部での昔の山旅のこと次々に思い浮かび、後ろ髪が引かれる。

4　黒部峡谷・剣沢大滝、黒部第4ダム

薬師岳に想いを馳せながら、獅子岳から一の越へ引き返す。雲行きも怪しくなってきたので歩を早める。高校、大学と、毎年、薬師岳へ登り、薬師沢へ下って雲の平へも足を伸ばした。雲の平の魅力は言葉に尽くしがたい。そんな折り、太郎平や薬師沢の小屋に泊まると、よく耳にした話があった。「黒部の谷の奥には、想像もできないほどの大きな滝があり、その滝音が、谷間中に轟きわたっている」と。「幻の大滝」の噂だが、その噂が気になり、冠松次郎の『黒部』（昭和5年）で調べたりしていたが、そんな時に、森村誠一の「恐怖の骨格」（昭和48年）を読んだ。「～幻の谷は立山の東部にあり、～北アルプスで取り残された唯一の秘境である。～」とあり、その谷には大滝があり、そこに大富豪の令嬢二人を乗せた飛行機が撃墜し、救出に令嬢の二人の婚約者が向かう話だ。小説舞台は「幻の大滝」の地を想定しているに違いない。単なる山岳救助小説ではなく、遺産相続や過去の復讐、更に国際諜報戦も絡めた複雑なストーリー展開で、密閉された幻の谷での、極限状態の人間の恐怖・愛憎を生々しく描いていて迫力満点で面白かった。

「幻の大滝」は、剣沢大滝のことで、冠松次郎が大正14年に発見した。この滝が初めて単独で登り切られたのは昭和57年で、現在まで僅かの人しか登っていない。大正14年に、冠松次郎はガイドの宇治長治郎と共に秘境・黒部「下ノ廊下」の完溯《かんそ》に成功し、それを「黒部峡谷完溯記」にまとめ、その紀行を『黒部谿谷』（昭和3年）に収めた。その改定版が『黒部』である。その改定版を高校生の時に読んだのだが、山の専門用語や渓谷の写実的な説明が多いので、当時は理解しづらかった。平成7年に、平凡社ライブラリー『黒部渓谷』として再び刊行され、それを読み直すと、冠の黒部渓谷への、並々ならぬ思い入れが改めて分かり、大正から昭和初めの手つかずの、渓谷の自然美が読み取れて興味が募る。

足を早め、ようやく一の越に辿り着いた。かなり急いだので、山荘傍らの黒部の谷側に座り込み、一息入れる。谷下には、満々と水を湛えた黒部第4ダムが望める。高校の頃、この黒部第4ダムの工事に魅惑され、一時、ダム建設技師になりたいと思ったことがある。ダム工事に憧れたと言うより、この工事に関わる作品とドラマ・映画に感動したからだ。それは北条誠の「虹の設計・一部」（昭和40年）

黒部源流

と、木本正次の「黒部の太陽」（昭和39年）だった。両作品とも、昭和31年から7年に渡って、513億円の工費と、延べ千万人の労力で造られた黒部第4ダムの、特に大町トンネルの破砕帯に遭遇した折りの、工事関係者の苦闘と、その家族の様子を中心に描いている。

「虹の設計」は、テレビドラマでの主演・佐田啓二（俳優・中井貴一の父）が事故死したので、途中から原作とドラマの内容が変わり、残念だった。「黒部の太陽」は、原作は新聞での連載だったこともあり、工事の進展に主人公の家庭事情の挿話を絡ませ、淡々と描いていた。だが、映画では、大自然の猛威に立ち向かう男たちの勇姿を、三船敏郎、石原裕次郎の二大スターが好演し、観客動員733万人、興収16億円（現在の80億円相当）の大ヒットとなり、原作よりも映画の方が、インパクトが強かった。監督は熊井啓で、彼は「黒部の太陽　ミフネと裕次郎」（平成15年）で、映画の制作から完成に至るまで、その裏舞台での逸話を余す処なく明かしている。秘話満載で映画のシナリオも併載され、シナリオを読みながら映画を思い浮かべ、また本文も読み返すと、時が経つのを忘れるほどに面白い。

5　黒部峡谷・黒部第3発電所

立山・一の越山荘の傍らに腰を下ろし、眼下の黒部川第4ダム（クロヨン）を眺めていると、背後が騒がしくなった。振り返ると、一の越に登り着いた年輩の登山者たちが、眺望の素晴らしさに驚嘆している。その中の一人がクロヨンを指さし、「あれがクロヨンだ。映画・黒部の太陽のダムだ。木本正次が原作だが、吉村昭の高熱隧道と混同している人が多い。高熱隧道は黒部川第3発電所、時代も違うし、クロヨンとはまったく違う話だ」と文学通の人が声高々に自慢げに語っていた。確かにその通りだが、少し違う。

吉村昭が、黒部峡谷を訪れたのは恐らく昭和36年頃で、彼が34歳の頃ではなかったろうか。創作に打ちこもうと勤めを辞め、取材でこの峡谷を訪れた。それから5年後に、この旅を基に2作品を発表した。「水の葬列」（昭和41年1月）と、「高熱隧道」（昭和41年5月）である。この2作品は、吉村の黒部峡谷の旅から生まれた、言わば双子のような作品なのだが、その印象はまるっきり異なっている。「水の葬列」は、不貞の妻を殴殺した男が、服役後、妻の足指の骨を持って山奥のダム建設現場へ流れ込む。そこには建設反対の村があり、その村の娘を建設労務者が恥辱し、娘は村の広場の木で首を吊る。村人は、その娘を木に吊したまま葬りもせず、腐るに任せる。男は見かねて、こっそりと死骸を木の下に埋めると、村人は死骸を掘り返し、寺に運ぶ。その後、村人は、村中の土葬の墓を全て暴《あば》き、村が水没する日に、掘り出した無数の頭蓋骨を骨箱に納め、奥深い山の彼方へと列をなして去っていく。「高熱隧道」は、陸軍将校7名の黒部川での溺死から始まり、地熱の異常高温によるダイナマイトの自然発火、物資輸送の転落事故や、泡雪崩の発生などで工事関係者が次々に死んでいく、昭和11年着工の黒部川第3発電所の、3百余名の犠牲者を出した悲惨な工事の状況を詳細に描いている。

この2作品は印象の違いから、「水の葬列」は幻想小説、「高熱隧道」は記録小説と当時は評された。だが、「高熱隧道の場合は設計図百枚近くが借用できただけで、後は当時の工事関係者からの克明なメモにたよった」と、吉村が書いているように、「高熱隧道」は、工事の事実をありのまま書き記した「記録」ではなく、吉村の創作が大部分を占めている。また、吉村が黒部峡谷を訪れた際、彼は、クロヨンで働いている親戚の宿舎で数日間滞在し、その現場をつぶさに見学している。「高熱隧道」の緊迫した、第3発電所（仙人谷ダム）の工事現場の描写は、吉村が観察したクロヨンの工事現場の様子が投入されたものだろう。それに加え、この2作品の印象の違いは、「戦艦武蔵」を吉村が書き上げた1カ月後に「高熱隧道」を書き始めたので、「戦艦武蔵」での記録的手法が「高熱隧道」に及んだためとも考えられる。

谷から吹き上げる風がしだいに冷たくなってきた。陽も翳り、谷底からガスが徐々に這い上がってくる。急いで室堂のバスターミナルへと向かう。坂を下りながら、吉村が峡谷を訪れたのが10月だったのを思い出した。彼は随筆に、峡谷の紅葉の美しさを激賞している。そう言えば、与謝野晶子も峡谷の紅葉を賞賛していた。昭和8年11月1日に、与謝野鉄幹・晶子夫妻は峡谷を探勝し、その感動を「囲ひなき山の車の席買ひて四里上りゆく黒部の紅葉」「美しき下の世界のあるごとし黒部の川を青空として」「山嵐や黒部の川のしぶきより低き岩場に人のあるかな」などと35首で詠んでいる。これらの歌は、晶子が富山、高岡で詠んだ歌と合わせて歌集「いぬあぢさゐ」として、改造社版『与謝野晶子全集』第7巻に載っている。

峡谷の紅葉の美しさが目に浮かぶが、寒さが募ってきたので急いで坂を下る。

〔新川地域〕

〈立山町、舟橋村〉

1　立山町・六郎谷

富山市からスーパー農道を立山町へ進み、石坂の十字路を直進して白岩川へと下り、県道6号線と合流するT字路を右折してそのまま進む。やがて白岩川ダムが見えてくる。かなりの山の中で行き交う車も人影もない。

白岩川ダムは、昭和49年竣工でコンクリートと岩で造られたダムとしては県内最初のものだが、このダム周辺が六郎谷で以前は小さな集落があった。その集落の漢方医の子として生まれたのが翁久允だった。兄と弟5人、妹3人で、地元の谷口小学校を卒業後に旧制富山中学校に入学した。中学校で寄宿舎の舎監制裁《しゃかんせいさい》事件に関わって学校を中退するのだが、その事件やそれ以後のことは、「富山地域」の富山市今泉の項で述べた。翁の原稿紙四千枚に及ぶ自伝的長編「わが一生」の第一部「生いたちの記」は、この六郎谷から始まる。

「わが一生」は郷土研究誌『高志人』の昭和26年11月号から20年間にわたって連載され、「生いたちの記」「海のかなた」「金色の園」「帰国篇」「再外遊篇」の5部で構成されている。「海のかなた」「金色の園」は移民文学の一級資料で、「帰国篇」「再外遊篇」は、彼が交際した多彩な文化人の側面が窺《うかが》える。「生いたちの記」では翁の家族関係での葛藤や淡い初恋、そして、当時の六郎谷を含め、周辺の人々の生活状況までが活写されていて、その確かな記憶力と精緻な筆力には驚嘆する。ただし、20年間にわたって連載されものだけに読み遂げるにはそれなりの覚悟がいる。更に翁に興味を抱かれた人は、翁の娘・逸見久美著『わが父翁久允』（昭和53年）と、彼と親交のあった稗田菫平著『筆魂・翁久允の生涯』（平成6年）をお読みになることをお勧めする。

2　立山町・釜ヶ淵

白岩川ダムから石坂の十字路まで引き返し、左へ157号線を進み、上末の十字路で右折して釜ヶ淵駅へと向かう。途中、新瀬戸小学校が見えてくる。この小学校がある新瀬戸地区が越中瀬戸焼の発祥地である。現在は4つの窯場《かまば》しかないが、文禄3年に加賀藩主・前田利長が尾張国瀬戸から陶工を招いて、焼かせたのが始まりで、藩の御用窯として、また、越中随一の磁器産地として大いに繁栄した。

釜ヶ淵駅に着く。釜ヶ淵は、佐多稲子の短編「水」（昭和37年）の主人公が生まれた地で、幼い頃の舞台になっている。この作品は短編だが、当時の小・中学校の副教材として全国の多くの生徒たちが読んで涙したという。内容は次のようなものだった。釜ケ淵の農家に生まれた足の悪い少女が東京・神田の旅館の下働きとして懸命に働いている。その彼女のもとに一通の電報が届く。「母危篤」の報せだが、旅館の主人は少女に暇を与えない。二度目の電報がきた時、少女は電報を握り締めたまま旅館を飛び出す。足の悪い娘を労《いたわ》り、いつも優しく見守ってくれた母だった。その母に貯めた金で湯治にやるのが少女の夢だった。その母が死ぬ。悲しみの余り、少女は駅に茫然と佇むが、無意識に駅の水道の蛇口から出しっ放しになっている水の蛇口を閉める…。さり気ない少女の仕草を描く中に辛酸を嘗《な》め尽くし、苦難を乗り越えてきた58歳の佐多稲子の人生の一片が窺《うかが》える。この短篇は、佐多稲子が、雑誌の原稿提出締め切り間際に、室生犀星の臨終に駆けつけ、告別式が終わってから急いで書いたものだという。母の死を悼む少女の気持ちの中に、佐多の犀星を悼む気持ちも込められているのかもしれない。

3　舟橋村

釜ヶ淵駅から踏み切りを渡り、県道15号線で滑川へ向かう。途中、五百石を通り、そのまま進むと船橋の交差点があり、その交差点を左折し、しばらく行くと左に越中舟橋駅が見えて、その横に寺がある。その寺が「ばんどり騒動」で有名な無量寺だ。

明治2年、大凶作に見舞われた新川地方（加賀藩領）の農民たちは、魚津の加賀藩御用所（役所）に年貢の軽減を願い出たが聞き入れられず、不満が一挙に爆発して無量寺に集まり、塚越村（立山町）の宮崎忠次郎を一揆の総大将に決め、直ちに新川郡東北部へと進撃した。

その時の農民の多くがワラで編んだ雨具「ばんどり」を付けていたので「ばんどり騒動」と呼ばれる。参加した農民は3万人近くで、打ち壊しなどにあった十村役（豪農の村役人）や手代の屋敷は59軒に及び、一揆勢は泊（朝日町）まで進撃したが、加賀藩兵に鎮圧されて一揆勢は壊滅し、宮崎忠次郎は捕えられ、金沢で斬首された。

この騒動の経緯《いきさつ》を明治期の富山の代表的ジャーナリスト・井上江花が「塚越ばんどり騒動」（明治37年）として新聞に連載し、富山市出身の評論家・玉川信明も『越中ばんどり騒動』（昭和60年）として出版した。また、木々康子も「蒼龍の系譜」（昭和51年）で、この騒動を取り上げ、詳しくその経緯を書いている。ただし、井上江花の「塚越ばんどり騒動」は、美文調で物語風の表現が随所にあり、江花の浪漫的・熱情的気質のせいか、忠次郎の犠牲的活動を称賛している節が多々見られ、あまりにも快男児・忠次郎に囚われ過ぎて、当時の時代背景や騒動の全貌が分かりにくい。越中人は生真面目、働き者で控えめと言われるが、戸出騒動や米騒動、そして、ばんどり騒動など、追いつめられると集団で決起し、支配階級に果敢に立ち向かっていくが、これも一向一揆からの名残な

新川　舟橋　無量寺

のだろうか…。滑川へと先を急ぐ。

〈滑川市〉

1　寺家、加島

滑川市役所を出て市民会館大ホールの前まで行くと、剱岳が覆《おお》い被さるように目前に迫ってくる。鋸《のこぎり》の欠けた歪《いびつ》な刃のような稜線に目を奪われていると、真向かいを富山地鉄の電車が通り過ぎた。昭和の中頃近くまで、この辺りに滑川高等女学校（現・滑川高校）があった。すると、ふと「雁の書」（昭和12年）の作者・北沢喜代治を思い出した。

北沢は昭和11年から4年間、滑川高等女学校で教鞭《きょうべん》を執《と》った。また、滑川は、北沢にとって5年間の高岡での一途な恋を実らせて愛しい人と初めて新居を構えた土地でもあった。だが、「雁の書」が「重厚にして視力強く、図抜けていた」と伊藤整に評価され、宇野浩二にも信頼された作家なのに、北沢については県内ではあまり知られていない。

北沢は明治39年長野県に生まれ、東京帝国大学国文科卒業後、昭和5年に旧制高岡中学校（現・高岡高校）の国語教師として赴任した。その時の高岡川原町、勇喜楼での歓迎会で初めて芸妓の玉子と出会い、それ以来、滑川高等女学校へ赴任するまでの5年間、ただ一途に玉子を愛した。帝大出の中学教師と芸妓との恋は人目を憚《はばか》り、不自由だったろうが、互いに想いを貫き、この滑川で晴れて結ばれ、共に暮らすことになった。この玉子が幼い頃に芸妓置屋に売られ、苦しい奉公を続けて北沢に出会い、結ばれるまでを玉子が語るようにして描いたのが「雁の書」である。昭和初期の不況時代を背景に、娘を条件のいい投資とみなす制度や、その風潮を「雁の書」は無言のうちに告発している。北沢は、滑川高等女学校後、松本高等女学校（現・松本蟻ヶ崎高校）に転勤し、当地で文学活動に邁進する。愛に満たされた当時の北沢夫妻には目前の剣岳の険しい稜線も優美に見えていたに違いない。

滑川市役所から線路沿いの道を富山方向に向かい、車を走らせると、左に富山地鉄の西滑川の駅が、右に田中小学校が見えてくる。田中小学校は、当時、県下で最後の木造校舎ということで、細田守監督「おおかみこどもの雨と雪」の「雨」「雪」が通った小学校のモデルとなった。現在は修築されて真新しくなっている。その小学校のグランド横の道をしばらく行くと、古い洋館造りの家に辿り着く。詩人・高島高の実家の医院跡だ。高島家は代々の医家で、高島は上京し、医学を学ぶ傍ら詩作に励み、若くして名を中央詩壇で響かせた。だが、父の病でやむなく帰郷し、その後まもなく召集で戦地（南洋）へ赴《おもむ》き、心身共に傷付き、帰還する。帰還後、そのまま故郷で医業に携わりながら詩作に励み、中央詩壇への復帰を願ったが、健康に恵まれず44歳で亡くなった。

静かな医院跡に佇《たたず》んでいると、高島の詩が頭を過《よ》ぎる。「火の中では火になりきり／水の中では水になりきる／喜びの中では喜びになりきり／悲しみの中では悲しみになりきる／その究極は無であり／無から再びあらためて力がほとばしり出す／一度死んでから／本当に生き出すんだから／あわてってはいけない／早まってはいけない／何も世におそるることなど一つもないのだ／その本質さえ究明すれば／死さえも／瞬間にかがやく永遠／光は無限にかくされている」。私的なことだか、悪性の病《やまい》の疑いで私は死を覚悟し、悲惨な思いで悶々としていた時、私はこの詩に出会い、安らぎを得た。最終的には誤診だったのだが、それ以来、この詩は私の胸に息づいている。一篇の詩の持つ力、文学の素晴らしさを実感した。高島は優れた医師だったが、彼の詩も多くの人の魂を救い、生きる勇気を与え続けた。

2　瀬羽町、寺家町、神明町、常盤町、晒屋、行田公園

加島町の旧高島医院邸の前に佇《たたず》み、高島高の詩を幾つか口ずさむ。目前の建物は昭和6年建築の滑川最初の洋館建築で、それ以前の高島医院は加積雪嶋神社側《そば》の、波よけの石垣に囲まれた海岸寄りの古い家だったという。高島はそこで生まれた。そのせいだろうか、高島には荒々しい海の詩も多い。急に高島の感じた海が見たくなり、加積雪嶋神社へ向かった。

神社に辿り着き、驚いた。潮の香や波音がするにもかかわらず、肝心の海が見えない。神社の前は狭い道を挟んで高い堤防が延々と続き、まるで刑務所の塀のようでその向こう側の海が見えない。付近の人に聞くと、昔は海浜が広がり、地元の人々の好い遊び場だったという。高島はその海で、彼がよく詩に書いた夜の蛍烏賊《ほたるいか》の光を見たのだろうか…。神社境内は

広々として東側の路傍には石仏や石標等が多く並んでいる。立山大権現と刻まれた法華塔や「是より立山／大岩道」と刻まれた石標もある。神社前の狭い道は旧北陸道で、この辺りが立山、大岩（大岩山日石寺）参詣の分岐点だったらしい。

神社前の旧北陸道を魚津方面に向かって進む。道というよりも小路に近く、瀬羽町に入ると、両側に民家や商家が建ち並び、古色然とした格式のある民家や昔懐かしい商店に出遭うと、タイムスリップしたような喜びが湧き上がってくる。瀬羽町はかつて滑川で最も賑わった所だ。この道筋を、宮本輝の「田園発　港行き自転車」（平成27年）では、15年前に急死した父の死の真相を求めて、娘の真帆が友人と一緒に岩瀬から自転車で滑川駅へと向かった。その時の描写を思い浮かべながら進むと、作品中の人物になったようで「街道沿いの古い宿場町」を走り抜ける快感が込み上げてきてこの上なく楽しい。

やがて道は中川に遮られて橋場に着く。橋場には江戸期に高札場が置かれ、明治には郡役所や警察署があった。橋場の川向かい東側に町屋風で出格子のある建物が見える。国登録有形文化財の廣野家住宅主屋《しゅおく》で、隣には同じく国指定の寄せ棟造り・桟瓦《さんかわら》葺《ぶ》き総2階の廣野医院がある。そこから東へ50ｍほど行くと専長寺がある。梅原眞隆がこの寺の住職をしていた。梅原は、龍谷大学教授、富山大学学長、西本願寺執行・勧学寮頭（本願寺派最高位）を務め、顕真学苑を創設し、参議院にも当選している。

橋場から中滑川駅の方に向かい、下小泉町の晒屋に寄ってみる。大正7年（１９１８）にこの地の米穀商・金川宗左衛門方に米価の高騰に不満を抱く人々・2千人余りが集まり、押し問答が繰り返されたが、それが全国に報じられたことから、「米騒動」が全国へ広まった。この全国への第一報が地元紙の記者・井上江花だった。また、この滑川を中心とする米騒動の顛末《てんまつ》を西野辰吉はドキュメンタリータッチで「鍋割月・一九一八年」(昭和43年)として描いた。騒動の推移や人の動きが明瞭で生き生きとしていて、騒動の事件性よりも、騒動前後の人々の日々の暮らしぶりが詳しく描かれていて、庶民の生活からみた米騒動の一面が窺《うかが》える。

晒屋から橋場に引き返し、中川の落合橋を渡り、旧北陸道を更に進むと、左に『延喜式』神名帳の新川7座の一つ、櫟原《いちはら》神社がある。境内には滑川の俳人有志が建てた芭蕉の「しばらくは花のうへなる月夜かな」の句碑がある。やがて常盤町に入る。ふと車谷弘のことが思い浮かんだ。車谷は、著名な編集者、俳人であり、芸術選奨文部大臣賞受賞者である。彼の「越中夜話」(『銀座の柳』所収・昭和55年)には、祖父が常盤町出身の売薬人で、彼は祖父の実家に何度も訪れ、その折り、町内には薬売りの家が何軒もあったと書いている。現在はどうなのであろう。右折して旧北陸道を離れ、滑川病院を通り過ぎ、滑川駅に向かう。駅で宮本の「田園発　港行き自転車」の作品中の人物に再度なりきり、その後で行田公園に向かう。公園内に高島高の詩碑がある。

詩碑の前に立つと胸がつまる。詩人・北川冬彦の筆跡で、高島の詩の一節「剣岳が見え／

立山が見え／一つの思惟のように／風が光る」と記してある。滑川に吹く風は爽やかで、風の中で高島の詩は永遠に輝き続けるだろう。

3　開、東福寺

滑川市行田公園の高島高の詩碑の前に佇んでいると、高島ゆかりの品々が見たくなり、滑川市立博物館へと向かう。国道8号線稲泉交差点を渡り、山手へしばらく進むと博物館があり、館内に「郷土の先賢コーナー」がある。コーナーには、前回紹介した梅原眞隆、富山市長・参議院議員として活躍した石坂豊一、「時計台の鐘」の作詞と作曲の高階哲夫、そして高島高、この4人の紹介と関わりある品々、作品等の展示がある。高島のコーナーの前で時を忘れてしばし見入る。高島が編集発行した詩誌の数々、詩集、交流を綴る手紙など、詩に打ち込み、真摯に生きた詩人の純粋さに胸打たれる。「詩が光を生むのだ／光が詩を生むのだ」の高島の声が耳に響いてくる。その他、館内には幕末から明治初期にかけての滑川の町並みを縮小再現した展示や、農具・民具・売薬関係などの民俗資料、歴史・考古資料、美術品などが幅広く展示してあり、楽しみながら学べる見応《みごた》えある博物館だ。

博物館を出ると、高階哲夫のことが頭に残り、スーパー農道を上市に向かい、途中、安田交差点を左折して東福寺自然公園へ向かう。富山湾が一望できる標高300ｍの台地に広がる自然公園で、園内に時計台がある。時計台は札幌時計台を2分の1に縮小したもので、札幌時計台を念頭に置いて「時計台の鐘」を作詞・作曲した高階哲夫を記念してつくられた。高階は滑川市に生まれ、東京音楽学校（現東京芸術大学）卒業後、ヴァイオリニスト、作曲家として活躍した。時計台の中は高階の資料室になっていて、7時から18時まで1時間毎に鐘がなり、その間に「時計台の鐘」のメロディーが流れる。「時計台の／鐘が鳴る／大空遠く／ほのぼのと／静かに夜は／明けて来た／ポプラの梢に／日は照り出して／きれいな朝に／なりました／時計台の／鐘が鳴る」。園内には他に、ふわふわドーム、パークゴルフ場、バーベキュー広場やＳＬハウス（宿泊施設）などがあり、眼下に富山湾を見ながら、ゆったりと一日を過ごすのに最適の公園である。

〈上市町〉

1　大岩

スーパー農道へ再び下りて上市へと向かう。途中、柿沢の交差点で左折し、大岩山日石寺を訪れる。日石寺の不動尊は古《いにしえ》より眼病治癒に効験《こうけん》があり、そのことを泉鏡花は「黒百合」（明治32年）で題材に扱っている。「黒百合」では、大岩の地を「石瀧」とし、石瀧以奥を人の踏み込んではならぬ禁断の地とし、それを立山（立山地獄谷）と仮想して、そこに幻花・黒百合が咲くと設定した。だが、恋人の眼病の治療費欲しさに黒百合を求めた花売り娘・お雪と盗賊華族・瀧太郎が、その禁を破って禁断の山奥に分け入り、黒百合を採取する。そのため、大洪水が生じて富山町（富山市）は崩壊する。立山の奥に黒百合が咲くと、佐々成政ゆかりのもの（この作品の場合は富山町）が滅亡するという早百合姫の黒百合伝説を頭に置いて鏡花は発想したのであろう。

もともと立山と大岩は密接な関係がある。現在の立山登山道は、芦峅寺から弥陀ケ原、天狗平、室堂、雄山に至る天台宗系修験者道と重なるが、真言宗系修験者道として大岩日石寺から折立、伊折、馬場島を経て、剣岳、大日岳に至るコースがあった。往事はかなり賑わったらしいが、江戸期に加賀藩の政治的・経済的利害が絡んでか、このコースは閉じられ、天台宗系修験者道の芦峅寺からのコースのみに規定された。黒百合を採取するために禁断の魔処へ踏み入ったお雪と瀧太郎は、まさに嘗《かつ》ての大岩日石寺からの真言宗系修験者道の立山登山道へと入り込んだわけで、二人が遭遇する奇々怪々な苦難は立山地獄の責め苦そのものに相当するだろう。鏡花は立山地獄谷伝説にかなり関心を抱いていたらしい。

大岩山日石寺の本堂の一枚岩に彫り刻まれた摩岩仏は、国の重要文化財に指定され、境内は厳粛・静寂で霊場にふさわしく、山内を流れる川には奇石や滝が連なり、絶景の千巌渓《せんがんけい》となっている。その渓谷沿いの細い坂道を10分ほど、車で上ると、左に「花の家」の看板があり、山間《やまあい》に古民家が建っている。上市出身のアニメーション監督・細田守氏のアニメ「おおかみこどもの雨と雪」のモデルとなった家だ。室内には国内外からの訪問者の多数のメッセージがあり、こんな山奥にもアニメの人気が押し寄せてきているのに驚く。

〈魚津市〉

1　本町

電鉄魚津駅で電車を見送りながら、今しがた車中で見かけた男を思い出していた。色褪《あ》せたヨレヨレの背広を着た老人が、車窓に額《がく》のような物を立て掛け、笑いを浮かべて独り悦に入っていた。奇妙な老人だったが、その老人の様子をどこかで見たことがあるような気がした。駅の階段を下りているとハッと気がついた。江戸川乱歩「押絵と旅する男」（昭和4年）に登場する男と似ていた。主人公が蜃気楼を見た帰り、汽車の中で奇妙な老人に出会い、その老人から、額《がく》の中の女を恋するあまりに額の中に入り込んでしまった彼の兄の話を聞くという内容だった。江戸川乱歩は昭和2年6月に実際に魚津に来て蜃気楼を見ているので、その折りの取材による作品だろう。

駅から海に向かい、新宿交差点を右に曲がると長教寺がある。この寺の辺りが魚津町の行政を担当した加賀藩の町奉行所跡で、左に曲がった魚津総合庁舎辺りが郡の軍事・警察権を握っていた魚津郡代（魚津在住）所跡で、富山県の前身・新川県の県庁跡でもある。その向かいの大町小学校（廃校）が、悲劇の籠城戦《ろうじょうせん》として知られる魚津城跡で校庭にその石碑が建っている。

天正10年（1582）、中条景泰ら上杉勢3千8百人が立て籠《こ》もる城を、織田連合軍4万人余りが包囲し、80日余りの籠城戦の後に、上杉勢が悉《ことごと》く自害した。悲劇の籠城《ろうじょうせん》戦と言われるのは、落城前日が本能寺の変で、その報が落城翌日に伝えられると、織田軍が一斉に撤退したからだ。火坂雅志「天地人」（平成19年・中山義秀文学賞）でこの籠城戦が描かれ、NHK平成21年度大河ドラマ「天地人」の「義の戦士たち」で放映され、多くの人の涙を誘った場面である。また、大町小学校の前身・魚津明理小学校を、明治14年に横山源之助が卒業した。彼は明治4年に魚津町（魚津市）で生まれたが、左官職の横山家の養子になり、富山県中学（現・富山高校）を中退後、上京し、新聞記者などを経て、日本初の貧民層への社会調査・ルポルタージュである「日本之下層社会」（明治32年）を著した。また、「貧しき小学生徒」（明治27年）で、魚津町近郊の本郷村（現・本江）の貧しい荷運び人足の一家を描いた。この作品は、おそらく富山県人によって初めて書かれた本格的な近代小説であろう。横山については彼と同じジャーナリスト出身のノンフィクション作家・岩川隆が、堅苦しい社会研究者として取られがちの横山の姿を、面白味ある人間として「天涯茫々」（昭和60年）で描いている。横山を中心に同世代の二葉亭四迷、内田魯庵、幸田露伴、樋口一葉、斎藤緑雨などの明治の錚々《そうそう》たる文学者の青春群像を交えて、人間味に溢れる横山の人物像を描いている。

新宿交差点を海に向かって進み、右折し直ぐに左折すると、旧十二銀行倉庫跡に着く。そこに米騒動の発祥の地との石碑と案内板が建っている。この米騒動の発祥の地の指定について、水橋、滑川、そして、魚津とが名乗りを上げて争っているようだが、それが郷土愛に繋がるのだろうが、他の地域に住んでいる者にはなかなか理解しがたいことだ。更に北に50m行った大町海岸公園に、船の舳先に米俵を置いた米騒動発祥地のモニュメントと横山源之助の顕彰碑が建っている。米騒動は大正7年に米価高騰に苦しんでいた魚師の主婦たちが集まり、米の積出の中止と、米の販売を要求したことから始まったといわれている。「越中女一揆」とも呼ばれ、富山の女性のエネルギッシュな姿が目に浮かぶ。

2 諏訪町、釈迦堂、文化町

大町海岸公園から海沿いに魚津港を目指して「しんきろうロード」を北上する。晴れた日、左に波穏やかな富山湾、右に雪を抱いた立山連峰を見ながらの散策は最高だろう。歩くうちに米騒動と蜃気楼が絡む奇妙な物語を思い出した。柴田哲孝の「蜃気楼」(『日本怪魚伝』所収・平成19年)だ。魚津の浜に不吉な魚と一緒に若い女が流れ着く。女は異様な言葉を話し、蜃気楼を見ては泣く。やがて土地の男と結ばれ、子を産むが、貧しさから子は飢えて死ぬ。そのことがあってから女は浜の女たちを集い、米問屋を襲う主導者となる。そして…。この後の話も面白い。更にまた奇妙な物語を思い出した。薄井ゆうじの「蜃気楼の岬」(『北陸幻夢譚』所収・平成9年)だ。早朝、男は「しんきろうロード」の岬で一人の美女に出会う。女は海底の貝だという。夕方の指定の時間に来れば蜃気楼をつくり、見せてあげると告げる。男はその夕方に…。古代中国では、蜃気楼は大ハマグリが、空中に吐き出した息によって描かれたものだと考えていた。そこからの発想だろう。

それにしても男はどんな美女に出会ったのだろうかと思い、その美女との遭遇を私も期待しながら、「たてもん祭り」で有名な諏訪神社を通り過ぎると、ドームとピラミッドに似た魚津埋没林博物館が見えてきた。約2千年前に埋没した樹齢5百年の杉の樹根が保存され、展示してある。館に入ると、館ゆかりの3作品が頭を過《よ》ぎった。一つは、主人公が3度しか会っていない伯母を訪ねた時の出来事に、アフリカでの映画ロケの逸話を加え、それに埋没林を絡ませて描いた清水邦夫「魚津埋没林」(平成5年)。一つは、探偵・浅見光彦が取材で埋没林博物館を訪れた際、そこで知り合った女性の祖父が殺され、その犯人を捜して売薬業界や東京のファッション業界に立ち入って調査する内田康夫「蜃気楼」(平成8年)。更に一つは、村田喜代子「海のサイレン」(『光線』所収・平成24

新川　魚津　蜃気楼

年）である。「海のサイレン」については後に紹介する。埋没林博物館の周辺は、国の「みなとオアシス」に登録されていて、蜃気楼の景観が最もよい所でもある。

電鉄魚津駅への帰りは商店街を通る。中央通り商店街の店々の陳列窓の中を覗き込んでいると、柴田錬三郎の「蜃気楼」（『わが青春無頼帖』所収・昭和36年）を思い出した。講演で魚津を訪れた作家が時間を持て余し、商店街をうろつく。覗き込んだ画廊の屋内の蜃気楼の絵に目が留まり、店に入って絵に見とれていると、画廊主らしい小男《こおとこ》が現れ、その絵を描いた貧乏画家の妻との情事を持ちかける。作家は承諾し、金を払い、指定の場所に行くのだが…。柴田らしい大どんでん返しが結末に控えている。蜃気楼の町だけに奇妙な味の小説が多い。

魚津の蜃気楼といえば次のような作品も思い浮かんでくる。井上靖の「城砦」（昭和38年）では、長崎で被爆し、結婚に危惧を抱いている女が、様々な事件から厭世的になり、東京から金沢へ向かう途中、魚津駅でおり、蜃気楼をみようと思い立つ。浜辺で現れぬ蜃気楼を待ちながら、自分の人生を振り返り、人生とはこの世に存在しない蜃気楼のようなものに憧れ、待ち続けて徒労に終わるだけのものかと淋しく思い詰める。また、山室静「蜃気楼の町」（『何のために』所収・昭和44年）では、五十歳をこえた男が魚津に立ち寄り、幼い頃に住んでいた家を探す。家を探す途中の浜辺の岸壁で蜃気楼を初めて見たのを思い出し、そこから次々と幼い頃のことが蘇ってくる。人生の荒波を渡ってきた男が、蜃気楼を契機として、父母の新たな一面を知り、両親への温かな想いに包まれる。更に横山源之助も「夢蝶子」の署名で「蜃気楼と海女」（明治39年）を書いている。伊勢那古浦の蜃気楼ばかりが有名で、越中の蜃気楼があまり知られていないのに憤慨し、蜃気楼の立つ越中信濃の浜の海女について述べたものだ。

蜃気楼に関わる話を思い出しながら、商店街を歩いていると妙に足が軽くなる。街は活気あるが、昭和31年の魚津大火で１６００軒以上が焼けている。文化町通り商店街に入る。この付近に魚津在住の作家・田中洋の住まいがあるのを思い出す。田中の『谺《こだま》を聞く』（平成12年）所収の短編にも魚津大火や蜃気楼が描かれている。いずれも田中洋の人柄の好さと爽やかさが滲《にじ》み出ていた。間もなく電鉄魚津駅だが、魚津の文学はまだまだ語り尽くせない。

3　天神新、小川寺

電鉄魚津駅にようやく辿り着いた。久しぶりに魚津の町を巡ると、この町を歩いた、若い頃のことが思い出され、懐かしさが込み上げてきた。北欧文学やムーミンの紹介で知られる山室静は小学校を魚津で送った。彼の「蜃気楼の町」（昭和44年）は、こんな思いで魚津の町を巡り歩いた気持ちを綴《つづ》ったのだろう。孤独な少年の思いを父母の諍《いさか》いの思い出や蜃気楼の微かな記憶、ホタルイカを取る漁船の残り火の点滅の印象などを背景に、淡く切なく描いている。

駅前に佇《たたず》む私の傍らを、消防自動車がサイレンを鳴らして走り過ぎた。その音で村田喜代子の「海のサイレン」（平成24年）が思い浮かんだ。魚津の蜃気楼出現を告げるサイレンが、戦時中の空襲警報を思い出させるという伯母の話から、北九州に住む姪夫婦が、蜃気楼を見るために埋没林博物館を訪れる。だが、そのサイレンから空襲警報よりも、東日本大災害での津波警報に思いが及ぶという話だ。また、戦争に関わると言えば、蜃気楼の海が見える丘の寺で高校の新聞部の部員が新聞を編集している。その部員の所へ、蜃気楼に自分の過去の想いを寄せてシベリア抑留時代のユートピアを語る老人が訪ねてきて話し込むという広渡常敏の戯曲「蜃気楼の見える町」（平成12年）がある。吉本隆明「戦争の夏の日」（『背景の記憶』所収・平成6年）では、当時、徴用動員で大学生の吉本は魚津の工場で働いていて、終戦の玉音放送を聞いた日、悲しくて社員寮で泣いていると、寮母が友達と喧嘩をしたのかと尋ねてきたという。いずれも日常の中に戦争が妙な具合に紛れ込んでいる。

駅前から車で天神山城跡へ向かう。以前、その傍らに洗足学園魚津短大があった。地方に新たな文学の息吹《いぶき》をとの情熱で来富された池田弥三郎先生も亡くなり、先生の『魚津だより』（昭和57年）が往事を偲ばせる。だが、本県ゆかりの近代文学資料、1万3千点以上が収集された洗足学園魚津短大の「富山文庫」は県立図書館に寄贈され、「洗足学園富山文庫」として、従来の県立図書館郷土資料と共に「高志の国文学館」を築く際の資料面での礎《いしずえ》になった。その文学資料を洗足学園魚津短大で収集され、自らも県内各地を巡って富山文学の発掘と発展に大いに貢献されたのが八木光昭先生だった。八木光昭先生編集の『ふるさと文学館第20巻富山』（平成6年）は、富山文学の珠玉を集めた作品集で郷土文学に関わる必読書である。

洗足学園魚津短大近くの小川寺の心蓮坊は、横山源之助が「日本之下層社会」発表後の過労だろうか、明治32年から1年半ほど休養を取った寺だ。その間のことは雑誌『新小説』の「村落生活」「田舎だより」で知ることができる。また、この小川寺に八木光昭先生は洗足学園魚津短大の頃から千葉の大学をお辞めになった現在に至るまで住んでおられる。生粋《きっすい》の東京人でありながら、これほど富山を、そして富山の文学を愛されている方はいない。富山文学の恩人たる先生に尊敬と感謝の念で頭が深く下がる。

〈黒部市〉

1　三日市、浦山

20代の頃、桜井高校に勤務したことがあり、懐かしさのあまり、久し振りに高校に立ち寄った。その後、ぶらぶらと東三日市駅まで歩き、近くの黒部市民会館まで足を伸ばすと、会館の敷地内に石碑が建っていた。佐野源左衛門尉常世の遺跡碑だった。そのことから三日市は謡曲「鉢木《はちのき》」ゆかりの「桜井荘（庄）」であったのを思い出した。

鎌倉幕府5代執権・北条時頼が旅の僧に身をやつし、吹雪の夜、佐野源左衛門常世のわび住いに一夜の宿を求めた。佐野は僧（時頼）を秘蔵の梅、松、桜の鉢の木を燃やし、暖かくもてなした。後年、時頼はその恩に報いて、鉢の木の、梅、桜、松に縁のある領地を佐野に与えた。これが謡曲「鉢木《はちのき》」で、その桜ゆかりの地が越中の三日市・「桜井庄」だと伝えられている。ちなみに梅は「加賀国梅田庄」で、松は「上野国松井田庄」である。

東三日市駅から県道14号線に出て荻生の交差点を渡り、旧道沿いに宇奈月温泉に向かう。途中、浦山の街並みに入ると、右に善巧《ぜんぎょう》寺が見えてくる。一時期、落語が好きでこの寺で開かれる野休み落語会を何度か訪れた。柳家小三治、入船亭扇橋などの落語も聞いたが、座長は永六輔だった。あの頃の元気な永六輔の流暢な饒舌が懐かしい。また、善巧《ぜんぎょう》寺は「雪ん子劇団」の寺としても有名だったが、檀一雄にも縁がある。

善巧《ぜんぎょう》寺20代雪山俊之氏は、京都大学卒業後、立命館大学教授を経て富山県教育委員長になったが、旧制福岡高等学校（現・九州大学へ統合）在学中、檀一雄と同級だった。その縁で檀は何度もこの寺を訪れている。昭和23年には2カ月余りも滞在し、その間に初期の彼の代表作の一つ「佐久の夕映え」を執筆し、朝日町での事件を取材して短編「尼僧殺し」も書いている。また、昭和35年に訪れた際には料理講習会を開き、檀流クッキングの腕前を披露している。彼の晩年の大作「火宅の人」の女主人公のモデルもこの寺に連れてきたという。寺内には善巧寺11代僧鎔《そうよう》の碑が建っている。僧鎔は江戸期の真宗の著名な学僧で、門弟三千人と伝えられる私塾「空華蘆《くうげろ》」を開いていた。19代雪山俊夫氏は京都大学ドイツ文学教授で、ドイツ政府から日本初のフンボルト賞を受賞している。この代々の知的な雰囲気を檀が好んだのかもしれない。

2　愛本、宇奈月

浦山から県道14号線に出て宇奈月温泉へ向かう。途中、愛本橋が左に見えて、朝日町方面からの13号線と合流する。愛本橋と言えば、十返舎一九が『方言修行金草鞋《むだしゅぎょうかねのわらじ》』の中で「水上は飛騨より落つる流れとや巧みに懸けし愛本の橋」と詠んでいて、数多くの漢詩・和歌・俳句の舞台になっている。柳田国男も「北国紀行」（明治42年）で、橋のたもとの茶屋で休み、対岸で売る笹巻き団子を取り寄せたと書いている。泉鏡花も「〜黒部川に架かる相本の橋が鉄橋に架け変わった」と随筆「啄木鳥《きつつき》」（昭和3年）に書いている。

愛本は旧北国道・上街道の要所で、加賀藩5代藩主・前田綱紀が黒部四十八ヵ瀬の交通の難を緩和するため、この地に橋を架けさせたといわれている。橋脚を用いず、両岸から橋材をせり出して組合せた刎橋《はねばし》で、「山口県錦川・錦帯橋」、「山梨県桂川・猿橋」と日本三大奇橋の一つと言われていたが、豪雨で橋が流失し、現在は新しく掛け替えられている。また、「愛本の蛇伝説」もよく知られていて、橋下の淵の主（大蛇）と橋畔の茶屋の娘とをめぐる異類婚姻譚（蛇婿入り）が、茶屋の名物粽《ちまき》の由来に関連づけて語り伝えられている。

宇奈月に入り、宇奈月駅前に車を駐める。この温泉地には多くの文人が訪れ、ゆかりの作品も多く生まれた。昭和8年11月の初めには、与謝野夫妻が訪れ、与謝野晶子は「囲ひなき山の車の席買ひて四里上りゆく黒部の紅葉」「美しき下の世界のあるごとし黒部の川を青空として」などと、渓谷の美を讃えて35首の歌を詠み、それを歌集『いぬあぢさゐ』（昭和8年）に収めた。昭和15年3月には、病み上がりの志賀直哉が息子を連れて訪れ、ようやく打ち解けた父と子の様子を「早春の旅」（昭和16年）で書いている。昭和36年11月には吉屋信子が訪れ、この温泉地を舞台にして、許されぬ恋の始まりを「女の年輪」（昭和36年）で描き、同じ頃、創作に行き詰まった吉村昭が、この駅に降り立ち、新たな題材を求めて建設中の黒部第4発電所の現場を訪ねた。その体験から、昭和42年に「高熱隧道」と「水の葬列」が生まれた。

車を駐めた駅前広場の温泉噴水からは、湯が勢いよく噴き出している。この湯は6㎞先の黒薙《くろなぎ》から配管によって運ばれているという。「ぢぢいとばばあが／だまって湯にはひってゐる／山の湯のくずの花／山の湯のくずの花」と、湯に浸かる老夫婦を田中冬二が詠んだ温泉だ。改めて駅前商店街を見ると、昼下がりのせいか、湯治客も少なく、閑散としている。この駅前通りを北原亞以子は「雪女」（『日本民話抄・妖恋』所収・平成14年）の中に描いている。宇奈月スキー場の喫茶店で働く男は東京からくる女を待っている。強奪した金を女と分けるためにだ。だが、やって来た女は男を裏切り、それに怒った男は女を黒薙《くろなぎ》温泉で殺して埋める。それ以後、男を呼ぶ女の声が聞こえてくる。男はたまりかねて、女の声に誘われるまま雪に埋もれたトロッコ鉄道のトンネルを黒薙《くろなぎ》温泉へと向かう。さて、その男は…、そして、雪女はどこに現れるのだろうか…。

3 生地

北陸の海辺の寒村と言えば、決まって田中冬二の詩を思い出す。「ほしかれひをやくにおいがする／ふるさとのさびしいひるめし時だ／板屋根に／石をのせた家々／ほそぼそとほしかれひをやくにおいがする／ふるさとのさびしいひるめし時だ／がらんとしたしろい街道を／山の雪売りがひとりあるいてゐる」（「ふるさとにて」『青い夜道』所収・昭和4年）。この詩は、以前、県下で地酒のテレビCMで使われ、よく知られているうえに、私にとっては大学受験の時に、国語の問題に出題され、忘れられない詩になっている。そのせいか、生地に行くつど、板屋根に石をのせた家とか、ほしかれひをやくにおいを捜すようになったが、雪売りと同様、現在の生地には見られない。

生地駅からブラブラと歩いて20分ほどで、海辺近くの田中冬二ゆかりの温泉旅館「たなかや」に着く。冬二の父は「たなかや」の分家の長男で、父母を早くに亡くした冬二は二人の面影を求めてよくこの旅館を訪れたという。現在、「たなかや」には田中冬二資料館があり、在り日の冬二の姿を偲ぶことができる。田中冬二の父は黒部市生地の出身で、母は安田銀行創設者・安田善治郎の姪だが、彼が7歳の時に父を、12歳の時に母を亡くして、東京の母方の祖父のもとで育った。立教中学を卒業後、安田系の第三銀行に入社し、定年に至るまで詩をつくりながら銀行員生活を送った。慎ましく淋しい年少期だったが、母と連れだって生地を訪れた幼き日の思い出や、夏休みを生地で過ごした少年時代の楽しい日々が、彼の心の支えとなり、日本の風土と密着した清純な詩風が確立していった。田中冬二の評伝を、彼と親交のあった和田利夫が「郷愁の詩人　田中冬二」（平成3年）としてまとめている。和田は冬二との親交から彼の人柄や日々の生活感覚をよく掴み、それに友人との交流や書簡の遣《や》り取りを加えて冬二の人間性を浮彫にして彼の詩の誕生を説いている。

たなか旅館から海岸沿いに歩くと、幕末に加賀藩が海防のために築いた生地台場、それに生地鼻灯台があり、更に歩を進めると、日本初で世界でも稀な旋回式可動橋の生地中橋がある。冬二の詩を口ずさみながら足を伸ばすのによいだろう。私の好きな冬二の詩を一篇、まだ明るいのだが…。「いっぱいの星だ／くらい夜道は／星空の中へでも入りそうだ／とおい村は／青いあられ酒を／あびている／ぼむ　ぼうむ　ぼむ／町で修繕した時計を／風呂敷包みに背負った少年がゆく／ぼむ　ぼむ　ぼうむ　ぼむ・・・／少年は生き物を背負っているようにさびしい／ぼむ　ぼむ　ぼうむ・・・／ねむくなった星が／水気を孕んで下りてくる／あんまり星が／たくさんなので／白い／穀倉のある村への路を迷いそうだ／いっぱいの星だ／くらい夜道は／星空の中へでも入りそうだ／とおい村は／青いあられ酒を／あびている／ぼむ　ぼうむ　ぼむ／町で修繕した時計を／風呂敷包みに背負った少年がゆく／ぼむ　ぼむ　ぼうむ　ぼむ・・・／少年は生き物を背負っているようにさびしい／ぼむ　ぼむ　ぼうむ・・・／ねむくなった星が／水気を孕んで下りてくる／あんまり星が／たくさんなので／白い／穀倉のある村への路を迷いそうだ」（「青い夜道」『青い夜道』所収・昭和4年）。

〈入善町〉

1　入膳、上野、吉原

久し振りに入善駅を訪れた。昭和19年4月、10歳の柏原兵三は縁故疎開でこの駅に降り立った。その時のことを「富山と私―疎開時代の思い出―」（昭和44年）で「私はその時初めて日本北アルプスの偉容に接したのだった。」と書き出し、駅から疎開先の父の実家（入善町吉原）に行くまでに見た冠雪の北アルプスの荘厳な美しさが目に焼き付き、富山を思い出す度にその時の光景が真っ先に瞼に浮かんでくると書いている。私の目前にも、10歳の柏原が見たのと同じ、雪を頂いた北アルプスの稜線が、晴れ渡った青空に神々しく輝いている。

入善駅前から繁華街の方へ向かうと、柏原の「祝言」（昭和43年）の作品世界に踏み込むことになる。町で旅館を営んでいる叔父の娘の結婚式に柏原が東京から招かれるが、その延々と続く田舎の婚礼の儀式に驚くとともに、いささか辟易《へきえき》している様子が描かれている。今回はその繁華街への道を避け、線路沿いに黒部方面に進み、吉原へ向かう。

吉原への踏切を渡る時、ふと「長い道」（昭和44年）の一節が思い浮かんだ。柏原が吉原から転校先の学校へ初登校の途中、この踏切付近で同伴の叔母が「線路を越えると三粁《きろめーとる》近くある学校までの道のりの丁度三分の二来たことになる」と言う。その言葉から、吉原へ行くより近い、柏原が通った学校へ行こうと思い、踏切から踵《きびす》を反して上原小学校へ向かう。しばらく歩くと、上野神社が見えてきて近くに公園がある。その公園が、柏原が1年半ちかく通った上原小学校跡で、現在、その公園に彼の文学碑が建っている。

文学碑の前でしばし佇《たたず》む。柏原は学級の番長・進を中心とする田舎の子どもたちから苛《いじ》められる。田舎の子どもから見れば、柏原の都会育ちの形振《なりふ》り一つ一つが奇異で目障りだったに違いない。文化の違いから生じる差別や苛《いじ》めは、子どもの世界にもある。戦時中ばかりでなく、私も小学4年の時、富山市街の学校から県西部の田園地帯の学校に転校した時、町から来た子として、地元の子たちから同様の苛めを受けた。その時の悔しさは忘れられない。柏原もそうだったのだろう。また、当時、朝日町山崎の長養庵という尼寺に疎開していた藤子不二雄Aも同じ思いをしたという。藤子は「長い道」を一読した後、切ないまでに深く胸を打たれ、漫画「少年時代」（昭和55年）を描いた。「少年時代」は、当初は不評だったが、しだいに注目され、後にヒットした。なかなか分かってもらえないかもしれないが、昔は現在とは違い、町の学校から田舎の学校へ転校した子が受ける惨めさは癒やしがたいものがあった。

柏原少年は、入善駅に降り立って以来、見るもの聞くもの全てにカルチャーショック（文化的衝撃）を受け、その戸惑いの中で思い悩むが、成人後にそれらのことを驚くほどの記憶力のよさで蘇らせ、目前で展開する生々しい人間ドラマとして描いている。「同級会」（昭和47年）では、廃校前のこの上原小学校で、受賞後に帰郷した彼を取り囲み、急遽《きゅうきょ》、開かれた同級会で「長い道」に登場していた吉原の子どもたちの後日談が語られ、以前の気持の蟠《わだかま》りが時の経過で懐かしさに変貌している。

公園から再び踏切へと引き返す。踏切からは一直線の長い道が海岸に向かって伸びている。進を中心とする田舎の子どもたちに柏原が苛められ、悶々として歩いた道だ。途中、右側に自動車教習所がある。「浸蝕」（昭和45年）では、柏原が13年ぶりに弟と一緒に吉原を訪れ、その変貌に驚いて、苦労を重ねてきた吉原在住の末弟を労《いたわ》るのだが、その驚きがこの自動車教習所辺りから始まる。疎開当時、この

新川　入善　「長い道の碑」

辺りは叔父の自慢の田圃で柏原は弟たちと懸命に農作業の手伝いをしたという。「浸蝕」では、この後、吉原に近づくにつれ、柏原は目前の風景を追いながらも、頭の中では疎開中の吉原の風景が広がり、昔と今が二重写しとなり、切なく胸を詰まらせている。吉原にかかわる柏原の作品として、他に、吉原の立志伝中の人物として父を描くが未完に終わった「ある男の生涯」(昭和46年)、吉原の因習に満ちた葬儀の風俗を祖母の死から彼女の人生を振り返って描いた「坐棺」(昭和46年)、一枚の毛布の所有を巡っての嫁と姑の思惑と、その毛布に関わる男女関係で動揺する妻の心情を描いた「毛布譚」(昭和45年)などがある。柏原兵三は、昭和43年に「徳山道助の帰郷」で芥川賞を受賞したが、その後も東京芸術大学での教職の傍ら創作に励むが、昭和47年に脳出血で死去した。享年38。柏原の死は富山の文学にとって大きな痛手で、その若い死がひどく悔やまれる。

〈朝日町〉

1　小川

泉鏡花は越後との国境の湯治場にも魔界を出現させ、妖女に苛《さいな》まれて愛執《あいしゅう》の地獄に陥っている湯女《ゆな》を描いた。北アルプス・朝日岳の麓《ふもと》の小川温泉元湯を舞台とした「湯女《ゆな》の魂」(明治33年)である。旅先で、主人公の男は、友人と深い仲になった湯女《ゆな》に会うために小川温泉を訪れる。その湯女は、深夜、大蝙蝠《こうもり》に導かれて山中を彷徨《さまよ》い、山奥の孤家《ひとついえ》の中へと姿を消す。湯女の後を追ってきた男も孤家《ひとついえ》に入り込むと、妖女が湯女をさんざんに苛《さいな》んでいる。やがて妖女は男を見付け、湯女から抜き取った魂を男に託す…。後は「湯女の魂」をお読みいただきたい。奇妙な話だが、この話は作家・川上眉山宅での硯友社文士講談会で鏡花が口演し、それを速記し、手直ししたものだ。そのためか読み易くて面白い。鏡花は無類の化物《ばけもの》好きで様々な化物にも詳しいので、妖女を江戸の妖怪図鑑『桃山人夜話』等での蝙蝠《こうもり》の化物「山地乳《やまぢち》」や、美女の姿で男の血を吸い尽くす「飛縁魔《ひえんま》」から想を得たのかもしれない。

また、小川温泉のある谷から山を隔てた笹川の谷にも、孤家《ひとついえ》の妖女が女を苛《さいな》むという同類の短編がある。「蝙蝠《こうもり》物語」（明治29年）である。主人公の男は友人と一緒に友人の恋人がいる山の宿を訪ねるが、恋人は笹川上流の魔神に連れ去られている。その夜、蝙蝠《こうもり》に導かれる友人の後を追い、山の孤家《ひとつや》に辿り着くと、そこでは妖女が友人への想いを断つようにと女を苛《さいな》んでいる。筋立てが「湯女の魂」によく似ている。更にこの話は山中の孤家《ひとついえ》で奇妙な女に出会うという点で鏡花の幻想小説の代表作「高野聖」にも似通っている。「高野聖」の発表が明治33年2月、「湯女の魂」

新川　朝日　小川温泉元湯

が同年5月で、この2作品は「蝙蝠《こうもり》物語」と同じ流れにあるのかもしれない。また、「湯女の魂」での妖女の責め方はアプレイアス『金驢譚《きんろものがたり》』の影響もあるらしいが、釘を打って女を苛《さいな》むのは立山曼陀羅《まんだら》の等活《とうかつ》地獄にも見えて、鏡花は小川の地にも立山地獄を見立てているのかもしれない。

鏡花の小川温泉への来訪は随筆「啄木鳥《きつつき》」に「小川温泉から山道五里ばかり、黒部川に架かる相本の橋が鉄橋に架け変わった」(昭和3年1月)とあり、訪れたことがあるのだろうが、いつ頃なのかは分からない。小川温泉は江戸期半ばには越中4名湯に数えられ、子宝の湯としても知られ、現在でも山中の静かな一軒宿〈湯治場〉なのだが、鏡花は数軒の温泉宿から湯女歌《ゆなうた》が聞こえてくるような歓楽的な湯治場として描いている。一時《ひととき》、鏡花は金沢の奥座敷と言われる辰口鉱泉の叔母の家に逗留《とうりゅう》したので、案外、辰口鉱泉の賑やかな様子を小川温泉に重ねたのかもしれない。元湯に身を浸していると当《まさ》に極楽の心地なのに、なぜこの湯に地獄を思い浮かべたのか、鏡花に聞きたいものだ。

2　山崎、大家庄、横尾、泊

小川温泉元湯から川沿いに下って宮崎海岸へと向かう。途中、谷が開ける辺りに山崎がある。戦時中、この地の長養庵という尼寺に藤子不二雄Aが疎開し、その時の体験に基づいて、柏原兵三の「長い道」（昭和44年）を自らの「少年時代」（昭和55年）として漫画化し、それを篠田正浩監督が映画化して大好評を得た。日本アカデミー賞を受賞し、主題歌「少年時代」は井上陽水が唄い、大ヒットした。映画では入善町吉原が舞台だが、漫画版では山崎がモデルになっている。

更に道を下ると大家庄《おおいえのしょう》がある。この地で昭和24年に猟奇的な殺人事件があり、当時、浦山の善巧寺《ぜんぎょうじ》に滞在していた檀一雄がこの事件を取材して翌年に「尼僧殺し」（昭和25年）を書いた。だが、加害者の僧と被害者の尼僧と作者の交流を体験談風に描いているだけで作品として上質とは言えない。国道8号線に出て宮崎方面に向かい、城山トンネル手前の右の高台に平成21年に閉館したが、小川温泉天望閣があった。朝日町の町並みと富山湾が一望でき、特に海に沈む夕陽が絶景で「日本の夕陽の宿・百選」に認定されていた。泉鏡花は随筆「啄木鳥《きつつき》」（昭和3年）で「越中の小川温泉で、一泊の朝、総二階の縁で、遠くの海を、朝霜に見はらした、〜」と書いているが、元湯のことだろうか、天望閣のことだろうか。また、大正4年1月に画家・竹久夢二も天望閣に泊まり、画会を開いている。その折り、夢二のファンの間で話題になる〈泊刃傷沙汰事件〉も生じたとされる。

夢二が、妻・他万喜《たまき》と学生・東郷青児（後に画家）の仲を疑い、嫉妬から他万喜《たまき》を泊に呼び、宮崎海岸で匕首《あいくち》で刺したという事件である。他万喜《たまき》は後に雑誌『書窓』の手記「夢二の想出」で「泊の近くの海岸で一夜中九寸五分（匕首《あいくち》）を突き付け〜私の腕に刺し込みました。

骨までささりなかなか抜けませんので～」と書き、夢二も後に他万喜《たまき》に「キズ口はうみをもちはせぬかと案じている～」との手紙を出している。夢二の歌集『小夜曲』にも「越の海やここはふたりが死所仇なれとも手をとりてなく」「きみ刺さばわれもいかでか死なざらむ死にゆくものに何の債ぞ」の歌があり、実際に事件が起こったようでもあるが、当時の地元紙の報道にはなく、竹久夢二研究家の旅館関係者への取材でも否定的な報告がされている。だが、夢二の日記には刃物を突き付けて言い争ったと記されており、二人の間には何らかの激しい痴話喧嘩はあったのだろう。現在は、この事件は他万喜《たまき》の大げさな表現によるものとの見解を持つ者が多いようだ。林えり子も「愛せしこの身なれど」（昭和58年）で宮崎海岸でのことを書いたが、やはり同様な見解のようだ。鏡花は元湯で地獄を見ていたが、山の地獄より海辺の男女間の愛憎の地獄の方がはるかに生々しくて怖ろしい。

3　境、新潟県・上路、市振

泊から新潟との県境へ向かい、境に着く。険しい山々が海辺に迫り、親下知《おやしらず》の断崖へと連なる。この境の浜の岩場から、安寿《あんじゅ》・厨子王《ずしおう》と、その母親は別々の人買い船に乗せられて船出した。森鷗外「山椒大夫」（大正4年）である。鷗外は中世の説教節（語りものの芸能）の「さんせう大夫」を原話として、その原話から怨念に基づく残酷な場面を省《はぶ》いて、安寿の献身的な愛を強調して人の高潔な面を「山椒大夫」で描いた。

目を山の方に移すと、県境の境川を遡《さかのぼ》った新潟県側の山中に上路《あげろ》がある。世阿弥の謡曲「山姥《やまんば》」の舞台である。都の曲舞《くせまい》（物語の伴う歌舞）の名手の遊女（芸能に従事する女）が善光寺参詣を思い立ち、親不知まで来ると、海が荒れて海岸沿いの道が通れないので山道へ踏み込む。途中、上路《あげろ》の山中で日が暮れて困っていると、一人の女が現れ、山中の孤家《ひとついえ》の女の家へと導き、一夜の宿を提供する。その見返りとして宿の女は遊女に曲舞《くせまい》を求めた。遊女が踊ると、宿の女も共に踊り、やがて正体を現す。山姥《やまんば》だった。そして……。現在、上路には山姥神社や山姥洞、山姥の里の石碑がある。

山姥は、姥《うば》を老婆と解釈し、山に住む面妖《めんよう》な老婆を思い浮かべるが、「姥《うば》」には老若関わらず巫女の職分を言う場合がある。山姥は、山に住む老婆ではなくて山神に仕える巫女の意もある。伝説では山姥の子が金太郎で、金太郎と共にいる足柄山の山姥の図を見ると、瑞々《みずみず》しい乳房を持つ若い女として描かれている。上路《あげろ》にも同様の金太郎伝説がある。

歴史学の米澤康、鈴木景二の両氏は、古代北陸道の境界「神済《かみのわたり》」を、新潟県の青海《おうみ》から富山県の宮崎・親下知《おやしらず》を含む一帯だと指摘されている。朝日町・境付近は新潟との県境だけでなく、古代では中部地域と以北を区切る重要な境界で、東海道の足柄坂、東山道の碓氷坂と共に重要境界地点として特別扱いをされていたらしい。このような地点には祭政一致の古代では信仰に従事する者が集まり、境界帯にある上路にもこのような信仰に従事する女性たちが集まっていて、その名残が山姥伝説として残ったのかもしれない。

また、上路から海へ下ると市振《いちぶり》である。市振で芭蕉は「一家《ひとつや》に遊女もねたり萩と月」(『奥の細道』)と詠んだが、同行の曽良の日記には遊女同宿の記録はなく、それに謡曲に詳しい芭蕉が謡曲「山姥」については一言も触れていない。この句を志田延義、浮橋康彦の両氏をはじめとする国文学者の一部では、謡曲「山姥」の上路での山姥・遊女の一家《ひとつや》同宿を下敷きにしているのではないかと指摘している。更に想像を膨らますと、泉鏡花も謡曲「山姥」での山姥・遊女の一家《ひとつや》同宿を頭に置き、山中孤家《ひとつや》での妖女・湯女の物語を謡曲「山姥」ゆかりの地に近い小川温泉元湯に設定したのではないだろうか…。

第二部　【人と文学】

〔啜文兵〕

畷文兵　大正2年4月20日〜昭和63年9月27日

小説家。金沢市出身。富山師範学校卒。本名は木村外吉。教職を経て戦後に新聞記者となり、北日本新聞論説委員を務めた。昭和14年「恩愛遮断機」が大蔵大臣賞。31年「遠火の馬子唄」が講談倶楽部賞。35年「妖盗蟇」が直木賞候補。富山の風土と歴史を取材した幻想美と波乱に富んだ時代小説が多い。代表作は「天平のむらさき」「越のむらさき」「風の中の微塵」。

高校生の頃、地元紙の朝刊を開くつど、連載小説の欄にこの作家の名を見た。どう読むのか分からなく、聞き慣れない名でもあり、1年以上も連載が続いたと思うが、あまりにも長いので途中で読むのを止めてしまった。その後、京都の大学にいき、大阪の友人を訪ねて駅に下りた時に、その姓の読み方がようやく分かった。駅名は「四条畷《しじょうなわて》」だった。だが、その名の著書は書店にも大学図書館にもなく、当時の作家たちの名の中にも連なっていなかった。そんな作家が故郷の新聞に極めて長い連載を持っていたのが不思議だった。しかし、その畷文兵の名だけは頭の片隅に残っていた。後年、郷土の文学を研究し始めた頃、遅ればせながら気が付いた。高校生の頃に拾い読みしていた連載は、昭和43年から翌44年まで３１

9回も連載された長編「風の中の微塵」で、暇文兵はその地元紙の元記者だった。そして、生涯、文学に精魂を注ぎ込んだ作家でもあった。

〈幼年期から学生時代〉

暇文兵の本名は木村外吉で、大正2年4月20日に石川県金沢市新保3番22番地で生まれた。父・木村銀三郎、母・かのの3男で第8子である。父・銀三郎は、士族の木村家に養子に入ったが、酒好きで放埒だったらしく、家族・親戚縁者を手こずらせたという。その銀三郎は、外吉が誕生して間もなく亡くなり、残された母・かのは貧窮の中で子どもたちを育てた。大正6年、外吉の4歳の時に、母と共に隣県富山の石動に移り住み、外吉は当地の宮島小学校に入学する。小学校時代は、成績が優秀で、何枚もの表彰状が彼の生前まで家にあったという。特に綴り方の時間が好きで、文章がうまく、書いたものが文集に取りあげられて、学校の「子供のあゆみ」に彼の作品がよく載った。小学校卒業時、外吉が憧れたのは、東京服部時計店（後のセイコー）に勤め、時計関係で成功したかったらしく、卒業後直ぐに県内の時計店に奉公に出た。だが、士族の家の流れで、その跡取り息子が奉公するとは納得いかないとの外吉の家族、特に歳の離れた姉たちの反対にあい、直ちに奉公先の時計店から連れ戻された。それからの外吉は自宅で独学に励み、県立師範学校を受験する。師範学校は、卒業後に教職に就くことを前提に授業料を払う必要はなく、卒業後の生活も保障されていたので、優秀だが、家が貧しい子どもたちにとっては救済の学校だった。当時、師範学校の受験倍率は6倍で、石動から10人受験し、合格したのは外吉1人だけだったという。

昭和4年4月に、15歳の外吉は、現在の富山市西田地方付近にあった富山県師範学校に入学した。全寮制である。後年、外吉は、娘たちに師範学校の入学時は1番だったが、だんだん下がりで卒業時は、後ろの方だったと笑いながら語っていたという。師範学校時代の外吉は、森鴎外や芥川龍之介の小説を好んで読んでいたが、詩や小説の創作に入れ込むほどの文学耽溺型の青年ではなかった。絵を描くのは好きで、スポーツは万能であり、最初は水泳部に属し、後にテニス部に入り、部長として活躍した。後年、仕事の合間にはよく絵を描いていたし、自宅前のテニスコートでテニスに興じる子どもたちがいると、自ら指導を買って出てテニスを教えていた。師範学校生にふさわしく健全で明朗快闊な学生だったのだろう。また、映画鑑賞が好きで、富山高校（旧制）の映画研究会に出席し、映画研究誌『モンタージュ』に映画評も書いていた。ちなみに、当時の富山高校（旧制）の映画研究会とは、昭和7年4月に富山高校（旧制）に入学した赤祖父富雄が創設したもので、赤祖父が、当時の富山市の映画館「帝国館」の支配人と親交を結んで創刊したものが映画研究誌『モンタージュ』である。赤祖父は、後に京都大学法科に入学して1年で中退し、日活京都撮影所に助監督として入社して25歳の若さで監督となる。異例のスピード出世であるが、監督名が『モンタージュ』の時の筆名・丸根賛太郎である。丸根は、片岡千恵蔵の「春秋一刀流」、島田正吾の「夏祭三度笠」、坂東妻三郎の「狐の呉れた赤ん坊」など、時代劇の大作を次々と手懸け、日本映画史上で明記すべき監督で、この丸根と外吉は学生時代に映画研究会で映画論を交わしていた。丸根の作品の主流が大衆娯楽時代劇であるところから、この時の映画研究会での丸根たちとの交流が、後年の外吉の大衆小説の作風にも多分に影響を与えているのではないだろうか…。当時、外吉は外国映画が好きだったようで、外国の様子を外国映画を通してよく知っていたからだろうが、アメリカと戦争になった時、文化の進んでいるアメリカには絶対に勝てないと口外し、周囲から「非国民」となじられたこともあったという。また、友人に将来の夢は、映画監督か、作家だと言っていたというが、彼が世に最初に認められた作品（「恩愛遮断機」）が映画の原案小説だったことから、文学一般における作家というよりは、映画に関わる創作に携わりたいとの願いが強かったのだろう。ともあれ、師範学校時代は概して自由に青春を満喫したようだ。

〈教員時代の初受賞と初刊本〉

昭和9年3月、外吉が20歳の時に富山県師範学校本科一部男子44名の1人として卒業し、直ちに西礪波郡荒川尋常小学校訓導として赴任する。赴任校等は「風の中の微塵」で麻生茂夫氏が綿密に調べておられるのでそれに従う。昭和10、11年は宮島尋常小学校、昭和14年は醍醐村尋常小学校、昭和15年は荒川尋常小学校、昭和16、17年は国民学校（荒川尋常小学校）、昭和19、20年は正得国民学校（現・小矢部市立大谷小学校）で訓導を勤める。昭和12、13年は不明だが、おそらく西礪波郡醍醐村尋常小学校ではないだろうか。宮島尋常小学校の訓導時代には、学芸会の折りに、外吉自作の脚本と音楽による児童たちのミュージュカルが発表され、当時の教え子たちから忘れられない面白い先生だったとの話が伝わっている。教員（訓導）時代の外吉の楽しみは〈書くこと・庭いじり・マージャン〉で教員仲間とマージャンをよくし、生涯マージャンを楽しみにした。また、映画への興味は学生時代から続いていたらしく、醍醐村尋常小学校訓導時代に、朝日新聞社が懸賞募集した映画小説に外吉は応募し、彼の「恩愛遮断機」が第1席に入選した。

昭和14年に朝日新聞社は、大蔵省の後援の下に、国民貯蓄運動と、銃後の緊張する生活を繋縛《けいばく》する映画を制作するために一般から「小説風の映画シナリオ」を懸賞募集した。第1席は賞金1000円で、副賞は大蔵大臣賞であった。この募集には、北米カリフォルニア、南洋パラオ島、中国や満州の在留邦人まで加え、608編の応募あり、その中から当時27歳の木村外吉の「恩愛遮断機」が第1席として選ばれた。「恩愛遮断機」の内容をまとめると次のようになる。

加越県境付近で踏切番をしている泰造は、嘗《かつ》ての盤龍山（日清戦争・旅順攻略）の勇者で、勤勉実直であり、彼の常々の願いは貯金を蓄え、それを国のために役立てたいことであった。ある日、踏切で、失業のため失意している男の危機を救い、その男を自分の家で居候させる。やがて、その男と泰造の娘が恋仲になり、娘は泰造を残して男と上京する。東京で男は職に就き、生活が安定するが、安定が続くと男は遊びたくなる。だが、妻（泰造の娘）は倹約を第一として貯金に励むので、男は妻に嫌気がさし、家を出て遊びまわるようになる。そのさなか、妻（泰造の娘）が重病になり、男は妻の元に駆けつけ、妻から今までの倹約と蓄えの事情を聞く。それは夫と、国のための「愛国債券」「貯蓄債券」「郵便貯金」に使うのだとし、それを聞き、男は妻の真情を悟り、今までのことを深く反省する。その後、妻は回復し、男と共に故郷の父（泰造）のもとを訪ね、多額の愛国債券を父（泰造）に渡す。泰造は喜び、周囲の者にこのことを話していると、娘の夫のもとに招集令状が届く。これにより、国のために尽くす親子・夫婦として周辺の人々から称賛されるという内容で、戦前の道徳観の基盤である、国に対する「忠」、親に対する「孝」、夫婦における「愛」を入り混ぜての戦争継続を推し進めるための国民貯蓄の奨励で、当時の国策の内容と合致する小説であった。

外吉の入選は昭和14年5月17日の東京朝日新聞紙上で大々的に発表、賞賛され、外吉は「多少文学的なものは書いていましたが、脚本は初めてです。昨年冬休みと今年1月一杯ほどかかって書き上げました、何分シナリオの条件に適合するよう絶対に主観を除き、客観的に動作を表現するに苦心しました」とコメントしている。また、大阪朝日新聞昭和14年5月29日富山版にも「映画が飯より好きなので書く気になったのですが、まさか今日のこの名誉にあづからうとは思ひませんでした。これからもうんと勉強したいと思います」とコメントしている。「恩愛遮断機」は、当年6月1日発行の『映画朝日』7月号に掲載された。そして、松竹大船撮影場にて映画化される予定だったが、戦争の悪化にともない、取り止めになった。1000円の賞金で、副賞は大蔵大臣賞だった。彼が教員だったからか、よく入賞が文部大臣賞とされるが、それは間違いである。昭和14年当時で29歳の技師が給料70円ほどである。1000円を現在の金に換算するには、企業物価指数と消費者物価指数で、現在と当時の比較で憶測できるのだが、日本銀行の資料では昭和14年当時の消費者戦前物価指数が明記されていないので、企業物価指数で憶測すると、昭和14年当時は平成24年の約460倍ほどなので当時の1000円は現在の約46〜50万円ほどに当たるだろう。27歳の教員（訓導）にとってはかなりの大金である。また、大蔵大臣賞が副賞で、外吉は官立小学校勤務であるから、この受賞は県教育界全体の誉れでもあり、これにより外吉の将来の教育界での地位も約束されたことになる。若くしての華々しいデビューである。賞金1000円は、生活と翌年の自費出版の費用に当てたらしい。受賞後に朝日新聞社から入社の誘いがあったそうだが、家庭の事情で断っている。外吉は生涯で5人の子（男1人、女4人）を持ち、男の子を戦争中に疫病で亡くしている。4女が昭和25年頃に生まれているので、昭和10年代後半は、家庭的に極めて繁雑な時期だったのだろう。

前述したが、師範学校時代からの映画への強い関心のもとで、「恩愛遮断機」を書いたようだが、受賞後の世間からの賞賛で、改めて文学の価値を認識し、文学への志を強めたものと思われる。その志の表れとして、受賞後の16年に自伝的な内容の強い『をんなの暦』を自費出版している。謄写版刷りの手書き原稿を製本したもので、装丁は立派な物とは言えないが、一字一字が力強く丁寧で、発刊する際の外吉の並々ならぬ文学への入れ込みが伝わってくる。「をぢ」「孩幼記」「蟷螂」「をんなの暦」「近江町」の5編が収録してあり、これらの作品で外吉の幼年時代の複雑で屈折した家庭環境を垣間見ることができる。中編の「をんなの暦」は、外吉の家族の有為転変を、特に3人の姉の2番目の姉が水商売の中で生き抜く姿と、その男遍歴などを中心に客観的に淡々と自然主義風の作風で描いてあり、〈生きることは何か〉の問い掛けが小説の根底に流れている。これらの作風をみると、暇文兵は、大衆文芸の作家としての印象が強いが、当初は純文学に志していたことが分かる。また、昭和18年に『新文学』の同人に加入している。『新文学』は昭和17年2月に全国の同人誌が8誌に統合され、その一つが『新文学』で、その同人だろう。

だが、若くしての華々しいデビューは、本人にとって当初は大いなる喜びと自信に繫がるが、後に両刃の剣のように外吉を苛むことになる。どの世界でも同じだろうが、いち早く世に抜きん出た者は、仲間から疎まれ、足を引っ張られる。ねたみ、そねみである。外吉がいた教員世界は特に狭い世界で、私もその世界にいたのでよく内情は分かるが、周囲から先生、先生と呼ばれ、自らも一国一城の主のごとくに思い上がっている自意識の強い者が多くいるので、仲間の、特に年下の者の成功を素直に喜べなく、職場での外吉に対しての風当たりは強かったに違いない。まして、外吉は私家本といえ、『をんなの暦』を出版し、仕事の傍らで小説を書いているので、周囲の教員からは白眼視されていたであろう。教員時代の外吉が教員仲間とよくマージャンをしたというが、それはこのような周囲の教員たちの思惑から自らを守るための付き合いだったのかもしれない。いずれにしろ、外吉にとっての教員生活の日々はそんなに楽しいものではなかったのだろう。生活のこともあるが、機会があれば転職したいとの思いが強まってきていたのではないだろうか…。昭和20年、外吉32歳、正得国民学校で教務主任をしていた時に終戦になった。外吉にいよいよその機会が訪れた。彼は、日本の敗戦を機に教員を辞し、新たに地元の新聞社に入社した。終戦後の記者不足の折りの、外吉の文才を見込まれての採用だった。結果的にこの選択は外吉にとってはよかった。仮に教員として留《とど》まっていたらどうだろう。教務主任として教頭へ後一歩の処だが、彼が受賞した「恩愛遮断機」は戦前の国策に合致したもので、外吉はいわば「戦争協力者」で、戦後のアメリカ指導の民主主義教育においては反動的な存在のように思われ、教育界では冷遇されただろう。また、昭和21年に、一部の高校教員や大学教職員を加え、小・中学校教員を主体に日本教職員組合（日教組）が結成され、戦後の民主主義教育を主唱したので、外吉は周囲の教員仲間からも「戦争協力者」として槍玉になり、戦前のねたみ、そねみも加わって糾弾され、苦しい教員生活が続いたに違いない。しかしながら、家族があっての32歳での退職は、彼にとってもかなりの決意だったことだろう。この決意を促したのは、やはり文学への熱情だったに違いない。そのためか、教員を止めてからの外吉は、束縛から解き放されて一気に鬱積《うっせき》したものを吐き出すかのように文学にのめり込んでいく。

〈記者時代、文学への志向〉

昭和20年に、外吉は地元紙に入社した。束縛の多かった教員時代に比べて新聞社の自由さに満足して、まさに水を得た魚のように文学に、創作に打ち込みだした。だが、戦後の混乱期でもあり、投稿するにふさわしい同人誌、雑誌等はなく、自らが同人誌を発刊することになる。昭和21年3月に『文学祭』を創刊し、その折りの外吉の編集後記には「作品を見て、まだまだといふ感じを深くした。もっと掘り下げねばならない。もっと苦しまねばならない。そしてもっと読まなければならない。自己を真実探求の血の池にのたうたせ、そこから発する己の魂の絶叫を偽りなく書きとるのが文学修練の道であらねばならない」と述べて、文学への強い意気込みを表わしている。2カ月後の5月15日には、早くも『文学祭』第2号を発刊し、自らも椎名透の筆名で「虚実」を発表している。第3号を発刊の際、同じ地方紙の記者だった高木寂の詩誌『詩陣風』と合併し、『文学世代』と改名して同年11月15日に発行した。

この号には木村外吉の本名で「茅笛」を発表している。これらの短編は教員時代のことを素材にしており、純然たる私小説ではないが、教員だった頃の外吉の姿が思い浮かぶ。ちなみに『文学祭』創刊号は3円、第2号は2円、『文学世代』は3円だったが、思いのほか優れた作品が集まらなく、また、同人費の集まりも悪く、印刷費用にも事欠いたのだろうか、3号にて廃刊にした。廃刊後は富山市等の同人誌に投稿している。その投稿の様子を稗田菫平氏「暇文兵氏その文学と業績」(『ふるさとおやべ市郷土文学再見』収録)の創作活動一覧から見ると、昭和23年9月に『女性北日本』(「オフィスの造花」)、昭和24年6月に『いわお』(「小切手」)、同年7月に『いわお』(「半日女房」)、昭和25年6月に『月刊富山』(「悪魔の決闘」)で、昭和27年12月に富山文藝社から、『富山文藝』を創刊する際に中山輝、深山榮、正治清英等15人の編集委員の1人として外吉も加わり、創刊号に「田螺はなぜ鳴くか」を発表している。創刊号は70円。続いて翌28年3月に『富山文藝』に「錦帯橋」を、同年5月に『富山文藝』に「ハーモニカさん」を発表している。発表の場が『富山文藝』に定まってきたかのようにみえるが、過去に中央で華々しく受賞経験のある外吉にとって、地方の文芸同人誌『富山文藝』だけでの発表では物足らなく、発表の場を中央に望む気持ちが募ってきていた。当時、作家として源氏鶏太を目標にしていたらしいが、それはこの気持ちの表れであろう。

外吉と同じ『富山文藝』の編集委員の中山輝は、大正15年に北陸タイムスに入社し、富山日報社を経て北日本新聞社編集局長、後に代表取締役になって、富山詩壇を先導してきた人で、仕事の上での外吉の直接の上司だった。そして、外吉はこの中山輝に可愛がられた。中山は外吉に「32歳過ぎで入社し、会社での出世を望むのは難しい。それよりも君は執筆に励めばよい」と忠告し、外吉が執筆しやすいようにと部下2人を付け、小矢部支局長にした。小矢部支局は外吉の住む石動町にあった。新聞社勤めで経済的にも安定し、支局勤めで時間的にも余裕ができて、その分、創作に打ち込め、外吉にとっては充実した期間だった。昭和28年頃には新居を建て、好きな庭いじりをしては創作に励んだ。おそらくこの間、中央の雑誌に投稿を重ねていたに違いない。中央で認められたい、小説で早く世に出たいとの気持ちが強かったに違いない。だが、この頃には外吉はもう40歳を過ぎている。現代でもそうだが、人生経験が豊富な年配の人の受賞は、中間小説、大衆小説部門に多く見られるが、純文学部門は新鮮な感覚を有している若い人に多い。中間小説、大衆小説部門で年配者の受賞が多いのは、彼等が人生の様々な機微を自らの人生の経験・体験を通して面白く描くことができ、それにより多くの人々から共感を得れるからであろう。外吉もこの立場にたって先ず世に認めてもらうことを主眼にして、映画鑑賞から学んだ手法（奇抜な発想、テンポの早い筋立てと場面展開、明解な人物像とテーマ等）を駆使して、当初の純文学志向の小説から、万人に楽しみを提供する大衆小説の道へと、しだいに変容していった。嘗《かつ》て目標とした源氏鶏太が無名時代に頻りに大衆小説中心の雑誌への投稿を繰り返したが、それと同じく外吉も投稿を繰り返したのだろう。この外吉の努力は実り、昭和30年、彼が42歳の10月に『講談倶楽部』

での「匹夫の勇」が第7回講談倶楽部賞候補になり、同年12月には『面白倶楽部』での「あさがおの宿」が第2回面白倶楽部ユーモア小説佳作に入選、同じく12月に「風の中の微塵」(後の新聞連載の作品とは別のもの)が第7回読売新聞小説賞候補になった。昭和30年の後半は、中央での自らの小説の評価に確かな手応えを覚えたに違いない。だが、この矢継ぎ早の入選の裏には数多くの不採用になった投稿原稿があるはずで、その分、外吉は記者仕事の合間をぬって、がむしゃらに創作に打ち込んでいたようだ。しかし、仕事を持ちながら、睡眠を削り、寸暇を惜しんでの創作は若い時ならいざ知らず、42歳の外吉の体には過酷で、しだいに肉体が蝕まれていった。

〈中央での受賞とその後の創作〉

昭和31年、彼が43歳の5月に、応募総数1013編の中から筆名「畷文兵」で外吉の「遠火の馬子唄」が第8回講談倶楽部賞を受賞した。副賞は10万円だった。10万円は企業物価指数で憶測すると、現在の20万円程度で、最終審査員は、小島政二郎、海音寺潮五郎、大林清、源氏鶏太であった。畷文兵の筆名はこの「遠火の馬子唄」で初めて使ったものだ。これまでは、本名の木村外吉以外に、川村研吉、椎名透、戸上計一郎、笹倉順吉などを使っていたが、受賞以後、畷文兵のみを使った。この筆名の由来を家族が尋ねたところ、彼は「一度見たら二度と忘れられない名にしようと思ってな」と言って笑っていたと言う。確かにいつまでも印象に残る名である。正確な理由は分からないが、「畷」の字は、〈あぜ道〉や〈まっすぐな長い道〉の意があるから、おそらく〈まっすぐな長い道を、文学を拠り所として進む兵士のような者である〉との意ではないだろうか、外吉の文学への意気込みが伝わってくる名である。（以後、外吉を畷と言う。）

前列左から２番目が畷文兵、３番目が司馬遼太郎。

『講談倶楽部』は明治44年に創刊され、大正期に入り、「書き講談」によって急激に発行部数を増して、大衆娯楽雑誌の王座を占めるようになった。吉川英治や中村武羅夫、長田幹彦、村上浪六らの傑作小説が相次ぎ、昭和期に入ってからは加藤武雄、江戸川乱歩、牧逸馬らの傑作小説を掲載したが、戦時中は休刊し、戦後、昭和24年に復刊して、山手樹一郎が覆面で書いた「新編八犬伝」の連載が人気を呼んだほか、バラエティーに富んだ娯楽雑誌として再スタートした。海音寺潮五郎、山本周五郎、角田喜久雄などの戦前からの時代小説作家に加え、山田風太郎、鳴山草平、宮本幹也などの新しい作家も執筆し、昭和27年に講談倶楽部賞を創設し、第2回に春桂多（伊藤桂一）、第1回の予選通過者には田辺聖子もいた。『面白倶楽部』は大正5年に講談社から『講談倶楽部』の姉妹として創刊したものである。このように『講談倶楽部』は大衆娯楽雑誌では権威があり、その講談倶楽部賞は大衆小説の作家への登竜門であった。この時の受賞には面白い逸話がある。「遠火の馬子唄」が、ほぼ審査員全てが、特に小島政二郎の強い推挙があって、受賞と決まりかけていた時、遅れてきた海音寺潮五郎が司馬遼太郎の「ペルシャの幻術師」を強引に推挙したので、「ペルシャの幻術師」も第8回講談倶楽部賞を受賞し、2人の受賞者が出たという逸話である。畷文兵（木村外吉）が北日本新聞の記者なら、司馬遼太郎（福田定一）は産経新聞の記者で、両者とも受賞作が出世作になった。畷文兵と司馬遼太郎は同じ所から文学へのスタートを切ったのである。「遠火の馬子唄」は次のような内容である。

時代は明治、士族の大介と計七は巡査として〈倶利伽羅・石動〉間の駅逓馬車等の警護をしていた。二人は共に駅逓馬車の元締めの娘・伊那を愛していた。そんな時、反政府運動の騒乱が生じ、二人は鎮圧に赴き、その機に伊那をめぐって決闘する。大介は敗れ、復讐を誓って去り、計七は伊那と結ばれ、駅逓の仕事に従事する。時は流れ、倶利伽羅峠にトンネルが開通し、駅逓制度が廃止されるに及び、計七はその関係者の補償を求め、来県した鉄道庁の長官代理の許を訪れる。長官代理は出世した大介だった。計七は己の人生の敗北を認めるが、翌日、大介は視察に出た折り、大事故に遭い、死に際に大介も自らの人生の敗北を自覚するという話である。この受賞に対して畷は「文学というくらげのような怪物と取って組んで十数年、この受賞でやっとその図体の一部に針のような、微かな銛《もり》を立て得たという感慨である。この銛のか細さを、その穿《うが》ち得た孔の小ささを、くらげよ、人々よ、嗤《わら》わば嗤え。私は私のすべてを、この小さな銛にかけて、必ずやこのくらげの死命に迫るまでの仕事を遂げてみせよう。」と感想を述べている。受賞の喜びに満ち溢れ、意気揚々として文学に邁進する決意を新たにしている。そして、機を見て退社し、家族を郷里に残し、上京して作家一本でやるつもりでいたらしい。そのため『講談倶楽部』の編集者の要望に応じて次々に『講談倶楽部』に小説を発表し、今まで以上に創作に拍車がかかった。作家としては遅い出発なので一刻も早く安定した作家の道を歩きたいとの焦りもあってか、『講談倶楽部』にすがる思いで、必死に書き続けたのだろう。受賞2カ月後の9月には「能登の夏祭」を、10月には「大学の奇蹟」を『講談倶楽部』に発表したが、若くもない43歳の身で記者と作家の二股をかけ、眠るのも惜しみ、創作に費やし、その無理が祟ってか、脳溢血で倒れ、一時、危篤状態に陥った。その後も翌32年1月には「名月」を、44歳になっての5月には「娼婦の血」を、11月には「雪女郎」を、12月には「津奈の草履」を、33年の1月には「越のむらさき」を、2月には「三夜の妻」を、3月には「風琴狂女」を『講談倶楽部』に発表した。健康な時に雑誌社に書き送っていたものもあったが、大半は治療しながらの寝たままで書き綴ったもので、この時期が暇の創作のピーク時だが、その創作にかける気迫は鬼気迫るものがある。

〈病後の新たな挑戦〉

地元の病院では、脳溢血で倒れた畷をこれまでとして見放したが、新たに金沢から来た下川医師の治療によって畷は奇跡的に命を取り止める。だが、後遺症として体半分は冷えたままで、医師からは長く生きても60歳までと告げられていた。あと16年間ほどの命である。病院での寝たまま状態での治療が続いた。しだいに快方に向かったが、それでも寝床からは離れることができなかった。だが、畷はその状態でも書き続けた。当初は長女が口述筆記をした。昭和35年の1月には「火焔の舞」を、7月には「戦国非人伝」を『講談倶楽部』に発表した。その間の1月21日に直木賞受賞者の発表があり、畷と共に講談倶楽部賞を受賞して作家の道のスタートを同時に切った司馬遼太郎が「梟の城」で第42回直木賞を受賞した。畷は、病院のベッドの脇のトランジスタラジオでこの報を聞き、司馬に遅れをとった不自由な身を嘆いたと言っている。そして、この時から我が身に鞭打ち、医師に隠れて一つの小説を3月頃までに夢中で書き上げた。それが、この年、35年の12月に『小説会議』で発表した「妖盗蟇《がま》」で、この小説が翌36年の第44回直木賞候補になった。畷は48歳だった。司馬よりは1年遅れて受賞には至らなかったが、直木賞にあと一歩の処に辿り着いたといえる。ライバル司馬とは、この時点ではまだ確実に勝負の決着がついていなかった。ちなみに第44回直木賞受賞者は、「はぐれ念仏」の寺内大吉と「背徳のメス」の黒岩重吾だった。

暇は「妖盗蟇」を『小説会議』で発表しているが、暇が『小説会議』の同人になったのは、『講談倶楽部』廃刊後の昭和41年頃からである。『小説会議』は昭和31年11月に講談倶楽部賞を受賞した新人作家を中心に創刊されたもので、受賞経験者である暇にも声がかかり、締切りに煩《うるさ》く、内容にもあれこれと注文をつける商業ベースの『講談倶楽部』よりも、同人誌的な要素が強くて緩やかな『小説会議』の方に、病を持つ身には自由がきくので発表していた。「妖盗蟇」の内容は次のようなものである。

蟇《がま》を射殺することを楽しみにしていた男を父に持つ赤人は、生まれた時から蟇そっくりの醜怪な容貌をしていた。周囲の人たちから嫌われたが、屋敷の主人の妻の計らいで、生まれた娘・千南の召使いになった。赤人は千南に忠実に仕え、千南も赤人に優しかった。やがて、千南は父の命令で都からきた役人の長広と婚約し、長広は目障りな赤人を運河工事の現場監督として追い払う。だが、工事は遅々として進まないので、長広は、千南が赤人に優しくする嫉妬も加わり、赤人の責任を問い、厳しく折檻して防人として筑紫へと送った。赤人の乗る防人一行の船が能登島にさしかかった時、近くの神火島が急に噴火し、一行の舟は沈み、赤人たちは神火島に流れ着く。その島で、赤人は島の長の娘・真沙と結ばれ、島の頭となる。赤人は島民と生き残った防人をまとめ、軍船を造り、越の国へと攻め込む。だが、いち早く赤人の動きを察知した長広は、赤人の軍を迎え打ち、これを破る。敗走した赤人の軍は島に戻り、再度、越の国を攻め、官軍を打ち破り、越能国境の山岳地帯に立てこもる。それ以後、そこを根城にして度々山から下りては民を襲い、無頼の群徒に化す。都から赤人の討伐命令が長広のもとに届き、困った長広は赤人が心を許す妻の千南をつかい、千南が吹く笛の音で赤人を呼び寄せる。笛の音に誘われて、赤人は千南の許に赴くが、赤人の妻・真沙は、赤人のその様子に嫉妬、逆上して赤人の居場所を長広に密告する。それによって赤人は生け捕られ、後に晒《さら》し者となり、処刑される。そのことで真沙は自殺し、千南も姿を消すという話である。

この時の直木賞の選考委員は、中山義秀、木々高太郎、大佛次郎、小島政二郎、川口松太郎、吉川英治、村上元三、源氏鶏太、海音寺潮五郎であるが、村上、源氏、海音寺以外の委員は「妖盗蟇」については一言も評していない。ちなみに村上、源氏、海音寺の評をみると、村上元三は「構成がありきたりで、こけおどしのような面を除くと、残る面は薄い。」。源氏鶏太は「空想力を私は高く買ったのだが、他の委員たちの賛同を得られなくて残念であった。」。海音寺潮五郎は「めずらしく奈良朝に時代を取っているが、こういうものを書くには、作者は知識がなさすぎる。そのためうそのつきようがまことに拙劣だ。フィクションを書くにも、豊富な知識がなくてはならないことを心得てもらいたい。あぶなっかしい生硬な文字使いや、浅薄な筋立ては、すべて知識のなさすぎるところから出ている。数年前、ある雑誌の懸賞小説の選をした時、この人の「遠火の馬子唄」という作品を当選さしたことがある。あのよい作品の作者だけに、苦言を呈するのである。」と評している。源氏鶏太だけが好意的に評しているが他は手厳しく、特に海音寺潮五郎は極めて手厳しい。だが、作家にとっては自分の作品が無視されるのが一番の屈辱で、海音寺のように詳細に手厳しく評してくれるのは、かえって、その作者への将来の見込みがあると思っての故で、幸せと思わなければならない。現に海音寺は暇の受賞作品名を覚えている。ちなみに司馬遼太郎が直木賞を受賞する際、文壇の大御所・吉川英治が猛反対したのを宥《なだ》めて受賞に持ち込んだのが海音寺潮五郎で、司馬と共に講談倶楽部賞を受賞した暇にはそれなりに期待していたのだろう。地元富山では、大島文雄（当時の富山大学教授・国文学）が地元紙の文化欄で「〜作者は、少年時代から抱いていた古代へのあこがれと夢とを描いたといっている。天平の越中を舞台としているが、史実のセンサクは無用である。また作者のいうように〈これは人間や人生についての批判や主張でもない〉。しかし、作をつらぬくのは、人間の愛欲のかなしさである。そして古代的な荒々しさの中で、その愛欲のかなしさは、きわめて激しいものとなっている。それは作者の詩魂である。伝奇的な興味とともに、その詩魂に打たれるのである。〜」と好意的に受け止めている。また、暇本人は「〜選考会で僕の作品がどんな評価をうけたかは、いずれ雑誌『文芸春秋』に載ることだろうが、とに角これによって、僕がもち得たものは、自分の作品にたいする一つの自信と、これからまた何かの雑誌に書くとしても、候補作家というレッテルをはられた以上、ウカツなものは書けない、というきびしい自戒であった。」と新聞にコメントしている。嬉しいには違いないが、病の身にとってはこれで精一杯なのだという思いも汲み取れる。暇は、海音寺の歴史知識が足りないとの酷評がよほど応えたのか、歴史全集を購入し、暇な折りには読んでいたという。その後、以前よりは発表数は減ったが、直木賞候補になった昭和36年7月には「はもん乞い上げ候」を、12月には「五十の匕首」を『講談倶楽部』に、同じく12月に「銅像」を『小説会議』に発表している。だが、直木賞候補後、病の暇の身に新たな文学上の試練がまた押し寄せてきた。

〈晩年の展開〉

退院後、小矢部支局長のままで自宅療養していた暇の耳に、小矢部支局の人事に関わるニュースが入ってきた。暇に代わって新しい支局長が赴任して仕事をしているという。暇は驚き、焦った。このまま失職すると、不自由な身で家族（妻と4人の娘）を抱え、どのように生計を立てていけばよいのかと思い悩んだ。不安定な原稿収入は当てにならなく、かなり精神的に追い詰められて悶々とした日々を一時期送ったという。だが、暇は、思い悩んだ末、発奮して寝床から起き上がり、不自由な体を引きずって支局に出勤した。それが功を奏して、しだいに病は快方に向かい、普通の勤めも可能な状態になってきた。しかし、暇は人には語らなかったが、脳溢血の後遺症で、終生、彼の体の半分は冷えたままだったという。

体は幸いに快方に向かったが、小説の発表の場で困難が生じてきた。昭和37年5月に「消えた九官鳥」を『講談倶楽部』に発表したが、これが『講談倶楽部』での最後の発表となった。この年11月に『講談倶楽部』は廃刊になり、この廃刊が、既に昭和35年に廃刊されていた光文社『面白倶楽部』などを含めた、いわゆる倶楽部雑誌の最後となった。大衆小説の世界も変換期を迎えていた。『講談倶楽部』は12月から中間小説誌『小説現代』として創刊された。だが、『小説現代』では新しいものを作るために『講談倶楽部』の常連の作家たちを閉め出し、『小説現代』の公募に入選した者の作品のみを採用した。『講談倶楽部』で築き上げてきた畷の実績は白紙に戻った。畷は改めて『小説現代』に何度も応募したが、採用にはならなかった。畷はこれまで『講談倶楽部』を拠り所として小説を書いてきたが、そのために『講談倶楽部』色に染まった小説になっており、言いかえると、『講談倶楽部』好みのマンネリ化した小説になっていたからであろうか、『小説現代』でも他の大衆（中間）小説誌でも彼の小説は受け入れてくれなかった。昭和38年以降、畷の雑誌での発表は極端に減る。『講談倶楽部』と関わり深い『小説会議』だけが中央での発表の場となった。このような中で、地元石動町の有志の世話で昭和38年12月に『天平のむらさき』（「天平のむらさき」「妖盗蟇」所収）が東京の東方社から刊行された。刊行に際し、源氏鶏太が、直接、東方社と交渉に当たってくれたという。50歳にしての初の出版社からの刊行で、苦境の中での畷の大いなる喜びになった。

病から回復し、暖の文名も高くなったので、これまでの小矢部支局長から富山市の本社文化部勤めになる。昭和39年の4月からは、夕刊で毎週金曜日に時事エッセー「金曜あまのじゃく」を連載するようになる。ユーモアを含んで風刺的に昨今の出来事を語り、この連載は昭和48年までの10年間続いた。文末の「兵」という署名と、欄の真ん中に「兵」の描く漫画があり、軽妙な語り口調なので読者から好評だった。この軽妙さを出すために、暖は、ポケットラジオのFM音楽の音量を絞りながら、それをバックミュージックに筆を走らせていたという。連載が終わって昭和48年6月に「金曜あまのじゃく」暖文兵著として北日本新聞出版部から刊行された。その間、昭和41年、暖が53歳の9月に『小説会議』で発表した「禿鷹（コンドル）」が、同年11月8日付け讀賣新聞夕刊の大衆文学時評に、五木寛之「艶歌」、神坂次郎「かれいの砦」と共に、暖の顔写真入りで「巧みな暖の佳作」として紹介されている。「禿鷹（コンドル）」は、地方の日の当たらぬ部署にいる新聞記者から見た選挙選の内幕の人間関係を描いたもので、暖のこれまでの小説に多く見られた奇抜な場面設定や筋立ての面白さに重点を置いたものではなく、人間への興味や観察が窺《うかが》え、娯楽を提供する商業ベースの雑誌から開放されて、暖が本来書きたかったものへ進もうとする兆しが見える。それは、昭和43年、暖が55歳の10月23日から翌44年、暖が56歳の9月9日まで、北日本新聞朝刊で３１９回連載した「風の中の微塵」で顕著になる。「風の中の微塵」は原稿１０００枚を超える大長編で、日華事変から太平洋戦争までの混乱の時代を生き抜いた正木丁五の人生を描いている。特に後半の富山空襲の場面が圧巻で、その筆致は、目まぐるしく変動する社会に翻弄される人たちの姿を冷徹な目で観察し、社会状況とその人たちの姿を丁寧に描いて、その中で主人公・丁五の生き様を通して、人が生きるとはどういうことかを問い掛けている。

「風の中の微塵」の書き出しは、�昭和16年に自費出版した『をんな暦』収録の自伝的内容の強い「をんな暦」の人物設定に似ており、「をんな暦」は兄弟の中の色町で働く姉が主人公であったが、「風の中の微塵」では、その姉を持つ弟・丁五が主人公のようで、このような処からも暇の自伝的内容の挿入もあり、従来の娯楽性の強い大衆小説から純文学に向かう姿勢が窺《うかが》える。暇は後に論説委員となったが、同職の委員との折り合いが悪く、社内でも孤立していたとの話も伝わっているが、朝刊紙上に319回にわたる連載の場を与えて貰ったということは幸運だったといえる。社員なので原稿料はさほど望めなかったろうが、長い連載を通して、じっくり落ち着いて書くスタイルと、自分が本来書きたかったことに思いを巡らせる時を得たのは作家として幸せだったろう。

新聞小説の連載回数については山岡荘八の「徳川家康」(北海道・東京・中日・西日本新聞)の4725回があるが、これは異例の長さで、長くても250回前後のものなのだが、北日本新聞での319回の連載は極めて長く、当時の新聞社の暇に対しての信頼と期待が窺える。だが、それがかえって社内の一部の者のやっかみを生んだこともあったのだろう。また、この長い連載で、中央での発表の場が激減したことに憂いを抱かなくてもよく、幸せな時期だったといえる。この後、昭和45年に「ハイエナ」を『小説会議』に発表するが、これが�中央での発表の最後になる。『小説会議』の創刊に尽力した池上信一（第1回講談倶楽部賞受賞）と暁は親交があり、その関係から『小説会議』で発表をしていたのだが、昭和45年3月に池上が死去し、これにて『小説会議』との縁も切れ、中央での発表の機会がまったく閉ざされてしまった。しかし、論説委員として論説を書く傍ら、創作も続け、中央の雑誌への投稿や懸賞小説への応募も繰り返していたという。昭和49年60歳で退職して、在職中の昭和41年から携わってきた北日本文学賞の地元審査委員の1人として、亡くなるまで文学を志す後輩の育成に尽力した。昭和62年、暁が74歳の7月に稗田菫平氏等、同郷の文芸愛好の人たちの働きかけによって北日本新聞社から『越のむらさき』が刊行された。「越のむらさき」「妖盗墓」「はもん乞い上げ候」「津奈の草履」「たわけたる女」「三夜の妻」「名月」「遠火の馬子唄」「禿鷹」の9編を収録している。数多くある暁の作品の内、9編とはあまりにも少なすぎるし、代表作の「風の中の微塵」が含まれていない。源氏鶏太は「大衆小説の作家はいずれ忘れ去られて、その作品も読まれないもの」と述懐しているが、それにしても暁の作品集の刊行は遅すぎる。また、地元出版物であったせいか、出版数も少なく、県内の書店の店頭に並ばないことも多かったようで、暁の関係者は嘆いたという。そんなことは気にもかけず、暁は黙々と書いていたらしい。午前中は自宅で、午後からは石動駅前の喫茶店の所定の場所で創作に励んでいたという。頼まれれば、講演にでかけ、石動、東部、大谷小学校の校歌を作り、町の社会教育委員も務めた。お洒落で茶色が特に好きで、愛用の自分のペン先をいつも首にぶら下げていた。気さくで話し好き、世話好きで面倒見のよい好人物として地元の人たちには慕われた。

暇が黙々と書き綴っていたのは何だったのだろうか。暇は晩年、家族、友人に「今、長編を書いている。今度のは自信がある…」とよく漏らしていたという。だが、その長編は世にでないまま埋もれてしまった。どこへいってしまったのだろうか…。貧しさの中から身を起こし、文学を支えとして世に出て、病苦に苛まれながらも読者に楽しみと夢を与えるために書き続け、その労苦に十分に報いられなかったにもかかわらず、筆を棄てることなく文学を信じ、後輩を慈しみ、最後の最後まで文学での夢を暇文兵は求め続けた。おそらく晩年の幻の長編は東京の出版社関係に応募、投稿するつもりのものだったのだろう。その内容は、「風の中の微塵」で芽生えていた「社会と人生」に関わるものだったのではないだろうか。暇が「をんな暦」で初めて文学に抱いた純文学志向へ再び戻り、自らの人生を顧みて書き綴り、それで東京での再びの成功を夢見ていたのではないだろうか…。老いてなお文学への夢を追い続け、昭和63年9月27日に亡くなった。葬儀には司馬遼太郎から心のこもった弔電が届いた。文学に終始携わった75歳の生涯だった。

この稿を書くに当たり、小矢部市在住の暇文兵氏の四女・木村成子様から、生前の暇文兵氏に関わる様々な話をうかがい、また、当時の雑誌や新聞等の貴重な資料の提供を受け、大いに参考となり、改めて木村成子様には深く感謝の意を表する。

〈参考〉

『越のむらさき―畷文兵小説選集』

『風の中の微塵』畷文兵　解説・麻生茂夫

「畷文兵氏その文学と業績」稗田菫平（『ふるさとおやべ市郷土文学再見』）など

〔三島霜川〕

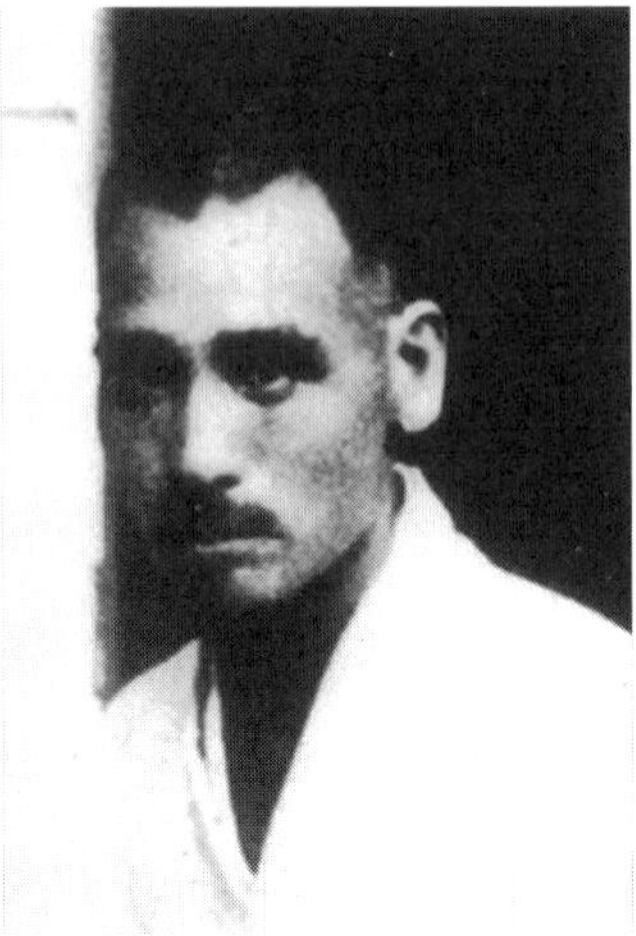

三島霜川　明治9年7月30日～昭和9年3月7日
小説家、演劇評論家。高岡市出身。本名は三島才二。徳田秋声の紹介で硯友社員となり、明治31年「埋れ井戸」が『新小説』の懸賞に当選。代表作に40年「解剖室」。大正2年「演芸画報」にはいり、歌舞伎評に転じて「役者芸風記」を残す。また、児童文学、俳句、編集の業績もある。筆名は別に犀児椋右衛門。

〈はじめに〉

『続明治全小説戯曲大観』（高木文・大正15年刊）には、三島霜川は、明治31年の「埋れ井戸」から明治45年の「主婦」まで、その生涯で111編の著作があると記載されているが、その膨大な著作のわりには知名度も評価も低く、彼の経歴も曖昧なものが多い。

霜川の生年月日も、明治9年4月8日と、明治9年7月30日の2説がある。彼の戸籍記録は現存していないのだが、昭和28年に『富山新聞』が、古い戸籍簿を調べた結果として、三島家の除籍簿の写しのペン筆写（松田富雄所蔵）に、三島才二（霜川の本名）、明治9年7月30日生との掲載（「中田町下麻生―作家三島霜川の出生地判る―」10・23）があり、その写しを信じるならば、明治9年7月30日出生が有力だろう。明治9年4月8日出生との説が生まれたのは、霜川自身が、子どもたちに「お釈迦様と同じ4月8日生まれだ」と言っていたことと、それを受けて『文章世界』の「現代文士録」（明治45年2月15日刊春風号）、及び『日本文学大辞典』（水木京太・新潮社・昭和9年）で、そのように記述したことからだろう。なお、三島霜川に関する調査・研究は多々あるが、佐々木浩氏の「三島霜川論」が最も綿密な調査と研究がなされている。だが、残念なことに佐々木浩氏は、富山大学教育学部在職中に研究半ばで平成12年2月に59歳でお亡くなりになった。、この稿では、これまでの佐々木氏の三島霜川に関する卓越した研究を紹介するとともに、三島霜川に関わる様々な疑惑について検討したいと思っている。

〈三島家に関する疑惑と上京までの経緯〉

霜川の生年月日も曖昧だったが、霜川の出生地も、「富山県礪波郡麻生村」「富山県西礪波郡麻生村」「富山県東礪波郡麻生村」「富山県東礪波郡中田町下麻生六百八十六番地村」「富山県東礪波郡中田町下麻生八王子」などと様々に表されている。明治4年11月20日に、新川、婦負、礪波3郡が新川県となり、明治9年4月18日に新川郡が廃止されて石川県に吸収された。上記の3郡が、富山県となるのは明治16年5月9日のことで、ちなみに礪波郡が東西2郡に分かれたのは明治29年3月からである。以上のことから、厳密に言うと、明治9年4月8日生まれなら、新川県礪波郡、7月30日生まれならば、石川県礪波郡となるわけである。

もともと霜川が生まれた地が、藩政期には加賀藩領でもあったことと、年少の頃は石川県ということなどから、石川、金沢への親近感が強く、後々まで金沢出身の友人たちと同県人のような誼《よしみ》で交際したようだ。また、前述した三島家の除籍簿の写しのペン筆写には、三島家は「越中国礪波郡下麻生92番屋敷居住」とあり、これらのことから、三島霜川は、「明治9年7月30日、石川県管轄越中国礪波郡下麻生92番屋敷生まれ」と考えたほうがよいだろう。

三島才二（霜川）は、父・重法、母・とめ（とみ）の長男として生まれ、しげの、あい、操の3人の妹がいる。父・重法は済生学舎出身の医師で、三島家は、俗称「間平」と呼ばれる医家で、母・とみの実家も医家であり、縁戚関係があったようだ。だが、三島家の家柄や家族構成、重法の死因、上京するまでの才二（霜川）の履歴には曖昧な点が多く、それによって様々な疑惑や噂が生まれている。これらに関しても、佐々木浩氏は多くの資料を網羅して検討しておられるので、佐々木氏の『三島霜川論』を基にして考察する。

先ず家族構成だが、「重法の妻・吉野とめは最後まで入籍していなかった」「重法の妻・吉野とめは、重法の再婚の妻であり、霜川は先妻の子だったのでは…」との疑惑、噂がある。

確かに才二（霜川）の家族関係には曖昧な点が多い。前述した三島家の除籍簿の写しのペン筆写でも、才二（霜川）には妹は、「しげの、あい」の2人のみしか記されていない。だが、徳田秋声の「白い足袋の思い出」（昭和8年8月）には、明治34年のこととして3人の妹たちと霜川が共同生活をしていたと書いている。また、母・とめ（とみ）の実家の吉野家の「改製原戸籍」では、操の欄に「東礪波郡中田町大字下麻村番地不詳〜出生母とみ届出明治四拾四年六月弐拾日受附入籍」とあり、操の出生日は「明治弐拾七年四月五日」とある。戸籍には父の氏名は記されてないが、操の父は重法らしい。「しげの、あい」の2人の姉は三島家の戸籍に記録され、操のみが、母と共に吉野家の戸籍に残されている。それに、母・とめ（とみ）の欄に、婚姻も離婚も記録されていない。重法の死を、菩提寺・善興寺の過去帳でみると、「明治二十八年四月十六日死去、三十八歳」とあり、このことから重法の生前に操が生まれているにもかかわらず、届出が何故か遅れている。「しげの」の出生日が明治12年2月23日、「あい」が明治14年2月12日で、次女「あい」と三女「操」（明治27年4月5日出生）との間があまりにも離れすぎているが、「しげの」「あい」の嫁ぎ先の戸籍では、彼女らの母は、「とめ」と記してある。また、才二（霜川）と母「とめ」とは18歳しか違わないなど、戸籍の面からもはなはだ不審なことが多く、このような状態だから、前述した疑惑、噂が生まれてきたのだろう。佐々木浩氏は、このことについて、「乳呑み児の操は、母と共に吉野家に身を寄せ、長じて姉たちの許に戻ったが、長女・しげのの婚姻に際し、その籍がようやく吉野家の「改製原戸籍」に届けられたのではないか」と述べておられるが、母・とめ（とみ）が吉野家に身を寄せていた理由が分からなくて釈然としない。

次に三島家の家柄や父・重法の死因についても、「三島家の先祖の墓は、はっきりせず、何処かから流れてきた特殊部落民の出身ではないのか…」「重法は毒殺されたのではないか…。」との奇妙な疑惑や噂が伝わっている。佐々木浩氏は、これらのことは、秋声や霜川の後の小説の内容を、私小説的事実として受けとめ、混同したために生じたのではないかと述べている。作家の和田芳恵は、「秋声の出世作「藪柑子《やぶこうじ》」（明治29年）は、その素材をすくなくとも霜川から得たものである」と述べ、「藪柑子」中の主人公で、特殊部落民出身の黙斎父娘の素性の設定を、霜川の父・重法に結びつけている。ちなみに「藪柑子」は、妻を失った特殊部落民出身の医師・赤木黙斎の死後、ひとり娘のお礼が、看護婦上がりの継母・お槇が若い医師・白井謙吉と通じるに及んで狂うという内容である。和田の言にみられるような、文壇での霜川の家の受け止め方から、佐々木浩氏は、「霜川の家柄についての噂は、秋声や霜川の小説の内容から後日に生まれたものだろう」と述べておられる。だが、霜川の生まれた地域では、現在でも医家・三島家、また三島家に繋がる家については違和感を持っており、たんに秋声や霜川の小説の内容から後に発生したものだと言い切るには根深いものがあり、今後の調査が必要である。

また、霜川の「村の病院」（明治37年）では、主人公の父の医師が短銃自殺をするが、この作品を霜川の自伝的なものとするあまり、評論家・作家の臼井吉見は、『定本限定版日本現代文学全集84、明治小説集』（筑摩書房）の「解説」に、霜川の上京は「家業を継ぐのをいやがり、（父重法が同業者にそねみをかい、毒殺されたという噂もあり、そんなことも原因の一つになっていたのかもしれない）、重法の死後、家をたたみ家族をつれて上京した」と述べ、重法の変死説を強調している。だが、そのような変死事件があれば、当時の地元紙の紙面を騒がすはずだし、重法の菩提寺・善興寺の住職・飛鳥寛栗師に重法の死を直接確認したが、そのような事実はないとのことだった。この疑惑、噂などは、佐々木浩氏の推論どおり、霜川の「村の病院」の内容を自伝的事実として受けとった思い込みから生まれたものであろう。

さらに、霜川の上京、作家活動に入る前までの履歴にも疑惑がある。「中学卒業後も父のすすめる医者の学校に入らず、好きな小説を読み耽って二、三年過ごし、金沢に遊学して田中涼葉や桐生悠々らと交わった～」（『近代文学研究叢書』第36号・昭和女子大学）とか、「東京に出た霜川は「済生学舎」へも通ったが、途中で退学している。医者になる考えがあったものか、又生来好きな作家を志願したものかはっきりしない」（松山富雄「三島霜川とその生涯」）とかと言われているが、「中学卒業」については、当時は県立富山中学校しかなく、県立富山中学は、明治18年1月設置で翌19年4月から5年制が始まり、第1回卒業が明治24年である。才二（霜川）の年齢で言えば15歳の年である。だが、才二（霜川）は、その年齢の時は「自分が十四五の時四っ倉（福島県四っ倉）と云う所に暫く居た事がある」（「薄幸なる我が処女作」）と書いていて、福島県にいた頃が中学在学期間と重なる。また、県立富山高校（県立富山中学校の後身）に残る『卒業生名簿』にも、卒業生、中退者にも三島才二の名はない。佐々木浩氏も指摘しておられるが、三島才二（霜川）は、中学を卒業も在籍もしていなかったのではないだろうか。

　この才二（霜川）の「四っ倉」時代について、三島霜川研究者の野村剛氏は、父・重法が福島にて医業に従事する際に才二（霜川）を伴い、最初は田村郡三春町、後に太平洋岸の磐城郡四ッ倉（いわき市四倉町）に住み、そこでの経験が「ひとつ岩」「埋れ井戸」を生み出す土壌になっていると示唆されている。しかし、父・重法が医師資格を取得した後に、郷里でなく、どうして福島で医業に就いたのか、直ぐに郷里で医業に就けない理由があったのだろうか。これも釈然としない。

　次に「済生学舎への入学」であるが、秋声は、「氏（霜川）は済生学舎にゐたことがあるので～父が医師であったころから、そこに入ったものらしいが～」（「思い出るまま」昭和9年10月）と述べているが、その当時のことを霜川は「奈何にして文壇の人となりし乎（三）」（『新潮』明治41年10月）で次のように述べている。「然し、僕は何うしても文学志望を断念して親父の希望通り医師になると云ふ決心も出来ず、どちらも付かずに生若い人間が、毎日ぶらぶらして居る。で、家では親父はじめ余り好遇しては呉れなかった。自分の意志は通らず、家では侮辱しられる、面白からぬ日々を送りながらも、文学者になりたいと云ふ希望は益々強くなるばかりで、消えやうともしない。それで、折りを見ては許して呉るやうに頼んだものである。〜所が、親父も終には、僕の医師を飜すことが出来ないと思つたものか、遂々許すには許したが、それ程文学者になりたいなら勝手になるが好い。俺れは其為め一文も学費を出さぬから、お前はお前の力で遣れと云つたやうな、皮肉な許しであつたので、少しは悄気たが、それでも好きな道だから、何うしても遣り遂げるといふ決心をした。そして五六十円を得る為めに親族間を奔走した、駄目なので已む得ず友人に貸して居た金を五、六円集めて、それを持つて、九月と云ふに袷一枚で、東京に飛び出し、大胆にも下宿して金のあり丈け其頃の雑誌を買ひ集めて、それを下宿の狭い室で一生懸命に読み耽ったものである。其時然うして本をしみじみ読んだのが、僕の文学生涯に入つた、殆ど出発点であつた。そして傍ら訳の分からぬものを書いて居た。〜然う斯うする中に翌年の四月、国から義理の叔父が出京して、親父の長い手紙を持つて来た。』。その手紙には「文学者たることを許してくれたと同時に、当座の小遣ひとして金を十円だけ託送して呉れて、後は月々正式に送ると云ふことである。そして、其手紙に依ると、早稲田にでも入つて、真面目な修業をなし、文壇に雄飛して呉れいと云ふことである」とのことであった。このように才二（霜川）は、父親から文学修業の許しを得てひと安心したのだが、二週間後に父親が病気だとの報せがきて、急いで帰郷すると、父親は既に亡くなっていた。その後、1年余り、故郷で家の後始末を終えて再び上京し、その後は生活に追われて勉学どころではなかったようだ。波線部に示したように才二（霜川）は、東京の済生学舎で学んでいた様子はまったく見られない。済生学舎で学んだとの話は、後日、彼の「解剖室」（明治40年3月）が好評で、作者が医学の心得がある者だろうとの読み手側の思い込みか、うがった見方だが、霜川自らが、周囲にそのように装っていたのかもしれない。

ここで、才二（霜川）が父親の死後に再上京するまでを整理してみる。明治9年に生まれ、地元の小学校を終えた後、中学校には入らなく、14、15歳の時には、父母と共に福島県四っ倉に住んでいた。明治26・27年頃には金沢で遊学をしていたらしい。徳田秋声の「思い出るまま」には「氏（霜川）又四高へ入るつもりで、郷里の越中から金沢へ来てゐた時代があつて、金沢で鏡花や亡涼葉氏などと相知り、文学熱に感染して」）とある。当時、金沢には、泉鏡花が東京から一時帰郷しており、田中涼葉、桐生悠々、徳田秋声などもいた。これらの人々は、後に霜川が、東京で文学活動をする際に交友した者たちで、この時期に金沢で彼等との出会いがあったものと思える。その後、才二（霜川）は、文学熱に浮かされて明治27年9月に上京するが、明治28年4月16日に、父・重法が急死したの帰郷する。だが、父の死後に直ぐに上京し、才二（霜川）の下宿に訪ねてきた涼葉と共に同居している。この間、涼葉を訪ねてきた秋声を知り、秋声との交友がはじまる。28、29年頃には郷里の家の後始末と、今後の生活のことで悶々とした日々を送ったらしい。結局、郷里の父の医院の経営は他の医師にまかせることになる。

さて、前掲した「奈何にして文壇の人となりし乎（三）」で、才二（霜川）は頻りに「文学、文学」「東京へ東京へ」と述べているが、才二（霜川）の文学へ志した明瞭な要因が分からない。例えば、鏡花は、16歳の時、尾崎紅葉の「二人比丘尼色懺悔」を読んで衝撃を受け、文学に志すようになり、上京して紅葉門下となった。だが、才二（霜川）には、鏡花のような文学的衝撃で文学に志向したという姿が見えない。秋声は、金沢での鏡花や涼葉との交友から、文学熱に感染したと述べているが、その表現が妥当だろう。むしろ、彼等から〈文学熱〉というより、〈都会熱・東京熱〉に感染したのではないだろうか…。田舎育ちで公の高等教育（中学）を受けていない青年が、東京帰りや都市育ちの友人から、文学を通しての華やかな東京への憧れが燃え上がったのではないだろうか…。

〈文壇への登場〉

前述したが、才二（霜川）は父の死後、直ぐに上京した。その才二（霜川）の本郷の下宿へ、病のために一時金沢に帰郷していた田中涼葉が、再上京して訪れ、彼の部屋で同居することになる。明治29年のことである。その田中涼葉を徳田秋声が訪ねて来て、それを契機に、才二（霜川）は、徳田秋声を知り、以後、秋声と親しく付き合うことになる。その後、涼葉と秋声は、紅葉の「十千萬堂塾」に移る。その間、明治28年7月に第四高等学校大学予科を卒業し、9月に法科大学に入学した悠々・荻生政次を、彼の友人である秋声を介して知り、才二（霜川）は、涼葉、秋声、悠々らを通して紅葉の門、硯友社の同人格になったと考えられる。

涼葉が、秋声と共に紅葉の「十千萬堂塾」に移った後の明治30年の3、4月頃に、才二（霜川）は、法科大学2年の悠々の所に移り、その後、3、4カ月、泉鏡花の弟・斜汀（豊春）と共に悠々から英語を習った。彼は、「奈何にして文壇の人となりし乎」で「桐生君は、僕の文学生涯には忘れることの出来ない人で、其所に行くまでは、文学が好きであつたが、唯、意味も分からず、パッとして居た。其時桐生君は法科の二年であつたが、始終シェークスピーヤだとか、トルストイなぞを説いて、僕はそれに依つて泰西の文学を知り、真面目に文学を研究し真面目な意味に文学を了解して来て、其所に三四月居る中に、何であつたか書き初めた。」と述べている。正式の高等教育で受ける語学や幅広い知識、特に文学面での古今東西の新旧知識が不足していた才二（霜川）にとっては、この時から、文学に真摯に向き合う姿勢が生まれたと言える。

明治30年の7月頃に、悠々の下宿を出て上野池之端七軒町の棟割りに移り、母や妹たちと暮らすようになる。だが、その頃には、亡父の遺産（保険金等）も尽きて、かなり生活は苦しくなっていたようだ。「奈何にして文壇の人となりし乎」で「何うしても書かねば食へないやうになつて、初めて書いたものが、『一つ岩』である。次に書きかけたのは、長いものであつたが止して、其中に『埋れ井戸』と云うものを書いて桐生君の紹介で春陽堂に売った。」と述べている。この頃から才二（霜川）の作家生活が、始まったものと思われる。以後、霜川と呼ぶ。

霜川についての履歴紹介で、よく「彼は当初医学へ進もうとしていたが途中で文学に転向した」との記述があるが、それは秋声の「思い出るまま」（明治9年8月）に依る処が多いと思われる。「氏は済生学舎にゐたことがあるので、其の頃の済生学舎は今の聖堂のあたりの処にあつて（略）三島氏にも済生学舎の友人があった。氏は父が医師であったところから、そこへ入つたものらしいが、自分では薬を盛るのがこわいから、医者は厭だと言つてゐた。（略）私が知つた時分には、済生学舎へは出てゐなかつた。」との記述からである。秋声が霜川を知った「私が知つた時分」とは明治28年か29年頃なので、霜川が上京する明治27年9月から28、29年までの間が、霜川が済生学舎に在学したことになるのだが、前述したように、霜川は、済生学舎で学んでいる様子はまったく見られない。秋声がこのように述べているのは、霜川の父が医者であり、医者の森田家（親類）との交際なども含めて、済生学舎に霜川が通っていたものと思い込んでいたのだろう。あるいは、うがった見方だが、中学校を出ていない霜川が、彼の周囲の涼葉、秋声、悠々などの正式の高等教育を受けた者たちへ、自分も同等の学識があるような思わせぶりな言動をしていたのかもしれない。霜川は親しくなった友人にも、自らの素性をはっきりと明すこともなく、曖昧なままの形で接している節がある。それと、後に彼の著作「解剖室」が好評になり、それ相当の医学的知識がある者としての世の人々の思い込みも加わったからであろう。

霜川の文壇登場のきっかけは、明治31年8月の『新小説』記載の「埋れ井戸」である。この作品は懸賞募集に応募して当選したことになっているが、実際は違う。このことに関しても佐々木浩氏は詳細に調べているので、それに基づいて述べる。

霜川が、当時、雑誌『新小説』の編輯者であった悠々の友人の石橋忍月に、悠々を通じて「埋れ井戸」の原稿を渡して、生活に困っているので、よい折りがあったら発表してくれと前々から頼んでいた。『新小説』創刊2年目に、懸賞小説の募集があり、この機会に「埋れ井戸」を忍月の紹介ということで懸賞小説に加え、1等が田村松魚、2等を「埋れ井戸」として霜川に稿料20円を払った。ちなみに、この時の選者は、石橋忍月と幸田露伴で、田村松魚は幸田露伴門下、霜川は紅葉門下で忍月の後ろ楯があった。言い換えれば、悠々の紹介と忍月の同情によって、「埋れ井戸」は、『新小説』に買い上げられたのである。その「埋れ井戸」発表の2カ月後ほどに、霜川は、尾崎紅葉に「ひとつ岩」を見てもらい、紅葉の口利きで『世界之日本』に売って貰った。これに関わって、霜川は佐久間秀雄を知り、彼の紹介で竹越三叉と知り合うようになり、この竹越の推薦で、彼の人民新聞社（東京新聞の改題）に入社することになる。明治31年の末頃で、これにより霜川の生活はひとまず安定した。

「ひとつ岩」は、翌32年の『世界之日本』の4月から5週連続で発表された。その前に、人民新聞社の社員になったことから、明治32年1月に、霜川の「除夜」「黄金窟」の2作が、人民新聞社の『日刊人民』に掲載された。また、紅葉門下ということで『世界之日本』に「長髪先生」（明治32年8月）「村の鍛治屋」（同年9月）も掲載され、紅葉の息がかかる『中外商業新報』にも、秋声の連載の後に、霜川の「ふた心」（明治32年8月）が掲載された。紅葉を後ろ楯にした硯友社の一員としての優遇が、『煙草倶楽部』での「女海賊」（明治32年10月）、翌33年の山陽新聞での「自由結婚」の掲載にも繋がる。このように霜川の文壇登場は、彼の煌めく才能によるものと言うより、交友関係が幸いしていることと、石橋忍月や尾崎紅葉の力添えという恩恵にあずかっている。当時は、現代の作家のように、才能によっての文壇デビューとは異なり、職業集団的な人脈によって作家が生まれ、生活協同組合のような形で互いに助け合いながら繋がっていた。

作家の処女作に、その作家の特質がよくあらわれると言われるが、このことは霜川の「埋れ井戸」においても当てはまる。「埋れ井戸」は、亡父の弟（叔父）に財産を奪われた少年が、幼なじみの少女とその祖父に励まされながら、自立していく過程を描いている。この作品での「亡父の弟に財産を奪われた少年」「主人公を孤児にする」。もしくは孤独で零落した人物にする」という設定は、霜川の後々の作品によく描かれた。例えば「亡父の弟に財産を奪われた少年」の設定は、「さすらい」（明治36年7月）、「飢饉」（明治36年3月）、「巣立」（明治

36年3月）「転変」（明治37年4月）、「残灰」（明治39年4月）などに見られ、「主人公を孤児にする。もしくは孤独で零落した人物にする」という設定は、明治32年の「ひとつ岩」や「おやじ」（明治39年11月）、「寒潮」（明治38年7月）などに見られる。それに「恋への憧れや華やかさ、夢想などがまったくない」という設定も加わって、これらが霜川の作品に繰り返して使われている。だが、そのことが、霜川の創作上の終生のテーマかと言うと、そうでもないようだ。佐々木浩氏は、［この霜川の手法は、森鷗外訳の「埋木」に起因していて、「埋木」の発想や筋立ての摂取、もしくは模倣からきている］と述べている。

そう言えば、霜川は、「奈何にして文壇の人となりし乎」で、上京直後「其時、最も頭に印象されて、僕の文学崇拝の念を益々深くしたものは、森鷗外氏の水沫集一巻、其中でも「埋木」と「うたかたの記」と、内田不知庵氏の「罪と罰」とである。無論「あひびき」も絶えず側に置いた。それ等の作物を耽読すると云ふよりは、寧ろ熟読したものである」と述べていて、霜川が上京して初めて知り得た文学の、その衝撃の強さが、彼の後々の作品に影響を与え、「埋木」を手本のようにして、その手法を模倣することから自らの創作を始めたとも考えられる。それに、北国の山村や漁村を背景にして孤独な人物を主人公にする作品も多く書いているが、この北国の風景を郷土・富山として捉えがちだが、むしろ、霜川が感動したロシア文学からの影響で、北国の風景をロシアの大地の印象を帯びさせて描いているように思うのは私だけだろうか…。

霜川の文壇への登場は、交友関係が幸いしたことと、忍月や紅葉の力添えという恩恵にあずかってのことだと前述した。確かに文壇への早い登場は幸運だったが、その早い登場ゆえに、後の創作活動が深まらなかったのではないだろうか。正規の高等教育を受けていなく、文学修業も十分にしないままに文壇に登場し、それに文学修業も継続的にできない状態で、生活のためにひたすら書き続けなければならなくなったのである。文学、創作への基本的な知識、姿勢、そして、その実力を身に付けていない状態での作家としての出発、それに生活のための売文が、彼の後の作品に、模倣からの発展に乏しい、「構成力のなさ」と、稿料稼ぎのためも含めた「重複した内容の繰り返し」として表れてきたのではないだろうか…。

〈霜川の人となり〉

交友関係と力強い後援者によって、霜川が文壇へ登場したと述べてきたが、それは彼の文学的な力量よりも、彼の人間性に惹き付けられた人たちの好意的な後押しによるものと言える。霜川の人となりを、彼と同居したこともあり、終生、親しく付き合った水守亀之助の「三島霜川を語る」(『高志人』昭和28年1月号から29年5月号までの10回連載)からみることにする。

水守が霜川宅を初めて訪れたのは明治39年の秋のことだった。当時、霜川は、木戸侯爵邸内の粗末な小屋まがいの家に住んでいた。霜川は不在だったが、彼と同居している19歳の三木露風に会っている。露風ばかりでなく、霜川の家にはいつも若い居候がいて、それも複数に及ぶこともあったという。霜川は、貧乏にも関わらず、居候を置くのが好きで、また、若い人と付き合うのも好きで、そのため霜川の家には、始終若い人たちが頻繁に出入りしていたようだ。それに、無類の話好きで、相手さえいれば何時までも語って倦むことがなく、酒は飲めなかったが、茶と煙草があれば夜通しでも話していたという。若い人たちの面倒みもよく、親分肌だが、寂しがり屋で、若い人たちの前で〈お山の大将〉の如くに愉快げに話すのが何よりも好きだったようだ。

さて、水守が、霜川に初めて会ったのは翌40年の春、秋声宅の玄関脇の書生部屋だった。その頃には、霜川は「解剖室」の発表が好評で、その後に発表した「虚無」が不評だったとはいえ、文壇で認められている作家であるのに次のような状態だった。「霜川の異様な風采には眼を瞠つた。文字通りの蓬頭垢面《ほうとうこうめん》である。いつ床屋へ行ったのか、いつ銭湯へ行ったのか、しかし垢と脂と油煙とで、煮しめくすぶつたやうな風貌には自らなる風格が出来あがつてゐるかのやうに感じさせる。眼はギョロリとして手のそれのように大きく、長い手の指の背には毛がのび、指先はタバコのヤニで染まり爪には、垢がたまつてゐる。〜偉丈夫といひたい体格でもあるのだが、汚れきつてゐることはたしかである。着物も銘仙らしいがくたびれ傷みきつてゐる。〜声は錆のあるバスで、話しぶりは表情たつぷりである。なかなか面白い。時々笑ひあげるが歯はタバコでスッカリ黒黄色に変わっている。」と。凄まじい状態の霜川だが、このような様子を、水守は貧乏からではなく、霜川の生来の「無精で物ぐさ」からだと言っている。また、ノートには書く予定の作品の題名がズラリと書いてあり、その梗概を人には得々として話すのだが、一向に書き出さないのも、この「無精で物ぐさ」によるものだと言い、そのため、極度の遅筆で、頭の中であれこれと考えているのが楽しい夢想家タイプとも言っている。

また、「萬事がゼイタクな方でタバコと茶はいつも飛びきり上等のもの、その代り玉露にしても少ししか買えない。～タバコはロシア、ドイツ、エジプトなどの西洋のものを奢み、どんな工面をしても買つたものだ。とりわけ柿や栗などが好物だつた。酒が飲めないことは幸ひだつたらう。」とも言っている。水守の言うように確かに「無精で物ぐさ」であるが、更に「だらしなさ」も加わるだろう。ただし、その「無精で物ぐさ」そして、だらしない様子は、生来の気質というより、多分に幼児性が残っていたからではないだろうか。生まれ育った環境からくる幼い頃の心情が大人になってもまだ強く残っていたように思われる。村の医者の一人息子として大切に育てられて、身の回りは家人によって世話をされ、甘やかされて育てられたために、自律心が育たず、周囲への依存性が強い、言わば「お坊ちゃん育ち」のタイプではなかったろうか…。誰かに世話を焼いてもらわなかったら身だしなみを整えることも、風呂一つ、自分で入ることもせず、その上、幼い頃の嗜好品にいつまでも執着し、子どもの頃の友達付き合いの感覚を棄てきれず、若い人との交際を好んだのではないだろうか…。「お坊ちゃん育ち」の人間は、お山の大将のように、常に周囲から注目を集めていたいところがあるが、概して、人が良く（気が良く）、愛嬌があり、憎めないところがあるもので、霜川もそのような人物だったように思える。

彼の異様な蓬頭垢面《ほうとうこうめん》などは、無精・物ぐさ・だらしなさなどであろうが、あるいは、その状態に開き直った、奇を衒った霜川なりの作家としてのポーズだったのかもしれない。いずれにしろ、子どもじみた心情である。若い人たちから見れば、霜川は、話し好きで、若い自分たちを誰彼と区別することなく受け容れ、退屈させず、愉快そうに面白く話す、人のよい年上の愛すべき奇人のような先輩で、興味と親近感を抱いたものと思われる。霜川自身も、若い人たちといるのが、一番、落ち着いて安心を得れ、屈託なく自分の様々な作品の構想を楽しく話すことができたのだろう。更に、彼より年長者から見ると、霜川の幼児性は風変わりとはいえ、愛嬌があり、親しく年長者に接してくるので、霜川に好感を抱き、彼のための労をいとわなくなるのだろう。それが霜川の文壇登場への道を開いたのではないだろうか…。

〈文壇に登場した頃の作品〉

文壇に登場した後の彼の作品を、野村剛氏の「三島霜川の足跡―北陸との関連を念頭に」、『三島霜川選集・中』（三島霜川選集編集委員会・昭和54年）の〈三島霜川年譜〉、佐々木浩氏『三島霜川論』に基づいてみてみる。霜川は「埋れ井戸」（明治31年8月）で文壇登場のきっかけをなし、明治31年の末頃に人民新聞社（東京新聞の改題）に入社して霜川の生活はひとまず安定した。この人民新聞社を足掛かりとして霜川は発表を始める。明治32年1月に2作目で初めての新聞掲載小説「除夜」を『日刊人民』に発表したが、1回限りの短編で未熟な内容だった。続いて同紙に最初の新聞連載小説「黄金窟」を発表したが、43回で中断。4月に紅葉の口利きで『世界之日本』に「ひとつ岩」を、8月にも同誌に「長髪先生」を発表するが中断。9月に「村の鍛冶屋」を発表する。これは、富山の倶利伽羅を小説舞台としているが、前作「ひとつ岩」や「埋れ井戸」と共通の処があり、従来のものより発展したものとは言えない。また、8月には『中外商業新報』（硯友社系）に連載小説「ふた心」を発表し、これは22回で完結。10月に『煙草倶楽部』に「女海賊」を発表する。「埋れ井戸」発表以来、取り分けて秀でた作品はないが、ともかく「村の鍛冶屋」と「ふた心」で文壇への足掛かりを固めたと言える。

明治33年に富士新聞社に移り、その年の暮れに、佐久間秀雄の再度の推薦で民聲新聞社へ入社する。当時の民聲新聞社『民聲新報』の編集長は、国木田独歩だった。霜川の仕事ぶりは、独歩から「物臭太郎先生」と呼ばれるほど、3日来社すると必ず欠勤するとの無精な勤務態度で、その上に遅筆で、仕事熱心な編集長である独歩は、表面的には霜川に柔和的に接していたが、霜川をひどく持てあましていたようだ。霜川は、同僚の心を推し量ることも、仕事場の空気を読むことも不得手で、その上、仕事に不熱心で、自分の興味あることばかりを追っていたらしい。それにもかかわらず、周囲から露骨に非難されなかったのは、彼の物ぐさ、無精、不潔以上に、彼の人間性の何処かしらに愛すべき処があったからなのだろう。

さて、明治33年の霜川の発表をみると、前年とほぼ同じ発表量で、雑誌発表3編（「寺男」「ひとつ屋」「夕汐」）、新聞連載2編（「自由結婚」「女海賊」）である。「寺男」は『新小説』5年目の記念の臨時増刊号の懸賞小説に応募したもので、番外10編の内の第8位になっている。「ひとつ屋」は前年の「村の鍛冶屋」の焼き直し、「夕汐」は結末に前年の「除夜」の一部分を取り入れている。また、「自由結婚」「女海賊」は「紅葉閲」の署名で、「自由結婚」は本人同志が約束を交わした結婚という問題を提示したもので、筋の展開も複雑で結末でよくまとめている。ただし、「女海賊」は筋が広がり過ぎて中断。作品の、出来、不出来の差が大きく、これらの作品の成熟段階は、文壇に登場しているとはいえ、文壇登場前の創作修業期間段階のものに相当するだろう。

明治34年に入り、2月に「ほむら」が『大阪毎日』の懸賞小説の3位。4月から6月に『民聲新報』に「長髪」を連載したが中断。5月に秋声と同居、妹たちとも同居したが7月に解消、その月に「笹ぶえ」を発表、構成は未熟。9月に「はんけち」を、構成は前年よりもまとまっていて筋の展開にも工夫があり、進歩のあとがみえるが、同月発表の「星」は、前年の「ひとつ屋」（「村の鍛冶屋」の焼き直し）の書き直し。「振分髪」も書いたらしいが、これは不明。前年よりは創作面で進展したようだが、依然として、中断、書き直し・焼き直しで、文壇に登場しているとはいえ、まだ一人前とは言えず、明治34年頃までは、懸賞小説に応募する程度の実力だったと言える。

このように作品の中断、書き直し・焼き直しが目立つにもかかわらず、霜川が文壇に留まり、作品の発表を続けられたのは、一つは、文学（文芸）そのものが当時、軽くみられていて、小説などは、雑誌・新聞での暇つぶし程度の読みもので、また、作家も少なく、作家が書く作品はどのような状態でもさほど問題にされなかったことと、更に一つは、霜川は、限られた雑誌、新聞（硯友社系の雑誌・新聞や、勤務した新聞社に繋がりが強い雑誌・新聞）にしか作品を発表していない点にある。つまり、霜川の作品が新聞、雑誌等に掲載されていたのは、当時の読み物への軽視と、彼の交友、勤めなどの人脈関係によるもので、彼の作品評価の優秀さからのものではないと言えよう。

〈展開期の作品〉

明治35年になって、ようやく霜川に作家としての自覚が芽生えてきたように思える。前年より発表作品数が増え、主なものとしては「曙光」（1月）「聖書婦人」（3月）「その子」（4月）「舊友」（6月）「その涙」（6月）「月島丸の行方」（9月）「ふりわけ髪」（9月）「浪のあと」（10月）「蝶のゆくへ」（10月）「ならずもの」（11月）を発表し、秋声との合著「自由結婚」を8月に駿々堂から出版している。特に「聖書婦人」は、妻帯者の牧師と信徒の娘との恋愛を扱ったもので、信仰と許されぬ愛の進展を描き、これまでの失恋の主人公の話とは異なる新鮮さを感じさせる。また、「舊友」では、人はいかに生きるべきかの人生問題に正面から取り組もうとする姿勢も感じられ、明治35年は霜川にとって発展の一つの契機になった年のように思える。

このことは、創作を続けてきた成果が表れてきたこともあるだろうが、佐々木浩氏も指摘されておられるが、出版業界の大きな変化と、霜川の作品発表舞台が前年までと異なってきたことにも要因の一つがあると思われる。この年に発表した9編の小説のうち、7編が金港堂関係のものである。金港堂は元々教科書販売を中心とする出版社だったが、豊かな資力で、当時出版界で威勢を誇っていた博文館をしのいで、雑誌界を制覇しようとの意気込みがあり、当時の代表的文芸誌『文藝倶楽部』（博文館）、『新小説』（春陽堂）に対抗して、明治35年3月に『文藝界』を創刊し、これに加えて『教育界』『少年界』『少女界』『軍事界』を金港堂の五大雑誌として創刊した。更に「婦人界」「青年界」「実業界」「宗教界」「医学界」などを創刊する企画をも立てて意気揚々だった。霜川は、明治35年から、この金港堂と深い関わりを持ち、この関わりから金港堂の『少年界』『少女界』などに、新たに少年少女物を書くようになった。

昭和女子大学『近代文学研究叢書第三十六巻』所収の「著作年表」によると、霜川が小説を発表している雑誌で金港堂関係のものは、明治35年発表数〔9〕の内の〔7〕、明治36年発表数〔16〕の内の〔6〕で他に〔5〕が『新聲』、明治37年発表数〔7〕の内の〔5〕で他に〔2〕が『新聲』、明治38年発表数〔7〕の内の〔3〕で他に〔2〕が『新聲』、明治39年発表〔12〕の内の〔3〕で他に〔2〕が『新聲』である。『新聲』での発表数を敢えて書いたのは、明治36、37年に霜川は『新聲』に「新社員」として紹介されているからである。

このように霜川が小説を発表した雑誌では、金港堂関係の雑誌の占める割合が多くて、次に『新聲』が多い。金港堂関係のものや『新聲』は、霜川自らが新たに開拓した、あるいは、新たに雑誌社が霜川に依頼してきたものではない。霜川の交友関係や勤めなどで彼と深い繋がりのある身近な雑誌である。このことは少年少女物では顕著で、少年少女物を発表している雑誌で金港堂関係のものは、明治36年発表数〔6〕の内の〔5〕、明治37年発表数〔5〕の内の〔4〕、明治38年発表数〔12〕の内の〔12〕、明治39年発表〔10〕の内の〔10〕で、金港堂関係のものが圧倒的に多く、小説の発表を合わせると金港堂関係のものが極めて多い。まるで、江戸の芝居小屋の座付き作家のように、霜川は、金港堂、もしくは『新聲』の専属作家のような感である。

少年少女物は、明治35年から39年にかけてしだいに発表が多くなり、小説は、38、39年頃は月に一作ほどの発表であるが、この状態では小説に集中しなくても少年少女物だけでもそれ相応の原稿料が入ってきていたであろう。だが、金港堂の『少年界』『少女界』の消滅などがあり、少年少女物は、明治40年あたりから減り始め、それにかわるように、小説の発表は、明治40年〔20〕、41年〔19〕、42年〔14〕と増えたものの、42年の後半あたりから減り始め、大正3年以後には少年少女物と小説の発表がなくなる。ただし、少年少女物は、大正13年に野口雨情の紹介で「金の船」（後の「金の星」）社との関わりが生じて、昭和3年まで再び少年少女物を書くようになる。そして、小説や少年少女物が減り始める明治42年あたりから、新たに『演芸画報』による劇評を書き始め、小説や少年少女物を書かなくなった期間を通して書き続けた。一時は書かない期間もあったが、再度の少年少女物を書き出して止めた昭和3年以降は死ぬまで劇評を書いている。

霜川は、明治31年8月の『新小説』記載の「埋れ井戸」て小説家でデビューし、大正3年まで小説を書いている。ただし、明治35年から大正2年までは少年少女物も書いている。この少年少女物を小説の片手間に書いたものと捉える者も多いが、その見方はおかしい。それ相応の原稿料を稼げる少年少女物に力を入れていた時期があり、少年少女物の発表の場が少なくなると、小説に力を入れた時期もある。小説も少年少女物も、霜川には原稿料を稼ぐという点では同等で、明治35年から大正2年までは、彼にとって小説と少年少女物が並存していた時期と捉えた方が妥当である。そして、小説と少年少女物を書かなくなると劇評を書き、再び少年少女物を書きだし、それを止めては、また劇評を死ぬまで書くのである。この少年少女物とて、前期の金港堂関係のものは「寓話的・冒険譚」で、後期の金の星社関係のものは「史伝、伝記、あるいは歌舞伎狂言の子ども向けに翻案したもの」なので、後期のものなどは、極めて小説的なものである。ともかく、彼は、文壇にデビューして以来、死ぬまで一貫して書き続けている。そんな霜川に対して、彼のデビューが小説なので、小説家としての霜川ばかりに焦点をしぼり、小説を書かなくなった時点を問題視し、それ以後のものを軽視しがちにする「小説第一主義」は偏った見方であろう。端的に言うと、霜川は「もの書き」なのである。彼は「もの書き」として生計を立てている意識はあったろうが、この「もの書き」の「もの」に小説だけを特別の重みとして捉えていたか、どうかは分からない。それを問題にしているのは、「小説第一主義」をとる彼の周囲及び後の世の文学関係者なのである。

〈発展・最盛期と退潮の作品〉

明治35年の4月末に霜川は秋声と小石川表町の借家で同居する。この時、手伝いの婆さんとして雇った小沢さちと、その娘・はまとの間に問題が生じ、霜川と秋声の間はこじれ、7

月頃に霜川が転居する。この間の経緯は秋声の『黴』（明治44年）から窺《うかが》い知ることができる。霜川と秋声は、この後、交友が薄れたが、明治37年頃に再び近づきだし、明治38年の8月前後に親しく付き合いだす。この38年頃には、霜川は、馬込の木戸侯爵染井別邸の屋敷地の小さな家屋に住み始め、明治39年の9月には、雑誌『新聲』の花見会で親しくなった三木露風を書生として同居させている。11月頃には木戸別邸内の家を三木露風に任せて、自らは秋声宅の玄関脇の三畳の書生部屋に移る。この書生部屋で、明治40年3月に滝田樗蔭の推挙を得て『中央公論』に「解剖室」を発表する。「解剖室」は好評で、文名を大いに揚げて馬込の新築の借家に移る。その後、再び滝田樗蔭の依頼で意気込んで「虚無」を発表するが、これは不評で文壇で厳しい評価を受けることになる。

次にこの期間までの霜川の作品を再び佐々木浩氏の指摘に基づいてみてみる。明治35年になって、ようやく霜川に作家（もの書き）としての自覚が芽生えてきたようだが、小説家としての自覚は曖昧なようだった。明治36年に入って、3月に「飢饉」と「春寒」を発表するが、「春寒」は、前年の「その子」の一部をそっくり取り入れている。「飢饉」は、前述したが、「埋れ井戸」の「亡父の弟に実権を奪われた少年像」の設定と同じで、「巣立」（明治36年6月）「転変」（明治37年4月）、「残灰」（明治38年2月）「さすらい」（明治36年7月）などども同様の設定である。それに「主人公を孤児にする、もしくは孤独で零落した人物にする」という設定も、明治32年の「ひとつ岩」や「おやじ」（明治39年11月）、「寒潮」（明治38年7

月）などにも見られる。処女作以来の同じような題材や形式の作品でなく、もっと新たな構想のもとで作品を描けなかったものだろうか…。素材や設定の面ばかりでなく、旧稿の題名を変えたり、書き直したり、同じ題材を繰り返し、付加したりして、他の雑誌へ再掲することも極めて多い。「沈鐘」（明治36年5月）は「寺男」（明治33年1月）の改変されたもので、「婆さん」（明治36年5月）も「志ッかり者」（明治41年6月）と題名を変えて再掲され、「暮鐘」（明治36年7月）は全文そのまま「鐘の音」（明治42年2月）に再掲され、「ならずもの」（明治35年11月）も「川霧」（明治40年10月）として転載され、「厩の前」（明治36年11月）は全て同文のまま「厩の馬」（明治40年5月）として再掲され、「跳る血潮」（明治36年12月〜翌年2月）も「しぐれの夜」（明治39年1月）に題名を変えて再掲されている。更に「水の郷」（明治37年6月）も「水郷」（明治40年7月）として再掲され、「寒潮」（明治38年7月）も「おやじ」（明治39年11月）として再掲され、「霊泉」（明治38年12月）は「笹ぶえ」（明治34年7月）」の再掲されたもので、「焚火のあと」（明治39年7月）は、そのまま「叫喚」（明治42年6月）として再掲されている。まだあるのかもしれないが、これらは顕著なもので、小説中の各部分の転載になると更に多くなるだろう。これらのことは稿料稼ぎのためと思われる。真摯に小説を深めて書こうとする意識よりも、「もの書き」職人として稿料を稼ごうとする霜川の顔が覗いている。明治35年頃から42、43年頃までは、前述したように少年少女物も多く書き、それに、感想・随筆なども多く書いている。感想・随筆の発表数は、41年〔10〕、

42年〔20〕、43年〔14〕で、それなりの稿料が入り、小説一本に絞って研鑽に励もうとの意識、小説を第1にしている意識が、さほど強くはなかったことがわかる。現代の作家（小説家）の意識よりも、売文を生業《なりわい》とする職人としての「もの書き」意識が強かったからだろう。これは霜川ばかりでなく、当時の文壇の作家の多くに見られることである。

しかし、このような旧稿の再掲や書き直し、同じ題材の繰り返しや付加を続ける中でも、霜川は、時として新境地の小説を書いている。前述した「聖書婦人」（明治35年）もそうだが、俗世間を信念を持って生き抜くことや、自然の中で生きることの幸せを考察した長編「山霊」（明治36年）や、当時、文壇の新星と言われた短編集『スケッチ』（明治37年）などにそれがあらわれている。また、従来の女性不信の題材から家庭・結婚問題まで深めた「牢獄」（明治38年）や、題材を精神病まで広めた「暗影」（明治39年）などもあり、休火山が時たま噴火するように、稿料稼ぎの作品の中に新境地の小説が生み出されている。霜川は、稿料稼ぎの「もの書き」職人の顔ばかりでなく、胸底に、地下のマグマのような「真摯に創作に挑む作家の心」も持っていたのだろう。それが「解剖室」（明治40年3月）を生み出したとも言える。勤勉な解剖学教授は、林檎売りの少女を見てから少女への想いが募り、毎日その少女から林檎を一個買っていたが、ある日以来、少女の姿が消え、間もなく学校の解剖実習で、解剖用屍体にその少女を見出して驚きのあまり、その場から立ち去るという話で、「解剖室」は二葉亭四迷の賞賛もあり、浪漫主義的作品として大好評であった。この作品によって霜川の文名は揚がり、発表作品も増えたが、その年の5月発表の「厩の馬」は「厩の前」（明治36年）の再掲、「川霧」（明治40年10月）は「ならずもの」（明治35年11月）の転載、「水郷」（明治40年7月）は「水の郷」（明治37年6月）の再掲で、更に、7月の「怖れ」と10月の「暗流」「さゞれ波」には「暗影」（明治39年7月）の一部が流れ来ており、11月の「幻想」は7月の「怖れ」をそのまま転載し、12月の「孤独」は「牢獄」（明治38年9月）の後半がそのまま取り入れられていて、「解剖室」の好評から心機一転しての精進の跡は見られない。好評に気を好くしながら、従来と変わらぬ創作姿勢である。そして、再度、「解剖室」と同じ好評を狙い、力を注いで「虚無」（明治40年12月）を発表したが、柳の下にいつも泥鰌はいなく、酷く不評だった。人妻である主人公が男たちに輪姦され、離縁後に上京して様々な体験を重ねて帰郷し、元夫や雇い人に再会し、その者たちと生きることの意義を長々と語るという話で、理屈が多すぎて観念的だとして批難された。数カ月前に発表した「解剖室」が大好評だっただけに、「虚無」の不評はショックだったに違いない。だが、だからといって「虚無」の失敗と悪評で、霜川が小説を書くことを断念したと結論づけるのは早計だろう。

「虚無」の失敗と悪評が原因で小説を断念し、劇評へ転向したというのは、「〜力作「虚無」は、生硬な観念的拙作と痛評され、この打撃により霜川は創作意欲を失い、生来の遅筆寡作も手伝い、急速に落ち目になった。その後も作は多く、感想批評など文筆活動は続けたが見るべきものはない。」（『現代文学大事典』昭和40年・明治書院）とある、この説が通説となっているようだ。だが、「打撃により霜川は創作意欲を失い」と述べながら、「その後も作は多く」と述べている。創作意識を失った者が、その後も多作だと言っていることに矛盾を感じないのだろうか。それに霜川の創作意識自体が、前述してきたように、小説一本に絞って研鑽を続けてきたのではなく、稿料稼ぎの「もの書き」職人の〈したたかさ〉をも持ち合わせているので、いかに力作といえ、小説一篇の失敗で創作意識を失うという大きな精神的打撃を受けるだろうか。昭和女子大学『近代文学研究叢書第三十六巻』所収の霜川の「著作年表」によると、明治40年12月の「虚無」失敗以後の小説発表は、明治41年〔19〕、42年〔14〕、43年〔3〕、44年〔5〕、45年〔4〕で大正元年から3年まで1編と続き、少年少女物は、明治41年〔8〕、42年〔2〕、43年〔1〕、44年〔2〕、大正2年まで1編と続いており、感想・随筆では、明治41年〔10〕、42年〔20〕、43年〔14〕、44年〔15〕、45年〔5〕と続いている。それに、明治42年から新たに劇評も書き出している。その劇評も加えての年間の発表総数にしても明治41年〔48〕、42年〔43〕、43年〔25〕、44年〔32〕、45年〔14〕で大正元年〔8〕、2年〔14〕、3年〔7〕であり、この状態が、小説1篇の失敗で失意のあまり創作意欲を失った者の状態であろうか…。明治41年以降も数年間、このように発表が続いているので「虚無」発表以後「急速に落ち目になった」というのも納得できない。また、「文筆活動は続けたが見るべきものはない」とあるが、捨て子の境遇から世を拗ねて酒に溺れる男と、その世話を見る男との惨めな生を描いた「ドブ」（明治41年）や、両親を亡くし、上京するが、行く先々で災難に遭い、結婚したものの失意の内に帰郷したが、子は病死し、勤めは解雇され、妻には離別されて無惨に打ちのめされた男の姿を描いた130枚の長編「落伍者」(明治43年)などもあり、精神病への関心、下積みの人生や悲惨な家庭と人生を当時の自然主義的な文芸の風潮に模して描いている。確かに41年以降にも、旧稿の再掲や書き直し、同じ題材の繰り返しなどはあるが、前述したように、その流れの中にも、自然主義的な文芸の風潮に模した新たな題材への試みもしており、決して小説の創作意欲が衰えてきているわけではない。むしろ、「虚無」の失敗以後も、それによる創作面での意識の進展、衰退の跡がさほどないまま、以前と変わらぬ「もの書き」職人の顔と「時流に乗った小説で再度の成功を狙う」作家の顔を覗かせている。ただし、「解剖室」が大好評で文壇での期待が大きかった分、それ以後の期待にそぐわない小説に対しての評価は厳しく、冗長、散漫、窮屈などの酷評が続くことになる。だが、それを気にかけず霜川は発表し続けており、このような状況から考えて、霜川が小説を発表をしなくなったのは、彼自身の意識的な面からではなく、他に別の事情があったからではないだろうか…。

〈新たな創作活動〉

明治40年の「解剖室」の好評の後に、霜川は結婚を思い立ったが、破談に終わった。野村剛氏の「三島霜川の足跡」によると、この年1月に『演芸画報』が創刊され、創立者の中田辰三郎のつてで霜川が同誌に寄稿したことにより、霜川と『演芸画報』との関わりが終生続くことになったという。明治44年、霜川が36歳の時に松本チカと結婚し、後に4人の子（1男3女）に恵まれる。明治43年頃から劇評に重点をおいて発表し、これが終生続く。大正13年頃から昭和3年頃までは、明治40年頃に交友が始まった野口雨情の紹介で「金の星」にも少年少女向け読物を発表して、昭和9年に東京中野区西町の自宅で癌により死去した。享年59であった。

明治31年に「埋れ井戸」で文壇に登場した霜川は、当初、田園的で詩情豊かな浪漫的作風であったが、明治37年の日露戦争時に、「霊火」「島の大尉」「朝鮮鷲」（いずれも明治37年）などの戦争物を発表するようになって以降、明治40年には最盛期を迎えながら、小説に観念的言辞が次第に増えて、登場人物に「疲労・虚脱・倦怠・無気力・徒労」感を宿す人物（虚無的・敗北的傾向）が多く見られるようになった。この間、明治35年頃から少年少女物も書きだし、明治末までは小説と少年少女物の二本立てで発表していたが、明治43年以降は、小説は読み物風になって次第に文芸性が薄らぎ、大正3年頃まで続いたが、明治43年頃に小説が激減し、劇評へと関心が移っていった。

前述したが、霜川の作品の発表には一つの特徴があった。小説発表の場を広げることなく、特定の懇意の雑誌に偏って発表していることである。前掲したが、小説の場合、金港堂関係のものは、明治35年発表数〔9〕の内の〔7〕、明治36年発表数〔16〕の内の〔6〕で他に〔5〕が『新聲』、明治37年発表数〔7〕の内の〔5〕で他に〔2〕が『新聲』、明治38年発表数〔7〕の内の〔3〕で他に〔2〕が『新聲』、明治39年発表〔12〕の内の〔3〕で他に〔2〕が『新聲』である。少年少女物はほとんどが金港堂関係のものである。この傾向は、霜川の〈無精か、怠け性か、遅筆苦吟主義のせい〉なのかは分からないが、このように金港堂関係と新聲社関係のものに偏っていた。

その金港堂での小説の主な発表雑誌の『文藝界』は明治39年12月に廃刊になり、『新聲』は37年に一時休刊し、新聲社を譲渡されて『新潮』が創刊し、翌38年2月に『新聲』が発行所を変えて復刊したが、明治43年3月に廃刊になる。霜川の小説発表は、明治40年41年〔19〕、42年〔14〕と変わらず多いが、発表している雑誌は、『中央公論』『趣味』『新小説』『文藝倶楽部』『文章世界』などの文壇での一流誌には、それぞれ1〜2作品ほどで、『新聲』『新潮』でも明治40年〔3〕、41年〔6〕、42年〔2〕で、それを補って42年には『新文林』〔5〕で、翌年43年3月までに更に〔2〕の発表が続く。このように40年の「解剖室」の好評で一時は持て囃《はや》されたとはいえ、40年以降、文壇の一流誌での発表は少なくなり、『新聲』『新潮』と『新文林』への発表に偏り、他の発表は『新文林』も含め、文壇の一流誌ではない。霜川の小説の発表数は多くて変わらぬように見えるが、格落ちの雑誌での発表が多くなっている。このことでも、当時の文壇での霜川の位置が推測できるだろう。その中でも目立つのが、霜川と親交のあった水野葉舟が編集担当していた新興雑誌『新文林』で、この水野葉舟のつてで霜川は嘗ての『文藝界』のごとくに42年は『新文林』に依存している。この『新文林』も明治43年3月には廃刊になる。稿料収入の最も拠り所としていた『文藝界』、そして後に『新聲』『新文林』も廃刊になり、霜川は、稿料収入を頼れる雑誌社がなくなった。一流誌では、当時の自然主義的な文芸の風潮に完全に乗りきれていない彼の作品を取り上げてはくれないし、稿料収入と言えば新興の群小文芸誌での不定期な稿料に頼るだけである。まして、明治44年には結婚し、翌年に長女が生まれる。更に2年後には次女、次の年に三女と家庭的にも安定した稿料収入を得たい時期である。小説は鳴かず飛ばずだが、明治42年から書きだした劇評は好評で原稿依頼も増えてきている。小説だけでの稿料では生活費の足しにならなく、そんなところから、小説よりも、劇評からの稿料へと関心が傾き、劇評へと移っていったのではないだろうか。

前述したが、霜川には、稿料稼ぎの「もの書き」職人の顔と「時流に乗った小説で成功を狙う」作家の顔がある。依存していた大本《おおもと》の雑誌からの収入を得れなくなったので、彼は、追い詰められて、稿料稼ぎの「もの書き」職人の顔が露わになり、劇評を書き出したが、従来の性向の如く〈無精、怠け性、遅筆苦吟主義〉のせいで、そのまま好評と稿料の得れる劇評の場で胡座をかいたのではなかろうか…。小説を続けようと思えば、まだ『新潮』での発表の場があったはずだ。佐々木浩氏は〔この年（43年）以降の霜川が『演芸画報』に力点を移した背景には、この二誌（『新聲』『新文林』）の廃刊が大きな意味を有して存在したのではなかったろうか。文壇の転換もさることながら、原稿料の出所が確実に存在したならば霜川もたとえ凡作にせよ書き続けたとものと考えるのである」と述べているが、もっともな示唆である。霜川にとって、小説とは、「もの書き」の「もの」の一つであり、小説が書くことが全てではなかったのだろう。小説発表は、その後も細々と続くが、明治44年〔5〕、45年〔4〕、大正元年〔1〕、2年〔1〕、3年〔1〕と激減し、大正4年以降はまったく執筆しなくなる。44年以降の小説の内容は、以前の観念性はなくなってきたとはいえ、さほど進展がなく、時代の推移で霜川の作品は、その評価の対象から外された感がある。

霜川は、明治42年に『演芸画報』4月号に「廓文章」を、おもに「歌之助」名で大正5年まで連載し、二十一舞台を取り上げた。翌43年には、同誌に「近世名優伝」を連載し、劇評が増え続け、大正2年からは同誌に「椋右衛門」名で「大正役者芸風記」を連載し、12月には『芝居見たまゝ』を刊行した。翌3年5月から演芸画報社の社員になり、『演芸画報』の編集を取り仕切るようになると、社員としての安定した収入を得れるようになったためか、劇評の発表も減っている。大正10年に演芸画報社を退社するが、野口雨情の紹介で金の船（後に金の星）社と関わりを持つようになり、『金の船』に少年少女用読み物を発表するようになる。だが、再び大正13年に演芸画報社に復帰すると、劇評を継続的に発表し、少年少女用読み物も『金の星』に昭和3年まで継続的に発表する。なお、大正9年から12年頃まで、少年少女物、劇評、感想・随筆など、一切発表していない時期があるが、この時期は「石井漠の浅草のオペラ上演の脚本などの仕事をしていた可能性がある」と野村剛氏は述べているが、今後の課題である。いずれにしろ、霜川は終生、何かを書き続けていた。「もの書き」として生涯を貫いたのは確かだった。

本来ならば、この後に明治43年以降の小説の特徴や、彼の劇評や少年少女物の特徴、及び、少年少女物の前期・後期の違いなどから霜川の思惑まで述べるべきなのだが、本稿では三島霜川が小説から劇評へ移るまでのことを述べるにとどめる。この稿を書くにあたり、佐々木浩氏の「三島霜川論」から多くの示唆を受け、改めて佐々木浩氏の功績に敬意と謝意を表す。

〈参考〉

『三島霜川選集』(上)(中)(下)
『三島霜川論』『続三島霜川論』佐々木浩
「三島霜川の素描」稗田菫平
「三島霜川を語る」水守亀之助
「三島霜川とその生涯」松田富雄
「三島霜川の足跡―北陸との関連を念頭に」野村剛

〔野村尚吾〕

野村尚吾　明治45年1月2日～昭和50年5月15日
小説家。富山市出身。早稲田大学英文科卒。本名は野村利尚。在学中から『早稲田文科』などを創刊し、『早稲田文学』の編集に従事。後に毎日新聞社出版編集部に勤務。昭和17年「旅情の華」、25年「遠き岬」、35年「花やあらむ」が芥川賞候補。23年「白い面皮」が横光賞候補、37年「乱世詩人伝」が直木賞候補、40年「戦雲の座」で小説新潮賞、47年「伝記谷崎潤一郎」で毎日出版文化賞。

〈はじめに〉

明治45年にイタチ川沿いに富山市ゆかりの代表的な作家が2人生まれた。その2人は、イタチ川の同じ川風に吹かれながらも、まったく異なった創作の道を歩んだ。1人は1月2日生まれの野村尚吾で、更に1人は4月19日生まれの源氏鶏太である。ただし、同じ45年生まれながら、野村尚吾は、源氏鶏太より学年が1級上である。

〈少年時代〉

野村尚吾は、父・新堂幸次郎と母・キヌの5男として、富山市立町（現・白銀町）12番地で生まれた。本名は利尚。父・幸次郎は、富山藩士の野村家から新堂家へ養子に入った関係から、利尚は、富山市越前町出身で建築請負業を営んでいた叔父・野村貞則の養嗣子となった。

後に作家になったとはいえ、野村は、少年時代、さほど本に興味がなかったらしい。幼い頃は、兄が持っていた「立川文庫」20冊ほどを読んだ程度で、県立神通中学（現・富山中部高校）に入っても、教師の指導に従って教科書に載っている作家や、教師の勧める作家の作品を図書館で読んでいた程度であり、すすんで文学に興味を抱いたとか、将来、作家になろうとかの気持ちはなかったという。成人して作家になった者は、年少期から読書や文章を書くことが好きで、早熟でいち早く文学に情熱を傾けがちだが、野村にはそのような傾向はなかったようだ。ただし、中学2年の時に文学好きの教師に出会い、その教師の指導で、明治、大正の作家の本を多く読み、特に徳田秋声や正宗白鳥の作品を読み耽ったという。

神通中学3年の時、家の都合で上京し、成城中学4年に編入し、同校にて4年を修了し、第一早稲田高等学院に入学する。ちなみに第一早稲田高等学院は、中学4年修了者対象で文科と理科の3年制で、第二高等学院は、中学校卒業者対象で文科のみの2年制であった。野村は昭和6年に第一早稲田高等学院を卒業する。大方の卒業生はそのまま早稲田大学に進学するのだが、野村は1年遅れの昭和7年に20歳で早稲田大学英文科に入学した。卒業を控えた前年の昭和5年、彼が18歳の時に野村史香と結婚しているので、当初は、野村家の養嗣子ということもあり、卒業後、自らの学業への望みを断念して、実社会に出るつもりだったのかもしれない。だが、この間に、かえって文学への興味が募ったらしく、随筆「わが文学の故郷―生れ在所」(『早稲田文学』昭和18年4月)によると、「家の都合で、大学へはいる前に廃学し、翌年また復活したが、その間に僕の文学愛好心が一層強くなった。友人たちから一人残された感じが、僕をかりたて、皮肉にも前後に見られぬほど読書もしたり、愛着心が強くなった。」と述べている。

〈文学への目ざめ、『早稲田文科』時代〉

大学に入り、文学への愛好の高まりから、昭和8年10月に創刊した同人誌『早稲田文科』に加入し、その同人誌仲間からの感化で自らも小説を書くようになり、文学に目覚めたという。その際、彼が小説を書くのに意識して学び取ろうとしたのが、宇野浩二や川端康成などの作品で、自分は、関東よりも関西出身の作家たちの作品に親近感を覚えていたと述べている。
『早稲田文科』は、野村と英文科同期の池上子郎（宮内寒彌）、市川為雄、大内義一、寺尾博（寺岡峰夫）、森田素夫、大瀧信一によって創刊され、野村は、創刊後まもなく加入し、後に佐々三雄、石川利光も参加した。『早稲田文科』の一周年記念号には、編輯兼発行人・東京都牛込区市谷富久町一一三番地・野村利尚との本名で記してあり、加入後の同人誌への打ち込みの深さが窺《うかが》われる。なお、野村は、昭和12年まで作品は本名で発表している。その後、『早稲田文科』は昭和11年6月まで続き、『象徴時代』1冊を出し、沢野久雄が加わり、『泉』となり、昭和17年3月に『文芸主潮』に統合された。その間、昭和9年6月に、谷崎精二を中心に第三次『早稲田文学』が創刊され、この『早稲田文学』を、野村は、戦中・戦後の主な発表の場とした。第三次『早稲田文学』に載った小説の回数では野村が最多である。第三次『早稲田文学』は昭和24年3月まで続いた。

また、随筆「わが文学の故郷―生れ在所」で、「小説に関しては随分おくてだつたと思う。早稲田へはいつた頃も、別に作家にならうとか、小説を書かうとかいふ自信も、覚悟もあつたわけではない。ただほんとうに漠然とした頼りないものだつた。なんとなく好きだ、ぐらゐの程度で、（中略）大学へはいつて、同人雑誌『早稲田文科』に加入して、多くの文学仲間と知りあつた。なんといつても、それは大きな変化をもたらした。そしていくつかの小説を書きつづけるようになつて、はじめて小説への自覚といつたやうなものが形づくられたわけである」と野村は述べている。彼の場合、文学への興味は遅くて、自発的に早くから文学に目覚め、強い創作の欲求から文学に志したのではなく、大学での同人誌仲間との交流から自ずと彼も文学へ傾倒していったようだ。言い換えると、友人たちと同人誌をつくる楽しさが、彼に小説を書かせたのだろう。同人誌づくりの楽しさの方が、小説を書きあげることよりも比重が大きかったようである。創作、編集も含めた仲間との雑誌づくりに魅入られたのだろう。このことが後々まで影響し、終生、文学に関わる雑誌を中心とした創作、編集に携わっていくことになる。また、大学においての同人誌づくりの楽しさに惹かれたのは、野村のこれまでの孤独な境遇による寂しさに、その原因があるのではないだろうか。叔父の家で養嗣子として育てられ、故郷を離れての慣れぬ都会生活と、学業の断念などで募った孤独・焦燥感が、大学に入り、同人誌をつくるということで、語らい、歓びを共に分かつ多くの友人を得て、癒されたからではないだろうか…。

〈『早稲田文学』での活躍〉

野村は、昭和9年11月に、『早稲田文学』に学生として初めて短編「籠目遊び」を発表し、注目を集めた。翌月の『早稲田文学』の「文芸時評」で谷崎精二から「若い作家に珍しい、落ち着いた客観的手法が認められる」との期待のこもった評を得ている。翌10年3月に、23

歳の野村は早稲田大学英文科を卒業し、読売新聞社に入社した。読売新聞社では、発送関係の仕事に携わり、4年間勤め、昭和14年5月、27歳の時に退社し、『早稲田文学』の編集を担当するようになる。大学卒業後から読売新聞社勤務期間中の創作の情況を、曽根博義氏の「野村尚吾文学資料年表」(『とやま文学』第7号収録)から見ると次のようになる。

昭和10年は、「同人雑誌評」(『早稲田文科』6月)、小説「灯舟」(『早稲田文学』8月)、「節穴」(『早稲田文科』9月)。昭和11年は、小説「雨あがり」(『三田文学』1月)、「静脈」(『早稲田文科』4月)、「埴輪」(『早稲田文学』7月)。昭和12年は、小説「黒い疾風」(『早稲田文学』4月)、5・6月号の「同人雑誌評」を『早稲田文学』の6・7月号に。昭和13年には、小説「後宮」(『文芸汎論』9月)、それに書評「『中央高地』雑感」、感想「わが文学建設—一つの途上にて」を『早稲田大学新聞』に発表している。そして、昭和14年、27歳の時に小説「春寒料梢」(『早稲田文学』3月)を発表して、5月に読売新聞社を退社し、宮内寒彌の熱心な勧誘によって、浅見淵の後を継いで『早稲田文学』の編集を担当するようになる。

大学時代から読売新聞社時代まで、野村は、さほど多くの作品を発表していない。彼の作風も尾崎一雄が「~野村君の作風は、君の性格がさうであるように、着実であり、地味である。新奇てらつたり、思いつきに飛びついたり、一つの身振りを強調して人目につかうとしたりするようなところがない。君の同輩にも新進作家は多いが、野村君ほど落ちついた眼と筆とを持っているのは少なかろう。したがつて、作品には品と落付きがあり、また青年作家と思へぬ客観性を具している」(「新人文学叢書6・野村尚吾」の序)と述べているが、作品同様に、野村の印象も多くの人は、着実慎重で温順寛容、地味質素だと見ていたようだ。また、本人も読売新聞社勤務時代に友人に「僕は素材に自信がないし、これといって特異性がないのだから何かの賞を貰うとか、誰かに激賞されて一躍文壇におどり出るなんてことは一寸縁がないから…」と話している。このように、自分のことを高ぶることなく冷静に見ている野村が、突然、読売新聞社を辞め、2年契約という不安定な『早稲田文学』の編集に携わったのは、彼を知る多くの人たちには驚きだったらしい。まして当時は不景気で大卒出の就職もままならぬ時世だった。それなのに安定した新聞社勤務を辞めてまで、不安定な雑誌編集の仕事に携わった野村の思い切った行動に驚嘆し、改めて野村の文学への強い志に胸打たれた者もいたようだ。野村はこの時点で評価を上げたのだが、沈着冷静で穏やかな顔の下に、一つのことを思い決めたら梃子《てこ》でも動かぬ強靭な面を持っていた。おそらくこの強靭さは、辛抱強くて粘り強く、生真面目な彼の資質そのものなのだろう。強いて言うなら、雪の降る日々を、積もる雪をひたすら黙々と除雪し続けてきた富山という雪国育ちによって培われたものなのかもしれない。

　野村の当初の作風は、彼自身、生真面目で気持ちに弾力性(遊び)がないので、奇抜な発想や軽妙な表現には縁遠く、詰まるところ題材を身近な処に求め、それを複雑な筋立てもなく淡々と長々と綴るので、味気無い文章による私小説風の作品、いわゆる面白味のない作品が多く見られる。その頃の野村の作品は、白らが新聞社の発送係のサラリーマンであったことからか、薄給のサラリーマンとその家族のことばかりに焦点を当てて描いている。作品に登場する人物は一様に精彩がなく、これといった事件性もない下級サラリーマンで、その生活を冷静に淡々と描くので、全体として沈み込んだ暗い雰囲気が漂っている。源氏鶏太が描くサラリーマン像とは雲泥の差がある。作風や文章スタイルには、野村が心酔した宇野浩二の影響は見られないが、野村が描く人間観には宇野の影響が強く出ているように思える。だが、作品の暗さとは別に『早稲田文学』の編集は楽しかったようで、野村の自宅が編集所になり、彼が担当してから、5、6人の同人が20人に増え、編集会議は賑やかで楽しかったと述べている。

〈初めての出版〉

昭和15年の9月と10月の2回にわたり『早稲田文学』で小説「嫩葉《わかば》の木立」を連載したが、これに、これまで発表した「餘寒」「素顔」「灯影」「静脈譜」「絵馬」「祠獅子」を加えた7編を『新人文学叢書6・嫩葉の木立』として宮越太陽堂書店から11月20日に刊行した。野村の初の作品集だった。新人文学叢書は、早稲田系の新人を中心としたシリーズで9冊刊行されたが、それぞれに谷崎精二、尾崎一雄、青野季吉の序があり、『嫩葉の木立』は尾崎一雄の序が付いている。刊行するに当たっても野村の生真面目さからか、既発表の作品に至るまで徹底的に改稿や改題が行われている。このような出版に関しての特徴は後の彼の著書にも見られる。『嫩葉の木立』刊行後、翌16年の『早稲田文学』2月号に、寺岡峰夫の書評が載り、3月には『泉』（早稲田系の文学同人誌）が特集として「野村尚吾著『嫩葉の木立』に寄す」を編んだ。浅見淵、青柳優、長見義三、大瀧信一、宮内寒彌などが批評を載せている。地味で目立たないと言われ続けてきた野村にとっては、このような形で自らが取り上げられることは珍しいことで、これも彼が『早稲田文学』の編集に携わっていたからであろう。これが餞《はなむけ》となり、4月に『早稲田文学』の編集の任を終え、5月から東京日日新聞社（昭和18年に毎日新聞と改名）出版編集部に勤務する。以後、昭和42年に定年退職するまで在職し、主として書籍と『サンデー毎日』の編集を担当する。読売新聞社を辞めての『早稲田文学』の編集担当は、結果的には野村にとって有利に働いたといえる。一つは早稲田系の新人作家としての立場が固まったこと、一つは編集に携わった経験から東京日日新聞社（毎日新聞）で編集関係の仕事に就け、それが生涯の仕事になったことである。こうして野村尚吾の編集者兼作家の道が始まった。

〈芥川賞候補と戦争礼賛〉

昭和16年に同人雑誌の統合が行われ、『日暦』『風土』『短篇小説』『葡萄』『人間』『泉』『果實』などが『文芸主潮』の誌名のもとに吸収された。ちなみに『文芸主潮』は昭和19年に廃刊になるが、戦後の昭和26年9月に旧同人によって復刊する。その昭和16年の統合にともない、12月の大東亜戦争勃発で世の中は騒然としていた頃だが、『泉』の終刊号に野村は小説「岬の気」を発表する。翌17年に、野村は『早稲田文学』に3月から5月の3回にわたり小説「旅情の華」を連載した。「旅情の華」は富山市の売薬行商人一家三代を、明治30年代から大正初期にわたる富山市の変遷を背景にして描いた力作である。野村は戦争という慌ただしい世相の中で、北陸の町で生きる一家の姿を、時の移り変わりの中でしっかりと見据え、客観的に粘り強く描いていて、その姿勢は野村ならではの安定と落ち着きがある。

7月になって昨年の12月に『泉』に発表した「岬の気」が、同人雑誌掲載作品を対象とする第5回「文芸推薦」小説に選ばれ、『文芸』に掲載された。この時の審査は、青野季吉、宇野浩二、川端康成である。「岬の気」は、岬で見初めた娘の家に婿入りした若い水産学者と、娘の母親との複雑な関係を描いた短編で、水産技師であるインテリの気持ちをよく描いている。宇野浩二は「岬の気」について「ちよつと清新なやうに見えて、それほど清新な処がない」として、登場人物については「有り触れた、あまり感じ良くない生活と性格がよく書けている上に、感じよく書けているところに、この小説の取りえがある」と言っている。また野村は、7月の『文芸主潮』に「今日のような戦争下の激しい時代にあっては主観の吐露より、客観的事実を重視した歴史小説を書くべきだ」と主張し、後年に歴史小説を手掛ける萌芽が窺《うかが》える。8月の『文芸主潮』では、「我が関心を持つ作家」の作家論の特集を組み、丹羽文雄、伊藤整と共に野村尚吾の名があり、市川為雄は、野村の作品には「現実凝視と文学精神模索の態度は一貫して喪われない」と評価している。そして、9月に「旅情の華」が第15回芥川賞一次候補（23編）に選ばれたが、第二次選考には漏れた。この回の受賞該当作はなかった。翌10月に、「新鋭文学選集1」として今日の問題社から『旅情の華』が刊行された。野村の第2小説集だった。これには、「旅情の華」「岬の気」「門標」「私の写生帖」「海峡」「鴉」が収録されている。翌18年に、故郷・富山に関して随筆「わが文学の故郷―生れ在所」（『早稲田文学』昭和18年4月）と小説「鼬川《いたち》」（『現代文学』昭和18年8月）を発表している。

野村は、学生時代も寡作だったが、東京日日新聞社（毎日新聞）に勤めた後も寡作で、小説は年に2、3作品ほどしか発表していない。むしろ、小説よりも、評論や同人誌評や書評を多く書いている。そして、その発表のほとんどが『早稲田文学』である。特記すべきことは、「書き妙なる理」（『早稲田文学』昭和19年3月）で、「畏くも、天皇陛下を戴く大御代に生まれたわれらが、万世一系といふ比類ない事実の有難い、嬉しい感激と、一脈通ずる歓びを、私はこの戦争の事実から知らされ、感じているのである」とか、「筆舌の徒」（『早稲田文学』昭和19年5月）で、従来の文学に疑問を持ち、火野葦平の決意に共感して「剱の文」を主張したり、「文芸時感」（『早稲田文学』昭和19年11月）で伊藤整の民族を超えた普遍的な人間性に基づく文学を批判したりして、日頃、沈着温厚な野村にしては、珍しく激しい口調で軍国主義的、民族主義的な評論、感想を述べている。野村は毎日新聞社勤めだったので、当時、新聞では最も戦争礼賛に熱心だった毎日新聞の社風の影響を受けていたのかもしれない。だが、敗戦後、昭和23年頃まで、この時の軍国主義、民族主義的な考えの反省なのか、小説、評論の発表が極めて少ない。ただし、昭和22年4月に九州書院から刊行された、書き下ろし小説合集『現代小説第1集』に、井上友一郎、田村泰次郎、宮内寒彌、森田素夫、渋川驍、寺崎浩と共に野村の「距離」が収録されている。

〈『文学者』での活動と評論〉

昭和23年4月に、大阪本社から東京本社出版局書籍部副部長として井上靖が転勤してきて、それ以降、井上とは、仕事上、文学上の交渉が始まる。また、丹羽文雄、寺崎浩、井上友一郎などの肝煎りで、その年の10月に世界文化社から同人誌『文学者』が発刊されると、野村は、八木義徳、宮内寒彌、森田素夫、石川利光、浜野健三郎と共に編集委員に選ばれる。だが、『文学者』は5冊を刊行しただけで休刊となった。その第1号に野村は「白い面皮」を発表する。この「白い面皮」は、改造社の第1回横光賞候補作に選ばれた。横光賞は、芥川賞が昭和20年上半期の第21回を最後に中断していたので、改造社が芥川賞の復活に先んじて創設したもので、第1回横光賞の選考委員は、川端康成、小林秀雄、中山義秀、河上徹太郎、林芙美子、橋本英吉、井伏鱒二、豊島与志雄の8名で、候補作は14篇あり、翌24年1月に選考会が開かれて、受賞作は大岡昇平の「俘虜記」に決まった。また、5月に第4次『早稲田文学』が発刊となり、野村はその編集委員になる。『早稲田文学』は休刊と復刊を繰り返しており、これまでは第1次（明治24年から31年）、第2次（明治39年から昭和2年）、第3次（昭和9年から昭和24年）で、野村がこれまで発表してきたのは第3次『早稲田文学』だった。だが、第4次『早稲田文学』も同年内の9月で休刊し、第5次は昭和26年から始まる。ちなみに現在の『早稲田文学』は第10次で平成20年から始まったものである。

昭和25年には、丹羽文雄主宰の同人誌『文学者』が創刊になり、野村が編集委員になった。この『文学者』の合評会が、毎月15日に、東中野駅近くの「モナミ」で開かれ（「15日会」）、これに参加するとともに、野村は同世代だけの者で毎月10日に同じ「モナミ」に集い（「10日会」）、文学論に耽った。12月の『文学者』に野村は「遠き岬」を発表したが、この「遠き岬」が再び第24回芥川賞候補作になる。候補作は、野村以外には石川利光の作品を含めて8作品であったが、受賞の該当作品はなかった。昭和26年以降は、谷崎潤一郎、井上靖など、作家の解説を書くことが多くなった。昭和28年の1月から6月まで、『早稲田文学』に小説「気流」を連載したが、翌29年にこれを大幅に書き改め、「密室の人」に改題し、野村の初の長編として北辰堂から刊行した。野村はあとがきで「この作品は、新しい出発というより、これまでの自己の集約といったほうが適当かもしれない」と言っているが、戦後文学の観念的傾向を自分なりの方法で汲み取り、それを活かそうとした意欲作だった。しかし、このことで新たに創作活動が活発になったというわけでもなく、作家の解説は書くが、変わらず寡作で、日常の新聞社の出版編集の仕事に励んでいた。

〈初の文学賞受賞〉

昭和32年の秋に、中学の同窓会で富山に帰省した折りに立山・雄山神社の宮司の佐伯幸長と旧交を温め、後に芦峅寺の佐伯幸長の許を訪れた際に、ガイドの佐伯文蔵から聞いた山の話を契機に、小説「アルプスの見える庭」を書き、それを昭和33年6月に「山岳文学選集5」として朋文堂から刊行した。芦峅寺の宿坊をしていた祖先の血に誘われるように、山に魅入られた若い女性が、山を通して人生を考えるようになる内容の長編である。全編を通して爽やかな内容の好著である。これを機に、寡作であることには変わりないが、作家の解説以外に小説を前よりも書くようになり、『早稲田文学』や『文学者』に発表するようになった。その中で昭和35年11月に『文学者』に発表した「花やあらむ」がまた第44回芥川賞候補作になった。候補作は、野村以外には、倉橋由美子のものを含め7作品で、受賞作は三浦哲朗の「忍ぶ川」だった。

昭和37年4月に、小説集『乱世詩人伝』を有紀書房から刊行する。「昔の名」「有心」「くいがえし状」「風渡る」「花やあらむ」の5作を収録し、建礼門院右京大夫、定家、為家と阿仏尼、宗祇など、中世の歌人たちの生涯を伝記風に書いた連作小説集である。この「乱世詩人伝」は第47回直木賞候補作となった。同郷の直木賞選考委員の源氏鶏太の強い推薦があったが、受賞には至らなかった。候補作は、野村以外に結城昌治のものを含めて8作品で、杉森久英の「天才と狂人の間」が受賞作になった。8月には旅行案内記「トラベル・シリーズ38」として『北陸周遊券旅行』を秋元書房から刊行し、翌38年11月に、書き下しの長編『戦雲の座』を河出書房新社から刊行した。中世の応仁・文明の乱を足軽の視点から描いた歴史小説で、この作品で第11回小説新潮賞を受賞した。51歳にしての初めての文学賞の受賞だった。小説新潮賞は、新潮社の公募の文学賞で、第9回は藤原審爾「殿様と口紅」、第10回は有吉佐和子「香華」、第11回が野村で、第12回は芝木好子「夜の鶴」、第13回は青山光二「修羅の人」、第14回は船山馨「石狩平野」である。選考委員は、丹羽文雄、石川達三、石坂洋次郎、舟橋聖一、尾崎士郎、井上友一郎、広津和郎、井上靖で、早稲田系や野村に近い作家が多く、これまでの彼の業績も含めての受賞ではなかったろうか…。

〈編集者の意識と芥川賞〉

野村はペン１本で活躍している作家というより、『文学者』で小説も書くが、谷崎潤一郎からも最も信頼されている大手新聞の主要編集者としての存在が強く、その編集者としての出版業界からの信頼の深さが、文芸商業誌に小説をほとんど発表しないにも関わらず、書き下した小説が直ぐに刊行されることに繋がったのだろう。言わば出版業界に顔が利き、また、それ故に、出版社からの求めに応じて小説以外の旅行記や観光案内記、社史なども書いて刊行となるのだろう。また、野村自身も作家よりも編集者として、売文で生計を立てる作家よりも、大手新聞の安定したサラリーのある編集者の意識が強かったのではないだろうか。生来の生真面目さと、若い頃の苦労からの沈着冷静で慎重着実、そして粘り強く事を成し遂げる性癖が、晩年になってますます顕わになってきたのだろう。野村の文学を編集仕事の片手間のものと誹《そし》る者もいるが、その面もないとは言えない。締め切りに追いまくられ、絞り出すように必死に原稿を書き上げる作家とは違い、安定した生活の中でじっくりと時間をかけて自分なりに納得できる作品を書き、それを出版業界につてを求めれば直ぐに刊行の運びとなる。恵まれた状態だが、それゆえにペン１本で四苦八苦している作家たちの作品と比べると、作品の完成度が強いにもかかわらず、覇気に乏しい感も拭いきれない。優等生が描く欠点のない絵のように、それなりによく描けているのだが、作者の熱（個性）が十分に伝わってこないので、その絵に心底、魅入られることはない。このようなことが、野村の作品が大きな文学賞で候補にまでなり得るが、受賞出来ない原因ではなかろうか…。

野村はこれまで芥川賞候補に4度も選ばれている。寡作なのにその作品が4度も選ばれたのを奇異に思う人もいるだろうが、このことは芥川賞自体が、現在の芥川賞とは性質が異なる上に、選ぶ際の時代性に関係がある。当時は現在とは違い、作家を志す者は、先ず同人誌で十分に創作の修練を積んだ上で、その後に作家になるものだと考え、同人誌中心に創作活動を続けていた。丹羽文雄主宰の『文学者』からは、河野多恵子、瀬戸内寂聴、吉村昭など、保高徳蔵主宰の『文学首都』からは、北杜夫、佐藤愛子、なだいなだ、田辺聖子、中上健次、津島佑子などが作家デビューした。その流れの中で、昭和35年から45年の60年代には、同人誌から芥川賞受賞者が相次いで生まれた。つまり、芥川賞は、全国の同人誌の最優秀作品賞に相当し、それゆえに著名な文学同人誌に作品が掲載され、そこで評価されることが芥川賞受賞の近道《ちかみち》だったと言える。だが、昭和46年からの70年代になると、作家志望の多くは商業文芸誌の新人賞に応募し、その受賞作の多くが芥川賞受賞に繋がるようになった。芥川賞が新人作家の登竜門と呼ばれるようになったのはそれ故による。このようにしだいに商業文芸誌と芥川賞との結び付きが強くなり、それが現在に至っている。野村が芥川賞候補になったのは、70年代以前のことで、彼は寡作だが、作品は『早稲田文学』と『文学者』で発表している。両誌とも文芸同人誌の雄である。〈著名な文学同人誌に作品が掲載され、そこで評価されることが芥川賞受賞の近道《ちかみち》〉と前述したが、まさに野村の作品が芥川賞候補になったのは、このことを物語っているだろう。そして、野村もそのことをわきまえて、他の同人誌での発表を控え、『早稲田文学』と『文学者』中心の発表をしていたのだろう。この点、形振《なりふ》り構わずで文学一途というのではなく、慎重で世知に長《た》けた文学への姿勢が野村に窺《うかが》える。

〈伝記作者としての評価〉

昭和38年に「戦雲の座」で小説新潮賞を受賞したが、この受賞が野村の創作熱に火を点けたわけでもなく、依然と変わらぬペースの寡作で、昭和39年にジュニア山岳小説『私たち登山部』を秋元書房から刊行し、翌40年には書き下し長編『天田五郎の生涯』を講談社から刊行した。この作品は、主人公が少年の頃の戊辰戦争で妹が行方不明になり、成人してから出家してその妹を尋ね求めて全国を放浪する男の波乱に富んだ生涯を描いた歴史小説である。この作品の発表を境に小説の発表が少なくなり、随筆、旅行記、谷崎潤一郎や井上靖、石坂洋二郎などの作品の解説を主に書くようになる。昭和41年には旅行記『秘境西域を行く・よみがえるシルクロード』を講談社から刊行し、昭和44年、野村55歳の時に毎日新聞社を定年退職し、社の名誉職員になった。

退職の翌年には歴史記録『豪商角倉了以を中心とする戦国大商人の誕生』を毎日新聞社から刊行し、時たま、思い出したかのように短編小説を発表したりするが、主に谷崎潤一郎に関わる随筆や、谷崎や井上靖、石坂洋二郎などの作品の解説を書いた。昭和46年に、昭和33

年に朋文堂から刊行された長編『アルプスの見える庭』に、短編「小梨平」「屈折光」を加えてスキージャーナルから『アルプスの見える庭』を刊行するが、それ以外、これといった小説面での活動はない。翌47年、野村60歳の時に、これまでの谷崎潤一郎との関わりから、谷崎の生い立ちから終焉までを16章に分けてたどった『伝記谷崎潤一郎』を六興出版から刊行した。刊行は5月だったが、その年の10月に「伝記谷崎潤一郎」が第26回毎日出版文化賞を受賞した。同期受賞には梅原猛「隠された十字架」、杉浦明平「渡辺崋山」だった。毎日出版文化賞は、毎日新聞社が主催する、優秀な出版物を対象とした文学・文化賞で、「伝記谷崎潤一郎」は谷崎の評伝としては確かによく書けているが、野村が毎日新聞の名誉職員であり、退職後も毎日新聞刊の歴史記録なども書いているので、それらをも含めての新聞社側からの功労の意も含まれていたのではないだろうか。この受賞は、野村の評価が、優れた小説家としてではなく、生前の谷崎に最も信頼された編集者で、かつ、谷崎については最も信頼できる研究者・伝記作者としてのものであり、文壇での評価も同様のものだったろう。

〈小説家としての面目躍如〉

この受賞以降、野村は、谷崎に関わる様々な原稿や刊行依頼を更に受けるようになり、昭和48年には、六興出版刊『谷崎潤一郎文庫』の監修・解説や、評論『谷崎潤一郎　風土と文学』も中央公論社から刊行している。発表するものは、谷崎の作品解説や谷崎に関わる随筆などが主で、毎日新聞社への御恩報じのつもりか、毎日新聞社から『週刊誌五十年　サンデー毎日の歩み』も刊行していて、野村の生真面目な面がよく窺われる。昭和49年4月から配本が始まった講談社版『丹羽文雄文学全集』の編集委員にもなり、小説から完全に遠のくのかと思うと、その年の9月には急に書き下ろし長編『浮標燈』を集英社から刊行する。「浮標燈」は、戦後の混乱した社会の狭間で、苦悩しながら生を燃焼させようとする男女を灯浮標に見立てて、許されぬ恋の男女の心の機微を綿々と描いている。あとがきで野村は、占領下の時代を背景にした小説を書きたいという思いは、「戦雲の座」「天田五郎の生涯」を書いた時からあり、今ようやく書けて、時間をおくことのプラスとマイナスを改めて自認させられたと述べている。小説から手を引いて随筆、評論等に絞っていたのでなく、随筆、評論を書きながらも傍らで「浮標燈」の構想を練り、時間をかけて小説を執筆していたのだろう。余裕と言えば余裕ある執筆だが、野村の粘り強さと小説への強い志向も窺《うかが》われ、編集者、評論家としての評価が募るばかりの野村にとっては、小説家としての面目躍如であったろう。その後、先を急ぐように、11月には『谷崎潤一郎の作品』を六興出版より刊行し、同時に『伝記谷崎潤一郎』の改訂版も六興出版より刊行している。小説の「浮標燈」と、評伝の「伝記谷崎潤一郎」改訂版が、野村尚吾が、夜空に打ち上げた最後の文学の大花火だった。翌50年5月15日に、中目黒の東京共済病院で心不全のため、63歳の生涯を終えた。

5月17日に自宅で葬儀・告別式が行われ、葬儀委員長は丹羽文雄だった。八木義徳、新田次郎、和田芳恵、吉村昭、進藤純孝、久保田正文などが参列したが、新聞の扱いも小さく、葬儀には文壇関係者の参列も少なく、寂しいものだったという。野村が亡くなった後に『生前の野村さんには、サンデー毎日の書評で、ずいぶん小遣い稼ぎをさせてもらった』と言っている若い作家や評論家が多かったという。野村の後輩への面倒見のよさや、誠実な人柄から、その恩を受けた者は多くいたはずだろうが、その割には寂しい葬儀だったようだ。地味な作風だったが、最後の葬式まで地味なものになった。日頃は鷹揚、穏和で、沈着、寡黙な野村だったが、酒が好きで、酒が入るとしだいに饒舌になり、酒が更に深まると辛辣な毒舌家に変じたらしいが、酒に酔った野村が自らのこの葬儀の様子を見たらどのように言うだろうか…。ただし、野村の葬儀の参列者の少ないのには理由がある。野村の葬儀とほぼ同時刻に、芝の増上寺で、取材先の香港で5月11日に急死した梶山季之の告別式があり、文壇、マスコミ関係者の多くは梶山の告別式に参列したという。梶山は、トップ屋あがりの流行作家で、その行動面でも話題性が多い際立《きわだ》つ存在で、野村とはまったく正反対の印象の作家である。野村はどうも最後の最後まで慎ましやかだった。

〈野村の流儀〉

野村の生まれは源氏鶏太と同じ年で、源氏は、サラリーマン生活をユーモラスに描いて一世を風靡した流行作家であり、野村は、これら源氏、梶山などの極めて目立つ陽性の流行作家の影に隠れてしまったようだが、陽と比較すれば確かに陰だが、陰の中にいても陽を意識しなければ、陰陽関わりなく陰も普通の日常であり、野村は、むしろ、その陰の日常の中で陽になろうとの無理強いを自分にしなく、自分のペースで粘り強く自分なりの文学の世界を切り開いて行ったのだろう。

この稿を書くにあたり、当時の『早稲田文学』や関連雑誌・新聞の記事等、『とやま文学』第7号・野村尚吾特集号、その中でも、曽根博義氏の「野村尚吾文学資料年表」を参考にした。曽根氏の詳細な調査・研究には敬服するとともに、改めて感謝の意を表す。

〔源氏鶏太〕

源氏鶏太　明治45年4月19日〜昭和60年9月12日
小説家。富山市出身。県立富山商業学校卒。本名は田中富雄。昭和5年住友合資に入社。勤めのかたわら小説をかき、昭和26年「英語屋さん」などで直木賞。サラリーマンの哀歓を描いた「三等重役」で流行作家となった。46年「口紅と鏡」「幽霊になった男」で吉川英治文学賞。

〈はじめに〉

源氏鶏太は、生前に「ときどき私は、自分の作品で死後読まれる作品があるだろうか、と思ったりすることがある。幸いにして今の私は、初期の短編小説から長編小説まで、いろいろの版になって、とにかく動いている。その印税が入ってくるので大いにたすかっている。（中略）それだって私が生きていて、とにもかくにも作家活動を続けているからに違いないのである。まして、死んでしまえばそれまでであろう。それが大方の大衆小説作家の運命とわかっていて、ちょっと寂しい気がすることがある」（『文学的自叙伝』）と述べているが、図らずも彼が予言した通り、今日、彼の著作本は、最近になってようやく文庫でのリバイバルはあるが、書店には、これまでほとんど見当たらなかったし、図書館でも多くは書庫に保管されていて、手にとって読んでいる者は極めて少ない。大衆小説作家の運命を、源氏鶏太は自らの作品で見事に言い当てている。だが、当時の彼は、一世風靡《ふうび》という言葉がぴったり当てはまる大流行作家だった。

高杉方宏『資料・源氏鶏太』によると、出版書籍は、小説516編（長編100編、短編416編）で、長編の内訳は〈連載98編、書き下し1編、中断1編〉で、新聞、雑誌の連載が圧倒的に多く、それにコント47編と随筆654編である。膨大な作品数である。また、この内、映画化、テレビドラマ化されたものになると、映画化されたものは80本を超し、テレビドラマ化されたものになると、昭和51年12月までの期間で、東京地区だけでも151本あり、全国にまで範囲を広げると、その数は膨大なものになるであろう。おそらく戦後では、源氏鶏太の作品が、1番多く、映画、テレビドラマ化されているのではないだろうか。源氏鶏太は、まさに超売れっ子の流行作家だった。

〈貧乏の中での幼年時代〉

源氏鶏太は、明治45年4月19日、富山県富山市泉町57番地で生まれた。本名は田中富雄である。富山市の街中を流れるイタチ川に架かる泉橋付近の泉町側に生家があった。7人兄弟（姉4人、兄2人）の末っ子で、長姉との年齢差は20歳もあった。父・田中竹次郎は富山市四方出身で、当初は魚の行商などをしていたらしいが、後に売薬配置人となって、1年の半分ほどは北九州方面を廻っていた。母・コトは、最初、千石町の医者に嫁いだようだが、病気勝ちのため実家に戻り、竹次郎と再婚した。竹次郎は、病気勝ちで働きが悪く、行商先からの家への仕送りが月末に届かないことが多く、気丈な母・コトは、夜遅くまで和裁の内職などで苦しい家計の遣り繰りをしていたという。このような貧乏な家庭環境の中で田中富雄（源氏鶏太）は育った。商業学校卒業までの貧乏な生活は、源氏鶏太の骨の髄まで染み込み、後の作家生活にも大きな影響を与えた。

当時の貧しさについてはエピソードが幾つも残っている。年末になると富雄（以後、鶏太のことを富雄と言う）は郵便局でアルバイトをしていた。教科書は、母親が一年先輩の子の教科書を安く買ってくるので、いつもお古だったという。また、冬場に着るマントも、毛が落ちて色褪せた物を母親が安く買ってくるので、友人たちの紺色のマントとは異なり、黄色く変色していた。この時には、子ども心にも富雄は、将来、自分の子どもには何としてでも服装だけは世間並みにしてやろうと思ったそうである。貧しさのエピソードは尽きない。富雄は、貧しい家の子だと十分に自覚しており、母の言い付けを守り、温和しく素直に育っている。貧乏だからといって拗《す》ねたり、他の家を妬んだりしたところは見られない。それは、7人兄弟の末っ子といっても、他の兄弟たちは家を出ていて、実質は母一人子一人の家庭で、富雄は母の愛を一身に受けて育ったからだろう。母・コトは、貧しい生活の中でも常に末っ子の富雄を気遣い、富雄もその母の想いを肌身に感じて育ったのだろう。貧しくても親の愛に育まれた子は優しく素直に育つ。富雄の母への想いは強く、後年、母を東京の家に引き取り、最後まで面倒をみているし、初期のサラリーマン小説の主人公は、田舎で息子の出世を心待ちにしている母がいる設定になっているものが多い。

富雄は、大正8年に柳町小学校に入学して、大正11年に学区変更で清水町小学校に移った。学校では控えめで温和しく、成績は上位で書がうまく、教室によく書が張りだされていたという。帰宅すると、近所の友達とイタチ川上流のドンドコ付近の砂地で泳いだり、稲荷町の御幣《ごへい》宮の墨染桜の付近や、於保多神社の境内で元気に遊んだ。また、富山は仏教の盛んな地で、朝夕は仏壇の前でお経を読み、日曜日には、総曲輪の本願寺別院の日曜学校でお経を習ったという。この時の素朴な信仰心が、成人後も、地蔵の前を通る時には必ず頭を下げ、町内の稲荷社をまいり、亡き母の写真の前では、必ず合掌するという習慣を身に付けさせた。

このような育ち環境が後に屈折した形で作品に幽霊が出現するような幽冥小説を書くことに繋がっていくのだろう。また、当時、富山市内で流行っていた謡曲〈宝生流〉を2年ほど稽古していた。後に大阪で勤めてからも数年間、謡曲〈観世流〉に熱中し、仕舞〈謡だけで舞う略式の舞〉の稽古もしたという。幼い頃から周りの動きに敏感で、好奇心も強く、熱中癖もあるようだが、概して周囲に順応して育ったようだ。

〈詩作に励んだ商業学校時代〉

大正14年に富雄は富山商業学校に入学した。富雄の兄弟で上級学校へいったのは師範学校へいった長姉だけだったが、大阪の貿易商に勤めていた10歳年上の長兄・薫が、これからの世には学問が必要との考えから、優秀な成績の富雄を上級学校へ行くようにと父母に勧め、学費面での援助を申し出たので、富雄は商業学校へ進むことができた。ただし、父は、富雄を2年で中退させて、自分の売薬に同行させるつもりでいたようだ。昭和2年、富雄2年生(15歳)の時に父(59歳)が亡くなり、富雄は中退の瀬戸際に立ったが、長兄が学費援助を継続するとのことで富雄は続けて学校へ通えるようになった。

長兄・薫は、若い頃から社会に出て苦労していて、大阪で貿易商に勤め、広い世界を舞台にして働いていたので、開明的で見識もあり、学問の大切さも十分に心得ていたので、弟に学問を続けさせたいと考えていた。また、自らも文芸創作をする趣味人で、優秀な弟の富雄をよく可愛がった。富雄が小説家の道へと進んだのも、この長兄の影響によるものが大きいだろう。

富雄は、自宅から学校までの約4キロを毎日歩いて通学した。在学中は、無遅刻、無欠席で、渾名《あだな》は「聖人」であった。渾名の由来は〈清廉潔白で立派な人〉という褒め言葉ではなく、〈溌剌《はつらつ》たる若者の覇気《はき》に乏しい老成した人〉の意にあった。だが、成績は優秀で、クラス副長を務めていた。学校時代のエピソードにストライキ未遂事件がある。富雄が5年生の秋に、校長に対する不満から生徒の間で秘かに排斥運動が起きた。その排斥運動決定の謀議は、放課後、晩秋の神通川の河原で車座になった学生たちによって計られ、富雄は、その首謀者の一人になっていた。しかし、後に神通グラウンド脇の公民館で、富雄がストライキ反対を主張したので、それに多くの者が賛同して、ストライキは中止になった。この間のことは、短編「勇気凛々」（昭和33年）に垣間見《かいまみ》ることができる。富雄がストライキの反対を唱えたのは、当時、内定していた就職が、ストライキの首謀者の一人として取り消されるのを怖れたからかもしれない。それ故か、この時のことが富雄の心に後々まで〈級友を裏切った〉とのしこりを残したようで、帰郷した折りにも、一種の罪意識で当時の級友たちには逢おうとしなかったという話が伝わっている。富雄には、周囲の状況を見て周りと協調するが、それも限度があり、不安になると身を退いて自分の世界に籠もりがちな気の弱さもあったようだ。

富雄の文学の最初の関わりは詩作からだった。4年生の頃から富雄は詩作に耽り、盛んに地元紙の文芸欄に投稿した。井上泰（後の井上靖）は、「富山地方は「し」の研究も随分盛んのようで懐かしく思います。金沢はそこへいくと寂しゅうございます。四高には真摯な態度で「し」作してゐるものはじつに寥々たるものでございます」（『日本海詩人』昭和4年2月号）と書いているが、当時の富山は、詩が盛んで、その詩作熱に浮かされて富雄も詩作に励んだ。詩作が盛んになったのは、大正15年に北陸タイムス（後に富山日報社を経て北日本新聞社）に、早大法学部中退の中山輝が入社し、紙面に詩壇を設けて、盛んに投稿を読者に呼びかけたことの影響が大きい。その後、昭和2年に中山輝、山岸曙光子等は、北越4県の詩人たちを対象に『日本海詩人』を創刊し、昭和5年には新たに中山は「詩と民謡社」を主宰して『詩と民謡』を創刊し、北陸および富山の詩壇を強く牽引した。その中山輝に富雄は師事して、『日本海詩人』に加わり、自らも、川口清、菊地久之などと共に、昭和4年に詩誌『新詩脈』を創刊し、『詩と民謡』にも加わって詩を発表した。

富雄の詩については、稗田菫平が「源氏鶏太おぼえ書―その初期詩編をめぐって―」で詳しく述べているが、それによると、富雄の詩は、「青空にうかんでゐる白雲は／海に投げられたはなたば／ひからびかけて色あせたはなたば／みんなから忘れられて／ぼんやりと遠い日の事を／考えてゐるのだらう。」（「白雲」『日本海詩人』昭和4年6月号）、「晩秋の野中に聳え立つ枯木の姿／その醜い外皮のうしろに／透明な秘められた神がみの暗示の姿が／すっくり立っている／神神の心臓のひびきから／いま、自然の寂の心がうごいてゐる。」（「神がみ」『日本海詩人』昭和4年11月号）などのように、どの詩も真面目、内省的で瑞々しく、題材を広く取っている。ちなみに『日本海詩人』での昭和4年の4月、5月、6月、8月、11月号に田中富雄（源氏鶏太）、井上泰（井上靖）両者の詩が発表されていて、時期を同じくして2人は詩作に励み、その交遊歴が長いのが分かる。

また、近藤周吾によると『日本海詩人』には、当時中央詩壇で流行りだしたユーモア詩、ユーモア民謡の影響が見られ、菊地久之の「（富雄は）このごろ、愉快な風変わりな民謡をかいてゐる」の評などから、富雄もこれらのユーモア詩、ユーモア民謡の影響を受けて、後の小説でのユーモア感覚を育てていったのではないかとの指摘（「川口清と源氏鶏太」第2回ふるさと文学を語るシンポジウム）があり、源氏鶏太の文学を解く今後の課題になるだろう。富雄は、この時期に百数十編の詩を作り、30〜40枚程度の短編も数多く書いたと述べているが、それらは彼が大阪で勤める際に、富山の実家の屋根裏の物置に残していたので、後に戦災で全て焼けてしまったということである。この時期の詩作が、後の小説でのユーモア感覚を育てたばかりでなく、詩作する際の端的・平易で印象に残る言葉遣いの修練になり、後の平明達意で会話に無駄がなく、軽快なテンポの源氏鶏太の小説特有の文章を作り上げていったものと思われる。

〈住友への入社当時〉

富雄の言（『文学的自叙伝』）によると、学校卒業時の成績は2番だったという。その真偽は不明だが、難関の住友合資会社（住友本社の前身）へ学校からの推薦で受験し、合格したのだから成績はトップクラスだったに違いない。富雄ほどの成績ならば、高岡高等商業学校を学校推薦で入学できたはずだが、家庭の経済的理由で進学を断念したのであろう。このことが、学歴重視の住友での差別体験により、後々まで富雄に学歴コンプレックスとして残ることになる。だが、貧乏な環境で育ち、商業学校を卒業して〝天下の住友〟に就職できたのだから、当時の富雄にとっては得意満面で意気揚々として大阪に向かったに違いない。

昭和5年に富雄は大阪の住友合資会社総務部会計課に勤めた。月給は35円で1割の手当が付いたという。当時、100銭が1円で、カレーライスが7～10銭、銭湯が6銭ほどであった。富雄は給料の内5円を富山の実家に仕送ったという。ちなみに昭和5年の住友合資の初任給をみると、国立大学卒が75円、私立大学卒が65円、高商（専門学校）卒が55円であり、この年の採用は大学卒が5人、旧制中学卒が5人である。商業学校卒の富雄は旧制中学卒扱いであった。入社後直ぐに社員寮（静寧寮）に入り、寮から会社までの4キロを、5銭の電車賃を惜しんで富雄は徒歩で通勤した。倹約家であるが、辛抱強さも感じられる。入寮中の

5年間、無遅刻、無欠勤であった。ちなみに寮においても、大学卒の者が1人で6畳1室を割り当てられるのに対し、富雄ら、旧制中学卒の者は12畳1室を4人で割り当てられた。当時の富雄の楽しみは、月に1回、5銭のコーヒーを飲むことと、月に2回、50銭の映画を観ることだったという。そして、仕事を終えると直ぐに寮に帰り、小説を書くのが日課だった。書くことが本来好きだったのだろうが、田舎出の富雄にとって、慣れぬ都会暮らしの不安を忘れるために書くのに没頭したのかもしれない。また、当時、住友には総務部長として川田順（歌人）、人事課には山口誓子（俳人）がいて、後日、富雄が、仕事をしながら作家としてデビューした折りには、富雄の、その姿勢を川田順が励ましてくれたという。

富雄が小説を書き始めたのは、一つには大阪にきて、詩作の仲間がいない上に、詩友の川口清、菊地久之が、富山で順調に詩才をのばしているのに比べて、自分の詩に自信が持てなくなり、しだいに詩への情熱が冷めて小説の方に惹かれていったからであろう。また、大阪在住の10歳年上の長兄・薫の影響もあるようだ。長兄は文学好きで、その頃には新聞・雑誌などに小説を投稿して何編か入選していたが、入選する度に、富雄を招いて懸賞金でごちそうしてくれた。その長兄の様子に富雄は憧れ、自らも好きな小説を書き、新聞・雑誌などに投稿し、懸賞金を得たいと思うようになったと語っている。だが、当時の富雄は、会社を辞めてまで小説を書きたいとの気持ちはなく、会社は定年退職まで勤め上げ、仕事の合間に好きな小説を書いて、それが活字になり、あわよくば懸賞金を得たいと望んでいたようだ。その富雄が、自らの小説の掲載を切望したのが、『サンデー毎日』の大衆文芸欄と『オール読物』だった。富雄の創作は、仕事の余暇の楽しみと、小遣い稼ぎの実利の望みが加わって始まったといえる。文学を通して自己を見つめたり、人生の諸問題を考えたりする純文学的志向ではなく、自らの小説が他者にいち早く認められ、それによって収入を得るという方に目が向いていたようだ。他者にいち早く認められるには、多くの人が好むものを見極めて書かねばならなく、それが富雄を読者に娯楽を提供する大衆文学へと志向させることになったのだろう。この頃から約10年間、昭和25年の直木賞候補の頃まで、富雄はひたすら書き続け、それを新聞社や雑誌社に送る投稿生活が続くことになる。

〈長い投稿生活と戦前の作品〉

約10年間に及ぶ投稿生活で書き上げた原稿枚数は約3000枚ほどで、柳行李2箱分ほどあったらしいが、戦災で全て焼けてしまったという。戦前で入賞した作品は、昭和9年、22歳の時の「村の代表選手」(報知新聞ユウモア小説募集入選、筆名・花田春樹)、昭和11年、24歳の時の「あすも青空」(『サンデー毎日』佳作入選、筆名・源氏鶏太)、「鴛鴦契りて愉し」(『週刊朝日』事実小説募集入選、筆名・一木令之介)、「花上花下」(『婦人朝日』入選、筆名・一木令之介)で、別に昭和10年、23歳の時に女性と偽って田中富の筆名で『婦人公論』の詩募集に入選して賞金20円を得ている。「村の代表選手」は、都会に絶望した青年が帰郷し、それが凱旋将軍のように間違って迎えられるというユーモア小説である。「あすも青空」は、憧れの『サンデー毎日』に初めて掲載され、当時の月給一カ月分に当たる50円の賞金を得て、富雄にとっては忘れがたい作品であり、筆名として初めて源氏鶏太を使った。

富雄は筆名に関してジンクスを持っていたようで、投稿してその作品が不採用になると、筆名が悪いからだとして縁起をかつぎ、次の投稿には新たな筆名を使っている。そのため、詩作の時の筆名を含め、現在分かっているものだけでも、板野摩琴、亀田信風、梅原登、柳奈麻二、藤原源平太、花田春樹、田中富、一木令之介などと、20以上もあるようである。源氏鶏太の筆名も昭和11年に、「あすも青空」で使った後は、昭和22年の「たばこ娘」まで使っていない。『サンデー毎日』に入選した筆名でありながら、佳作であり、その筆名で次に投稿したものが不採用だったので捨てたという。源氏鶏太の筆名の由来も、平家よりも源氏が好きで、「鶏」の字の感じがよくて、源平時代の下級武士の中に「太」を付けた者が多いようだったので、それらを合わせて「源氏鶏太」としたという安易なものだった。これら一連の安易さの中に、会社勤めの片手間の創作という富雄の文学に対しての意識の低さが窺われる。そのためか、これら初期の小説は、これまでの富雄が過ごしてきた現実の日々とは異なり、明るく爽やかで行動的な主人公による恋愛や青春像が多く描かれ、富雄の鬱積《うっせき》した現実からの、逃避行為のような創作態度である。当時は、ゴーゴリと井伏鱒二が好きで、一時は井伏を真似て書いていた時期もあったが、現実逃避の憧れの世界を描いているだけでは、入賞はできなかっただろう。

昭和17年、30歳の時に5歳年下の北谷美代子と結婚した。北谷美代子は、住友の社員がよく出入りする小料理屋の女将の姪で、その頃は店の手伝いをしていた。当時の住友は、社内恋愛禁止の堅い社風で、水商売で働く女性との結婚は許されるべきものではなく、富雄は、二人の仲が会社に知られることを極力恐れ、隠れて同棲していたという。後に別れようとも思ったらしいが、二人の中に入る人がいてようやく結婚に至った。このような点に、富雄が当時描いていた小説世界とは異なる彼の小心で保身的、優柔不断な気の弱さが窺《うかが》われる。

〈戦後の会社務めと文壇デビュー〉

結婚から2年後の昭和19年、32歳の6月に海軍に召集された。舞鶴の海兵団で3カ月の新兵訓練を受けた後に舞鶴防備隊に配属になり、その後、藤沢の電測学校を卒業して電波探知兵として、横須賀の特設駆逐艇・第7富久丸（木造の石炭運搬船）に配属になり、昭和20年に終戦になった。階級は海軍上等兵だが、召集解除の折には、いわゆるポツダム水兵長だった。除隊後に大阪の住友本社に戻ったが、GHQの財閥解体指令により住友本社は解体となり、富雄はそのまま本社に残り、経理課長代理として残務整理（精算事務）を担当した。戦前の住友では、旧制中学卒で課長になったものはいなく、富雄の経理課長代理は、戦争によっての特例的なものだった。この頃には、富雄に2人の子どもがいて、家族4人の生計を会社の月給だけで遣り繰りするには難しく、煙草や酒をやめて生活のための懸賞金欲しさに、会社から帰ると、毎晩、必死に小説を書いて投稿を続けていた。富雄の望みは、以前と変わらず、会社勤めをしながら、当時最も大衆小説の面で権威のあった『サンデー毎日』の大衆文芸欄に当選し、懸賞金を手に入れて、『オール讀物』に小説が掲載されることだった。だが、投稿を続けるが、不採用が続き、昭和22年、35歳の時に、やけくそ気味で、3、4晩で書き上げた「たばこ娘」がようやく『オール讀物』に掲載された。それが好評で富雄にとっての文壇的処女作となった。

「たばこ娘」は、原稿用紙で24、25枚ほどの短編で、煙草好きの独身の安サラリーマンと、戦後間もなくの、道端で闇値で煙草を売る娘との淡い恋を描いている。当初、富雄は煙草をテーマにしたエッセイを書くつもりだったが、小説ともエッセイともつかぬものになり、それがかえって好評を得たと言っている。ただし、筆名は、縁起をかついで『サンデー毎日』で佳作入選した「あすも青空」の筆名・源氏鶏太を使った。この時の原稿料は625円で、当時の月給よりも多かった。これによって縁起をかついで、以後、筆名・源氏鶏太を使うようになる。（以後、富雄を鶏太とする）。「たばこ娘」が『オール讀物』で掲載され、引き続いて『オール讀物』6月号に「夫の洋服」、11月号に「百万円の美貌」が掲載され、この『オール読物』の3作の掲載によって、他の雑誌からも原稿依頼がくるようになった。

鶏太の作品が『オール読物』に掲載されたのを一番に喜んでくれたのは、長兄・薫だった。だが、掲載後、2、3週間後に長兄は病死した。44歳だった。翌23年、36歳の時、『大阪新聞』に川口松太郎が急病のため、鶏太は、親交のあった編集者の口利きでピンチヒッターとして「女炎すべなし」（後に「火の誘惑」と改題）を連載した。鶏太にとっては初めての長編小説、その年に尾崎書房から『女炎すべなし』が出版され、鶏太の処女出版となる。この頃になると、鶏太が小説を書いていることは会社に知られていた。当初、そのことを鶏太は恐れていたが、会社は寛大で、会社公認のもとで鶏太は創作を続けるようになり、文壇にも顔を出すようになった。「在阪作家倶楽部」結成に加入し、長谷川幸延、宇井無愁などの大阪の作家たちとの交流を深めたが、翌24年に、住友の第2会社の泉不動産株式会社（現・住友不動産）の総務部次長に就任し、東京へ赴任することになる。前述したが、戦前の住友では旧制中学卒では課長になれなかったが、この頃は、戦争や戦後のパージによる人材不足で、関連会社とはいえ、旧制中学卒の鶏太が総務部次長になるのは異例の出世だった。また、この年には創作にも熱が入り、『講談倶楽部』『キング』『日の出』『サロン』『ホープ』『ラッキー』『週間朝日』『スタイル読物版』など数社に20数編の短編を書いている。

〈サラリーマン小説と直木賞〉

昭和24年頃には、様々の雑誌に多くの作品を発表しているが、当時、鶏太が一貫して書きたいと思っていたのは恋愛小説で、また、実際に深刻ぶった恋愛小説ばかりを書いていた。大真面目に恋愛小説を書こうとしていたのだ。だが、どの作品にも満足できず、ただ一作、「浮気の旅」(『スタイル読物版』)だけに手応えを感じていた。『スタイル』の社長は、作家の宇野千代で、『スタイル』の読物版を出すにあたり、以前から鶏太の小説を読んでいた宇野が彼を推薦して『スタイル読物版』に「浮気の旅」を書かせた。「浮気の旅」は、中年のサラリーマンが会社の創立何十周年かの記念品を、退職して信州の山中に隠とんしている元の社長の許へ届けにいくことになり、そのついでに、かねてから好きだったバーの女と連れ立って出かけ、浮気しようとする話だが、それを軽いテンポで書いた。この短編は好評で、その年の日本文芸協会編の『現代小説選集』に選ばれた。当時も、サラリーマンを主人公にした小説はあったが、サラリーマンの仕事上の悩みとか、対人関係の苦痛、仕事への生き甲斐をテーマにしたものがなく、それを鶏太はユーモア仕立てにして書いた。ユーモア仕立てにしたのは、戦前の投稿で入選したのはユーモア小説が多かったことと、サラリーマンの一番の辛さは仕事面ではなく、自らの会社勤めの経験から、人間関係面だとし、そのことにユーモアを加味すれば面白いものが書けると思ったからである。

この思惑は当たり、その後も同趣向の「随行の旅」（後に「随行さん」に改題）、「目録さん」「颱風さん」「ホープさん」「ラッキーさん」「ご苦労さん」「幸福さん」（「読売新聞」連載）などと、一連の「～さん」シリーズのサラリーマン小説を書いて好評を得た。「浮気の旅」は源氏鶏太のサラリーマン小説の第1作になった。この鶏太のユーモア仕立てのサラリーマン小説は、当時の世相の状況に適し、昭和25年、38歳の時に「随行さん」「目録さん」が、その年の上期の直木賞候補に、「木石に非ず」が、下期の直木賞候補になった。上期、下期の直木賞候補になったので、鶏太の自信は強まり、本気で直木賞受賞を目指して、翌26年に「英語屋さん」を『週間朝日別冊』に発表した。この短編は、かねてから、直木賞受賞後に、受賞第1作として発表するつもりで胸中に温存していたものだった。これも鶏太の思惑があたり、この「英語屋さん」と「颱風さん」「ご苦労さん」で昭和26年上期第25回直木賞を受賞した。鶏太、39歳だった。ちなみに同期の芥川賞受賞者は、石川利光、安部公房で、直木賞候補は、柴田錬三郎、立野信之、松本清張だった。

直木賞受賞発表の2、3週間前から鶏太は、『サンデー毎日』に「三等重役」の連載を始めた。この連載は、当初は不評だったが、直木賞受賞の影響もあり、第7話当たりから反響が出てきて、その後ますます好評になり、〈三等重役〉が流行語になるほどに人気が出てきた。鶏太の連載は、当時の週刊誌としては異例のことが多く、『サンデー毎日』としても実験的な連載だったようだ。雑誌社は、従来の連載小説にマンネリを感じて、新企画の必要に迫られていた。また、その新企画を依頼しやすい新人作家で試そうとも思っていた。そんな矢先に白羽の矢が立ったのが鶏太だった。当時の週刊誌の連載は、一回読切風のものではなく、一作を20回程度の連載で終結するものが多かった。それを毎回1編20枚程度のまとまった読切小説にして、20回以上続かせようと雑誌社は考えていた。これは、毎週1編の完成した短編を20回以上続けて書くことになり、作家にとってはかなりの労力が必要だった。だが、鶏太はこれを承諾し、27年4月13日号までに35話を書いた。

鶏太の「三等重役」は大好評で、サラリーマン小説というジャンルを確立した記念碑的作品となった。鶏太は、長い投稿時代で苦労したので、作家として世に出てからは、編集者（雑誌社）の助言を素直に聞き、様々な申し出を快く引き受けてきた。それが幸を為して鶏太の小説は好評の波に乗り続けた。三等重役の意味だが、これは鶏太が新しく造った言葉ではなく、会社の上司が使っていた言葉で、一等重役は資本家重役、二等重役はエリートコースを進んで当然なるべくしてなった重役、三等重役は戦争がなかったら絶対になり得なかった重役のことで、戦後のパージで会社の上層部に大きな空白ができ、それを埋めるために重役に抜擢された者のことを言う。今までの重役に比較して、質の劣る成り上がり重役を風刺するために「三等重役」を鶏太は書いたというが、鶏太とて同じ条件での三等中堅管理職だった。

『サンデー毎日』連載の「三等重役」は人気を呼び、同じく『週刊朝日』連載の吉川英治の「新平家物語」も人気があり、当時は二つ合わせて週刊誌の源平時代と騒がれた。また、26年には「ホープさん」が東宝で映画化され、鶏太にとっては初めての自作の映画化であり、サラリーマン映画の走りでもあった。翌27年には「ラッキーさん」が映画化され、河村黎吉、森繁久弥、小林桂樹等が出演した「三等重役」の映画は大当たりだった。ちなみにテレビでは、昭和34年に森繁久弥出演の鶏太の「七人の孫」が最高視聴率33・3％で、家庭小説のテレビ化の原型と言われている。「三等重役」の成功で、鶏太は新聞連載に自信を得て、次々に新聞、週刊誌に長編連載を続け、また、それらが次々に映画化された。順風満帆に作家の道を進む鶏太であったが、彼は依然として作家として一本立ちの気持ちはなく、余暇に小説を書きながら定年まで会社に勤めていくつもりでいた。

〈サラリーマン小説好評の時代背景〉

鶏太のサラリーマン小説が好評を得たのは、彼の文章が分かりやすく歯切れのよい会話で、談笑性に富んでいることもあるだろうが、それだけが好評の要因ではなく、鶏太が描いたサラリーマン世界の当時の状況が大きく影響していたと思われる。昭和20年の戦争終了後に労働組合法（昭和24年施行）が公布され、労働運動が合法化されて、昭和22年には工場法に関わる労働基準法も制定された。このことから昭和20年代には、各所に労働組合が次々に結成され、それぞれの組合は、闘争至上主義の労働運動を推し進めたので、労使関係が険悪な状態になった。その上、昭和24年のドッジライン（財政、金融引き締め策）によって、会社は存続の危機に直面し、生き残りのために大規模な人員整理を敢行した。それによって労使間の信頼関係は消え、極めて険悪な状態で労使の対立は激化した。この時期に鶏太はサラリーマン小説を書いたのである。ただし、現実の険悪な労使関係のサラリーマン世界をありのままに描くのではなく、その関係にユーモアを加えたのである。当時の暗く苦しい生活の中であえぐサラリーマンやその家族は、鶏太の描くユーモアを加味したサラリーマン世界は、夢を託せる理想的なサラリーマン世界で、悲惨な現実を一時忘れさせて、爽快と潤いを与え、明日への勇気を蘇らせるものであった。鶏太も自らのサラリーマン小説の好評の理由を、「当時、労使の関係がひどく悪くなる傾向にあったが、私はその逆を書いたことがよかったのではないかと思っている。暗くなる一方の世相にある明るさをあたえたことも無関係ではないだろう」（「わが文学的自叙伝」）と述べている。この時期の鶏太の作品は、厳しい自己追究と深刻を真骨頂とする純文学とは異なり、読者に夢と喜びを与える大衆文学の役割の一つを担ったと言える。また、後の「三等重役」の爆発的人気も、その背景には、ドッジラインによって生じた日本経済の不況が、昭和25年の朝鮮戦争によって蘇り、それが昭和30年前後の神武景気から岩戸景気にかけての高度経済成長へと繋がる好景気への期待が大きく影響している。昭和30年前後の経済成長への期待が、これまでの険悪な労使関係から、労使共に手を携えて明るい将来を築こうとする労使協調路線にかわり、その労使の良好関係が「三等重役」に描かれたので多くの人々が共感したのだろう。「歌は世につれ、世は歌につれ」といわれるが、鶏太の作品ほど、この「歌」を「鶏太の小説」に置き換えた時、その意味が似通ってくるものはない。

前引きした「わが文学的自叙伝」でサラリーマン小説の好評を、鶏太は偶然の結果のように述べているが、鶏太ほど、作品に対する読者の反応、その読者の傾向に対しての編集者の対応をよく見ている作家はいないだろう。それが大衆小説家、流行作家なのだと言えば一言で尽きるのだが、貧しく育ち、会社での下積みや投稿期間の長かった鶏太は、一刻も早く世に出て、世に長く受け入れられたいとの願いが人一倍強かったに違いない。その願いから周囲（読者、編集者）の小説愛好の傾向を探り、その傾向に即して書き、好評を得たいとの姿勢も強くなったのだろう。自己のテーマを追究するために小説を書くというよりは、読者の好みや編集者の意を速やかに察知して、その意や好みに適するような小説を提供しようとしたのである。強いて言えば、鶏太の創作は、自己及び読者の内部性の深化に繋がるものではなくて、読者への迎合的姿勢で、その意識は前近代的な戯作者的意識に近いものだったろう。この時期の鶏太も、当初からユーモア仕立てのサラリーマン小説を書こうと思っていたのではなく、いろいろな小説を書いている中で「浮気の旅」が好評で、俗な言い方だが、柳の木の下にまだドジョウがいると思い、それに、当時の世相とあいまって柳の木の下に実際に何匹ものドジョウがいたので、それに加え、編集者の勧めもあって、大当たりした「浮気の旅」と同趣向の小説を次々に書いていったのだろう。このような読者の好みへの迎合は、作品の筋立てや人物個性の類似などを生じたが、世相の変化にともなう読者の好みの微妙な変化に敏感に反応する弾力性もあって、そのつど適するように表面的に設定を改めたので、鶏太自身の文学観や小説の構想面での進展はあまり見られないにもかかわらず、読者には好んで受け入れられたのであろう。こうして、「浮気の旅」「随行さん」「目録さん」「英語屋さん」などのサラリーマンの泣き笑い人生を温かく描いたもの、「ホープさん」「喧嘩太郎」「天上大風」「正々堂々」「万年太郎」などの若手サラリーマンを主人公にした熱血・正義漢の活躍を描いたサラリーマン武勇伝もの、それに「三等重役」に連なる鶏太のサラリーマン小説が生まれてきた。

〈会社退職とスランプ〉

昭和26年、39歳での直木賞受賞後も、鶏太は勤めながら小説を書き続けた。昭和30年頃には、数本の連載と短編を抱え、平日は会社を終えてから毎夜3、4時頃まで、休日は一日中、小説を書き続けていたという。この頃には、原稿収入が給料のおそらく何倍かになっていただろう。作家として社会に認められ、多額な原稿収入も得ているのに、鶏太は、依然として作家として一本立ちをしなく、学歴からこれ以上出世が望めない会社に勤め続ける必要はあったのだろうか。どうして会社を辞め、作家一本に絞れなかったのだろう。それはおそらく鶏太の優柔で小心な性格と、文学自体を深めることへの意識の低さからではなかったろうか……。「艱難汝を玉にす」とか、「若い時の苦労は買ってでもしろ」とか言われるが、確かに若い時に困難・苦労を自らの試練として乗り越えて腹の据わった立派な人物になった者も多いが、困難・苦労の度が過ぎて、かえって人物が萎縮し、警戒心、猜疑心が強くなり、保身に囚われがちの小心で慎重な人物になった者も多くいる。鶏太は後者の部類の傾向があったのではなかろうか……。幼い頃から貧乏の中で育ち、入社してからの長い下積み生活と、報われない投稿期間が、鶏太を必要以上に用心深く慎重にして、環境の変化を嫌い、冒険を試みようとしない優柔不断な保身的な人物にしたのではないだろうか。それゆえに高額の収入を得る時もあるが、不安定な作家収入に頼るよりも、低額でも確実なサラリーマン収入を信頼し、また、社会的評価の低い作家業よりも、天下の「住友」の大看板の下《もと》での方が鶏太にとってはステータスシンボルで、安易に会社勤めを捨て切れなかったのではないだろうか。このことを鶏太の実利を考えた着実・堅実な生活設計に基づくものと評する者もいるが、そんな鶏太の強い意志的なものからではなく、むしろ、性格面の優柔で煮え切らぬ気弱さからで、突き詰めれば、従来の〈仕事の片手間の創作〉から脱皮していない鶏太の文学への意識の低さによるものではないだろうか……。

だが、こんな鶏太も昭和31年1月に44歳3カ月で退職する。昭和5年に入社し、召集もあったが、25年10カ月の勤務であった。退職の理由は、鶏太によると、体力の衰えと、深夜遅くまでの創作の過労によって、会社での仕事に自信が持てなくなってきたことと、創作に追われてノイローゼ気味になってきたからで、その時の病状は、「東京一淋しい男」（昭和38年）に書いたと言っている。それもあるだろうが、サラリーマン世界を描く作家として、会社での彼の立場が、この頃にはかなり社内で煙たがられ、限界にきていたことと、これまでの原稿収入でかなりの蓄えができ、作家としてやっていけるとの経済的な見極めもついたからであろう。退職後の作風も従来とあまり変わりがないところからみると、文学の意識面の変化からの退職ではないだろう。

翌32年には初めての「源氏鶏太作品集」全12巻を新潮社より出版し、33年、鶏太46歳の時に「新・三等重役」の大長編を『サンデー毎日』で85回にわたって連載して直木賞選考委員にも選ばれている。文学賞の選考委員になったのは、昭和30年前後の『講談倶楽部』（『小説現代』の前身）の新人賞の時である。ちなみに鶏太が講談倶楽部新人賞の選考委員の一人だった時に、富山出身の畷文兵（「遠火の馬子唄」）と司馬遼太郎（「ペルシャの魔術師」）が講談倶楽部新人賞を受賞し、後に鶏太が直木賞の選考委員の一人だった時に、司馬遼太郎が「梟の城」で直木賞を受賞している。昭和35年5月には、彼が世話を続けてきた母親が亡くなった。老いて気むずかしくなった母親と妻との嫁姑の間で鶏太も苦労したようだ。この年、鶏太は48歳だったが、彼の創作意欲は旺盛で、週刊誌連載が3本、新聞連載1本、月刊誌連載3本、他に短編を毎月1、2本書いている。翌36年の3月に東宝株式会社の監査役に選任され、以後、22年間続けることになる。監査役として月1回の重役会の出席で、住友（泉不動産）時代には望めなかった重役会への列席は、鶏太にとって満足だったことだろう。また、日本文芸家協会の経理委員長も20年間以上も勤めた。協会の財政面ばかりでなく、協会事務職員の昇給、賞与等も担当し、面倒な反面、その役職によって文壇での発言権も強まり、資本家側のような仕事だったので、住友（泉不動産）時代には縁のなかった重役としての優越感も味わったに違いない。昭和40年には「源氏鶏太全集」全43巻が講談社から刊行された。

しかし、会社を辞めて3、4年の、作家として創作一筋に油がのる時期に、生活費のためではなく、監査役のような仕事に携わるのは、会社勤めの頃への未練がまだあるようで、文学への意識を新たにしたとも思えない。鶏太は「近頃の私は、過去の作品のことを忘れていた方がいいのではないかと度胸を決めるようにしている。どうジタバタしたところで一人の人間の書き得る範囲はたいがい知れているのだし、そのときどきで全力投球をしておれば、かりにテーマがおなじであっても、登場人物が類似していても、私自身にいくらかの成長があれば、自ら前と違っているに違いない筈と思うことにしている。」（わが文学的自叙伝）と述べているが、これはこの頃より10数年後の昭和50年頃の言で、一種の開き直りのようにも受け取れるが、創作への意識は10数年前も同じようなものだったのだろう。だが、「かりにテーマがおなじであっても、登場人物が類似していても」と述べているように、鶏太自身も自らの小説のマンネリには気づいており、冒頭で引用した「ときどき私は、自分の作品で死後読まれる作品があるだろうか、と思ったりすることがある。（中略）死んでしまえばそれまでであろう。それが大方の大衆小説作家の運命とわかっていて、ちょっと寂しい気がすることがある」（『文学的自叙伝』）の不安は、このマンネリが気掛かりなところから生まれているのだろう。それにしても退職した昭和31年の1月以降、昭和44年頃までに、新聞、雑誌に約76編の連載と、他に160編以上の短編、随筆、再掲分の小説が発表されている。膨大な数である。極めて旺盛な創作意欲のようだが、これは退職後の不安定な収入への不安で一種の脅迫観念に囚われ、原稿収入を得ようと書き綴ったからではないだろうか…。無理が祟り、昭和45年前後の50代中半頃から、遅まきながら鶏太もしだいに自らの創作の在り方を見つめ直し、新たな工夫を考えるようになってくる。だが、長年どっぷりと浸かったマンネリの手法から抜け出ようもなく、低迷状態の中で書き続けた。この時期、鶏太は、57歳頃から始まったと言っているがスランプ状態に陥った。

スランプ状態の中で鶏太は、彼の小説で世の中に受け入れられた頃のものを読み返し、そこに共通してユーモアがあったのに気が付いた。そして、自らの創作の原点はユーモアであるとし、原点に立ち返り、再度ユーモア小説を書こうと決意して「ユウモア小説に還る」（「東京新聞」夕刊昭和44年2月）を発表し、改めてユーモア小説を書くことを宣言した。ただし、

「今まで通りのユウモア小説を書いていては、たかが知れているし、もう先が見えている」「ただのユウモア小説では満足できなくなっているのに気がついた」との思惑から、従来のユーモア小説に新奇な趣向を加味してユーモア小説を書こうと決意した。これが結果的には成功することになる。

〈新たな試み、妖怪の出現〉

昭和46年、58歳の時に「口紅と鏡」「幽霊になった男」で、鶏太は第5回吉川英治文学賞を受賞した。鶏太にとっては久々の受賞だった。文壇で重きをなしている作家で、鶏太ほど文学賞の受賞歴の少ない作家はいない。それは、世の中で彼の小説は受け入れられているとはいえ、どの小説も同じような内容で、読者は彼の小説のマンネリを許容するが、それ以上のものを彼に期待しなかったからであろうし、鶏太自身もまた望もうとはしなかったからだろう。ところが、「東京新聞」での「ユウモア小説に還る」の発表以降、心機一転、鶏太が従来のユーモア小説に、新たな趣向を加味したものを発表したので、それに対する期待が強まり、吉川英治文学賞の受賞に繋がったものと思われる。特に「幽霊になった男」が新趣向で、これは、常務取締役を恨んで自殺した嘱託社員が、夜になると会社に化けて出るという話で、サラリーマン社会に幽霊を出現させ、サラリーマンであった生前の恨みを死後、幽霊となって上司に晴らすという「サラリーマン幽霊小説」の走りになった。この「幽霊になった男」は、当初、読者は、多少戸惑ったようだが、編集者にはむしろ好評で、編集者の受けの好いのに気を好くして鶏太は「自分の葬式を見に来た幽霊」（昭和46年）「鬼の昇天」（昭和47年）「死神になった男」（同）「幽霊を抱いた重役」（昭和48年）「東京の幽霊」（同）などと、サラリーマン幽霊ものを次々に書いて、読者もしだいに一連の彼の作品を受け入れるようになり、鶏太の晩年の幽冥小説（妖怪小説）が生まれてきた。だが、鶏太のどの幽霊小説をとってみてもシリアスな恐怖小説とは異なり、人間臭い幽霊が登場する軽いタッチのものが多く、鶏太の元々のユーモア小説の流れを汲んでいるといえる。

「幽霊になった男」を書く際に、鶏太は、従来のユーモア小説には満足できなく、それに新たな趣向を加えた。従来のものでは、快男児が出現し、その活躍で勧善懲悪のハッピーエンドになる、言わば〈善意〉のユーモアが主だったが、新趣向として、その〈善意〉を〈悪意〉に変え、〈悪意〉のユーモア、つまり、ブラックユーモアに塗り変えて描いたのである。ブラックユーモアとは、人間の不条理な存在を笑い飛ばそうとする，グロテスクで絶望的なユーモアのことであり、人の心の黒い部分や心の闇と呼ばれる思いや思想を、身近な出来事の中でコミカルに表すことなのだが、鶏太流に言うと、人とは何となくうら悲しくて、おかしい存在だと捉え、ユーモアも何となくうら悲しくておかしいものであるから、人の本質を最もよく描けるものはユーモアだと再認識し、人の悲しみに焦点を合わせて、それをおかしく表したものだとしている。その観点をサラリーマン社会や男女関係、人間社会全般まで広げ、世の中での不成功者の恨み、成功者の罪悪感などを幽霊・妖怪に託して多く描いた。〈善意〉のユーモアの小説では、快男児によって勧善懲悪をなさせたが、〈悪意〉のユーモアの小説では、幽霊・妖怪によって報復させた。鶏太の幽冥小説（妖怪小説）を彼が新たに生み出した小説群と評する人もいるが、また、鶏太自身も、出世競争に敗れたサラリーマンの悲惨な人生を念頭において「私の幽霊の出てくる小説は〜昔の勧善懲悪のテーマを捨てていないことになる」と言っているが、鶏太の幽冥小説（妖怪小説）と言われるものを全編（70編ほどあるが）を読むと、鶏太が言うようなサラリーマンの妄執（死後、上司への意趣返し）、サラリーマンの悲哀（死後の嘆きと恨み）もあるが、幽霊との情事、生前の関係した男・女への執心などと男女に絡む情痴物も多く、それに悪霊の祟りや先祖にまつわる因果応報などの身に覚えのない災いのものなども見られ、新たに生み出した小説群と言うより、従来の鶏太の小説に幽霊的なものを加味してストーリーに新奇を工夫したものと捉えた方が妥当だろう。いわゆる小手先の変化で読み手の目を惹き付けるが、本質的な処では従来のものとさほど変わっていない。中には、幽霊・妖怪で読者の興味をひくだけでストーリー性も欠け、小説構成が崩れているものもみられ、小説に幽霊・妖怪を出現させたことが、創作面での進展なのか後退なのか、疑問に思われるものもある。また、幾つかの小説のなかには、鶏太の幼い頃の故郷・富山での素朴な俗信仰の、祟り、罰、地獄などがあらわれていて、老いて気が緩み、作家としての自らを忘れ、昔のことに囚われがちになってきたのかと疑いたくなる。

ともあれ、一旦、小説中に幽霊などの出現で好評を得ると、鶏太は、再びこの種の小説を書き続け、晩年の「レモン色の月」（昭和53年）「みだらな儀式」「招かれざる仲間たち」（昭和54年）「鬼」（昭和55年）などの妖怪小説にまで至る。以前にサラリーマン小説で好評を得た時、それを書き続けたのと同じパターンを繰り返す。それが再びマンネリになり、同じような結末に至る。その挙げ句、鶏太は「もう書くものはなくなった」と呟く。書くものがなくなったのではなく、書こうとする鶏太の心が枯渇してきたのだろう。老いて体力が落ち、書くことが鬱陶しくなり、言い換えれば、書き疲れて書くのに飽きてきたのだろう。鶏太の創作意識が、読者に楽しみや喜びを与えるものではなく、自らの内なる欲求・問題意識に基づいていたならば、老いても創作の泉は枯れず、「もう書くものはなくなった」などとは口に出さなかっただろう。

鶏太の多数の小説を読む時、テレビの長寿番組だった「水戸黄門」が思い浮かぶ。レギュラー以外、毎回、出演者は異なるが、場面セットやストーリーが同じで、シリーズ中の最高傑作は何かと問われても、面白いのだが、どれも同じようで、これと言って一番面白いものがない。しかし、なぜか、その番組を観てしまう。軽いテンポの単純な勧善懲悪でハッピーエンドの結末で皆同じである。だが、どの回も視聴者が好む同じパターンだからこそ、視聴者は安心してドラマを観てしまう。この視聴者側の安心が「水戸黄門」を長寿番組にしていた。言い換えれば、俳優、ストーリーなどが、視聴者が好むマンネリだからこそ、視聴者は惰性的に番組を観るのである。このことは、そのまま鶏太の多数の小説にも当てはまる。彼の小説は面白いのだが、ストーリーも登場人物もパターン化していて、どれも同じようで、傑作を問われても直ぐに思い浮かばない。鶏太の多数の小説は、読者が好むマンネリによって支えられてきたと言える。純文学ならば、鶏太は、読者が好むマンネリの上に安易に胡座をかき過ぎていると批判もされようが、読者が好むマンネリで、読者に楽しみと喜びを与え続けてきた鶏太の才能は、別の意味で評価に値するだろう。社会に及ぼす大衆文学の働きの面で、鶏太は大いに貢献したとも言える。作家として自らの文学を突き詰めて、新たな小説世界を築き上げようとする意識が低かったゆえか、文学賞受賞の数は極めて少ないが、大衆小説を通して、世の人たちに楽しみを与えたという点で、昭和51年、64歳の時に紫綬褒章を、昭和58年、71歳の時に勲三等瑞宝章を受章したが、文学賞よりも、源氏鶏太にこれほどふさわしい章はない。それから2年後の昭和60年9月12日に源氏鶏太は永眠した。享年73。

〈没後の状況〉

現在、源氏鶏太の小説を読む人は極めて少ない。なぜ少ないのか。端的に言うと、現代の世相が鶏太の描いている時代と違いすぎているからである。鶏太の小説は、時代ごとの世相を巧みに取り入れてユーモア仕立てで描き、それが当時の人たちに共感を呼び、好評を得たが、皮肉なことにその好評を裏付けた世相が、当時と現代とでは余りにも違いすぎている。例えば、鶏太が描くサラリーマン社会は、彼が勤め上げてきた総務の経理・会計部門から見たもので、その見方で当時は全部門のサラリーマン社会にも通じたのだろうが、現在では職種やサラリーマンの仕事が細分・専門化し、それぞれの仕事には特殊性があり、鶏太が描く総務の経理・会計部門だけでの大雑把な描き方では、現在のサラリーマン社会には通用しなく、共感を呼ばない。幽冥小説（妖怪小説）においても、現在は刺激を求めて過剰なほどの血と怨念の渦巻く鬼気迫るホラーブームなのに、鶏太が描く幽霊は人間臭くて迫力に欠け、その間の抜けたような幽霊たちでは興味をそそらない。それに人間を追究した純文学のようなテーマなら、不変のテーマとして読み続けられるだろうが、鶏太のような世相性を強く受けている小説は、過ぎ去る時の流れに従い、陳腐なものになり、鶏太が予言していた通りの大衆小説作家の末路を歩んでいる。

　鶏太が亡くなった2年後、彼の命日の昭和62年9月12日に、富山市泉町のイタチ川の泉橋詰めの地蔵尊の隣に、鶏太の文学碑が建てられた。碑には銅板に刻まれた「冬雲夏雲」の中の「一本の電柱」の文がはめ込まれた。だが、この地は、鶏太の生家跡ではない。生家跡は、文学碑の前の道をやや南に下った、老舗焼芋店の斜め向かい、四辻のガレージ前の道路付近である。この地に文学碑を建てようとすれば可能な敷地はあるのだが、建てることができなかった。文学碑建立の動きは、富山市によって鶏太の生前の昭和59年の2月頃から始まり、当初は、鶏太の生家跡に建立しようとしたが、地元・泉町2丁目の町内会や老人クラブの頑強な反対で、近くの泉橋詰めの地蔵横の僅かな空き地に建つことになった。温厚で人柄もよく、ユーモアを通して日本中の人々に知られ、愛され、また、故郷を愛し、地元紙（北日本新聞）を常に購読し、郷土から講演を頼まれるといつも快く引き受けて「青春の旅」「若鮎」「わが町の物語」「共存共栄」「勇気凛々」「手鏡」など、他にも多くの短編で故郷・富山を描いた源氏鶏太が、最も身近な生まれ育った土地の人々からは疎まれていた。

その中の一人は理由を尋ねた私に憎々しく話した。「小さい頃、貧乏だったので親も含めて面倒みたのに、作家になって金を沢山稼ぐようになっても、訪ねてきて礼の一つも言わない。恩知らずだ」と。また、鶏太と商業学校時代の友人は、「富山へは帰っているらしいが、学校時代の友達には会わないらしい。ストライキ中止の時の罪意識もあるし、自分は偉くなったと思っているんだ」と言う。だが、鶏太の気持ちもよく分かる。故郷は恋しいが、その故郷の地に立ち、あるいは昔の友に会って、当時の貧乏で苦しかったことを思い出すのは辛いに違いない。そんな気持ちが地元や旧友たちを遠ざけたのではないだろうか…。学校時代までの故郷での貧乏で苦しい日々の心の傷が強烈過ぎて、完全には癒えていないのだろう。軽度のトラウマだろう。また、癒えなかったからこそ、会社時代の下積みの苦労の中でも鶏太を創作に駆りたてたのだろう。作家として成功し、印税や映画化などの収入で、文壇での高額所得者番付（文芸部と門）でトップになり、10年近くも上位ランクに入っていた鶏太は、確かに現実世界での成功者だった。だが、成功者にしては繊細過ぎた。それが作家なのだろうが、地元の人たちは、鶏太の作家としの繊細さを見ずして、俗世界の成功者のみを見て地元に利をもたらさぬと彼をなじるのだろう。物心共に貧しさに留《とど》まっている人は、自分たちの環境から抜け出して成功した人を殊更《ことさら》憎む。地元の人たちには失礼な言い方だが、〈やっかみ〉だろう。「故郷に錦を飾る」というが、その「錦の飾り方」は何と難しいことだろう…。

源氏鶏太の作品が現在読まれないのは、彼の創作意識にも問題があったからだと思うが、生涯休みなく、職人のように書き続けた鶏太の態度には頭が下がる。彼は色紙に好んで「花は自分の美しさを知っていない」「花には水を、人には愛を、生活にはユウモアを」と書いた。そして、彼の「ユウモアとは悲しみの裏返しだともいえる。悲しみを笑いにおきかえる技術と知恵である」との言葉が思い浮かぶ。現在、私たちの目前には、殺伐として潤いのない社会が広がっている。このような社会だからこそ、源氏鶏太の唱えたユーモアが必要で、彼の跡を継いだ、現代の社会に適合したユーモアに満ちた文学作品の再現が望まれる。

〈参考〉

『わが文壇的自叙伝』『夏雲冬雲　私の履歴書』源氏鶏太
『資料・源氏鶏太』高杉方宏
「源氏鶏太おぼえ書─その初期詩編をめぐって─」稗田菫平
「川口清と源氏鶏太」近藤周吾　（第2回ふるさと文学を語るシンポジウム）
「泉町で生まれた源氏鶏太」八尾正治
『とやま文学』6号　富山県芸術協会

〔高島高〕

高島 高　明治43年7月1日〜昭和30年5月12日

詩人・医師。滑川市出身。昭和医専卒。本名は高嶋高。昭和3年日大予科、5年日大本科に入学。6年昭和医専入学。萩原朔太郎、北川冬彦等の詩コンクールに一等入選。11年処女詩集『北方の詩』刊行。『麺麭』『崑崙』の同人として詩作を発表。戦後南方より復員し「文学国土」『北方』を編集。詩集に『山脈地帯』や『北の貌』『続・北方の詩』がある。

〈はじめに〉

50歳後半に病に罹《かか》り、死を覚悟したことがあった。日々、沈痛な想いに苛まれていた。そんな時、ある詩に目がとまった。「火の中では火になりきり／水の中では水になりきる／喜びの中では喜びになりきり／悲しみの中では悲しみになりきる／その究極は無であり／無から再びあらためて力がほとばしり出す／一度死んでから／本当に生き出すんだから／あわてはいけない／早まってはいけない／何も世におそるることなど一つもないのだ／その本質さえ究明すれば／死さえも／瞬間にかがやく永遠／光は無限にかくされている」（「人間」）。その詩を読み終えた時、胸のつかえが晴れた。死を拒む重苦しい気持ちが溶け、素直に死を受け入れる気持ちに変わっていた。幸いに病は癒《い》え、それ以来、この詩が胸の奥底で熱く息衝《づ》いた。改めてその詩人の詩集を読み返した。そこには命の光が溢れていた。「わが言葉／詩が光を生むのだ／光が詩を生むのだ」と。そして、故郷の自然が、鋭い感性で猛々《たけだけ》しく謳われていた。その詩人の名は高島高という。

〈幼年期から上京まで〉

高島高は「日本の北のはずれの／滑川という小さな町に／男生まれて／詩もうたえり／泣いてもみたりき」（「歴史」）とあるように、明治43年7月1日に、滑川町西町（現・滑川市加島町）の開業医の高嶋地作と静枝との次男として生まれた。本名は高嶋高で、高嶋家の長男が幼くして病死したので、父・地作の大きな期待のもとで厳格に育てられた。高嶋医院は、滑川では代々続く医家（漢方医）で、火傷の家伝の特効薬がある医院として知られていた。後に医院を継いだ高島高も、火傷の治療が上手いと定評があった。

父・地作は、高岡市の蒲田家から高嶋家に入って、優秀な開業医として人望を集め、診療に追われる日々であったが、俳句、美術、骨董に趣味を持っていた。滑川町の俳諧結社「風月会」の主要メンバーで、昭和3年5月17日、童話作家の巌谷小波が滑川を訪れた際には、風月会の代表として加藤半次郎と共に巌谷を滑川商業学校まで案内し、7月14日に、再度、巌谷が風月会の俳句大会の選者として滑川を訪れた際にも、加藤と共に巌谷を西加積小学校へ案内した記録が残っている。地作は、小林一茶を好み、一茶の半分をかりて半茶として「聴濤庵半茶《ちょうとうあんはんちゃ》」を俳号として日記やノートの切れ端などに多数の優れた句を書き残したが、表だっては作品を発表していない。彼の作品で知られているのは、昭和17年に高島高がまとめた『聴濤庵半茶遺稿集』に残る60句が主なものである。遺稿集には『東京遊学の後、23歳にて医師となり、家父玄俊の後を継ぎ、開業、その間38年』とある。また、地作は、小杉法庵、近藤浩一路、郷倉千靭などの中央画壇の画家たちとも交流があり、彼等の作品は現在でも高嶋家に保存されている。地作は息子の高が文芸（詩作）に打ち込むのを必ずしも良しとは思っていなかったようだが、高島高は、父・地作から文芸の血を確かに受け継いでいる。また、母・静枝は、教養高く、文学を愛し、琴を奏で、その音色の美しさは高島高の胸奥にいつでも残っていたという。

現存している旧高嶋医院邸は、昭和6年建築の滑川市で最初の洋館建築であったが、元々の高島の生家は、西の宮（加積雪嶋神社）の近くで、波よけの石垣に囲まれた海岸寄りの古い家（医院）だったようだ。現在、海岸沿いには高い堤防が延々と続いて容易に海を望めないが、堤防の上に立つと、目前の日本海は、波静かな時は洋々と包み込むような慈しみに満ちあふれているが、いったん嵐になると怒濤逆巻く荒海に豹変する。また、背後の剣岳は、立山連峰の中でその威容が際立《きわだ》ち、鋸の欠けた刃のような岩陵が圧倒的な存在感を持って目前に迫ってくる。この地に立つと、険しい山岳と大海の接する、まさに荒削りの雄大な大自然の中に身を置いているようで、高島が詩で描く大自然の根底にあるパワーが沸々と胸に涌き上がってくる。幼年時代に眼にしたこの自然が、彼の詩の中に、大らかな優しさとは裏腹な激しさ、猛々《たけだけ》しさを持つ自然として表現されたのだろう。

高島は大正6年に滑川男子尋常小学校（現・寺家小学校）に入学する。家庭で厳しく躾《しつけ》られ、学ぶ姿勢が身に付いていたのだろう。尋常科3年と5年には中新川郡長から品格方正・学術優秀等の賞状を受けている。また、勉強ばかりでなく、少年野球にも打ち込み、尋常科6年の時には、下・中新川郡内小学校争覇戦においてピッチャーとして出場し、優勝旗を獲得している。大正12年に県立魚津中学校（現・魚津高校）に入学し、1、2年の頃には、がっしりとした体格を活かしてスポーツに打ち込み、野球部と柔道部に籍を置き、対抗戦に数多く出場している。特に3年時の北信越大会では、前年に負けた福井中学と対戦し、投手兼二塁手として活躍し、雪辱を果たした。

だが、大正13年5月、高島が15歳の時に母・静枝が急病死する。母を失った衝撃は大きく、詩によって悲しみを癒したことから、詩を好むようになり、しだいにスポーツから遠ざかり、文学に惹かれていく。後の彼の第3詩集『北の貌』の後記に「〜思えば十五歳にして母を失った私が、つねに絶望を克服さしてくれたのも詩であった～」と述べており、母の死が、高島が詩へ没入していく契機になった。また、野球部顧問・畑久治氏の影響で哲学書や文学書を読むようになり、強度の近視ということからも、3年の頃からは、スポーツよりも文学への愛好が更に深まった。当時の学友・島崎藤一（後に富山大学教授）によると、高島は島崎と共に、芥川龍之介、有島武郎、石川啄木の作品を貪るように読み、創った詩や短歌を互いに遣り取りしていたという。5年になると、文学への傾倒がますます強まり、斉藤吉造等の学友と共に同人誌『揺籃』を編集発行したが、学校からの廃刊指示で断念した。雑誌の内容は判明しないが、卒業に際して作成された学友会誌の高島の多くの詩や短歌の内容が、生や死、人生を追究するものが主なので、『揺籃』の内容も同様のものだったと推測できる。当時盛んになってきた政治的な、プロレタリア文学の傾向のものではなかったに違いない。学校からの廃刊指示は、このような世相を反映して保守的な学校側の危惧から生じたものと思える。卒業に際しての学友会誌に「懐かしの加積」と題する五首の短歌が載っている。「静かなる詩心の境求めんと一人さまよひ堀ばたに来る」と詠んでいて、当時の高島の文学への傾倒が、かなり深まっていたのが分かる。

高島は中学卒業後の進学を文学に志望していたが、父・地作はどうだったのだろうか。次男とはいえ、長男亡き後は、彼が医院を継ぐ者として期待していたに違いない。厳格な父なので高島はうち解けて父と話すことがあまりなかったという。そんな父から医学へ進めと言われたならば、いくら文学が好きでも彼は父の言葉に従っただろう。しかし、彼は、中学卒業後に日本大学予科に進み、文科への志望を明らかにする。このことは父の言に逆らって、強引に文科へと進んだというのではなく、むしろ文科へ進んでもよいとの父の容認があったからであろう。父・地作は、息子・高が母・静枝の死の悲しみを詩で癒している痛々しい姿を見知っており、自らも俳句に打ち込んでもいるので、いずれ医学の道へ進ませるにしても、今は取りあえず、息子の好きな文学をしばらくやらせようとの考えがあったものと思える。また、「いずれ医学へ進む」とのことは、中学卒業間際の進学決定の際に、高島と父との間で何らかの話し合いがあって互いに了解したことだったのではないだろうか。後に高島が医学専門学校に移籍する際の彼の潔《いさぎよ》さは、この時の約束めいたものからだとすると納得できるのだが…。いずれにせよ、父・地作は、最終的には医者にならねばならぬ息子・高に青春の一時《いっとき》の楽しみを与えたのだろう。

〈詩作に励んだ日大、医学生時代〉

高島は昭和3年4月に日本大学予科に進学し、東京の三田聖で下宿生活を始める。2年後の昭和5年、彼が20歳の時に日本大学文科に入学した。この頃には冬木牧人の筆名で、詩や散文に限らずコントなどを週刊誌に投稿していたらしい。後の謄写版刷りで出版された『人生記銘』（昭和17年）の序には、当時の文芸雑誌『旗』『詩原』、それに『日本の風俗』（春陽堂）などに掲載されたと書いている。だが、翌6年に父からの要請で日本大学を辞め、4月に昭和医学専門学校（現・昭和大学医学部）に入学し、大岡山に下宿をかえた。昭和医学専門学校は昭和3年に創立したばかりで、その教育目的は、実地診療に秀でた臨床医師、実験医学を養成することだった。通年、午前8時から午後5時までの授業で、高島はそこで熱心に医学を学んだ。だが、昭和医学専門学校に入学する際、東京の下宿で中学時代の学友・島崎藤一（後に富山大学教授）に「やむを得ず家業を継ぐが、文学は捨てない、詩は私の一生の伴侶だ」と熱に浮かされたように話していたという。その言葉通り、医学の勉強の傍ら、寸暇を惜しんで文学・哲学書を読み、詩作にも励んだ。彼が愛読したのは、ニーチェやカント、デカルトなどの西洋の哲学書、チェホフ、利休、芭蕉、良寛などの作品だった。また、医学の勉強に束縛される反動からか、昭和7年から9年にかけてパンフレットの詩集を矢継ぎ早に出している。第1集『太陽の瞳は薔薇』（35編）、第2集『ゆりかご』（18編）、第3集『うらぶれ』（40編）で、詩93編にもなり、これらの詩のいくつかは、後に出版される詩集に収録されることになる。

この時期の高島の交友関係は、稗田菫平の『高島高覚書』（「医学生時代」）によると、白銀繁生（都会派作家倶楽部）、越中谷利一（プロレタリア文学者）、原田勇（フランス文学者）などと親密だったようで、白銀は『太陽の瞳は薔薇』に「アポリネールのごとく透明であれ」

と序を寄せ、越中谷と原田は共に『うらぶれ』に詩人としての高島の前途に期待の序を寄せている。また、高島は、越中谷、原田の編輯する『城南』の会員にもなっている。高島が詩壇で知られるようになるのは、萩原朔太郎、北川冬彦、千家元麿、佐藤惣之助が審査員の【詩のコンクール】で、彼の「北方の詩」が一等当選したことから、北川冬彦との縁が生じ、北川の勧めで北川の主宰する『麺麭《ぱん》』の同人になり、同誌に詩を盛んに発表することからである。しかし、この時の【詩のコンクール】がどのようなものであったのかがはっきりせず、そのため、高島が一等当選したコンクールの年については2説ある。一つは、高島の死後の昭和30年の遺稿集『続・北方の詩』の高島の略歴で、高島とし子夫人がコンクールで彼が一等当選したのは昭和医学専門学校3年生の時の昭和8年と記している。更に一つは、稗田菫平の『高島高覚書』及び『いのち輝くとき』(滑川市教育委員会・滑川市立博物館)で昭和医学専門学校5年生の時の昭和10年としている。2年の差があるが、この違いはどうして生まれたのだろうか…。

北川冬彦が主に編輯した文芸雑誌『麺麭《ぱん》』は、昭和7年の11月に発刊され、13年までに61冊が発行された。『麺麭』での高島の詩活動は、昭和11年1月から13年の1月までの15冊にかかわり、詩16編とエッセイ6編を発表している。これらの作品は、高島の第2詩集『山脈地帯』(昭和16年)に収められている。また、高島は、昭和10年5月の『羅曼』に「北方の詩」「愛のことば」「日没」「夜更け」「雨模様の街」を発表し、9月には、後のボン書房刊行『北方の詩』の原型となる小詩集『北方の詩』(「北方の詩」「北方の春」「力」「意欲」「海」「泉」「野景」「墓」「雨模様の街」以上9編)を自刊している。昭和10年以前の詩活動は前述した7年から9年にかけてのパンフレットの詩集と、昭和9年8月『地平線』に「速力」、同年12月『日本詩』に「海辺朝景」「母」「埋火」を発表して、昭和11年以前は『麺麭《ぱん》』とは関わりがない。遺稿集『続・北方の詩』で、とし子夫人の高島の略歴等の記述から、高島の身内の者の言葉が最も信憑性のあるものとして、コンクールがあったのは昭和8年と思っていたが、高島の『麺麭』での詩活動は昭和11年以前にないことと、昭和10年において「北方の詩」を『羅曼』及び小詩集『北方の詩』に発表していることから、「北方の詩」によって高島が一等当選したコンクールは、昭和10年9月から12月の間にあったのではないかと思うようになった。この違いが生じたのはコンクールで一等当選した「北方の詩」の原案・原詩が昭和8年頃に出来ていて、そのことを高島がとし子夫人に話し、それがコンクール一等当選の年に繋がっていったのではないかと推測しているが、今以て判明せず、コンクールがあった年については今後の課題として調べを続行しいてくつもりである。

『麺麭《ぱん》』は、昭和初頭の政治的偏向性を有した〈プロレタリア詩〉と、現実遊離の傾向を有した〈詩と詩論〉派の詩の結合を目指した『詩・現実』の流れを受け継いだものだ。北川はこの『麺麭』を主たる活動の場としたが、更に『昆侖』(昭和13年から14年・4冊)を編集し、詩集『培養土』(昭和16年2月)を刊行する。高島は『昆侖』と『昆侖詩文集』(昭和

16年5月）にも作品14編を発表している。『麺麭』の編輯名義人は、山口孫太郎、北川冬彦、千田規之で、同人は、神原泰、半谷三郎、神保光太郎、永瀬清子、長尾辰夫、桜井勝美、殿内芳樹、町田志津子で、高島は後期の同人で、『麺麭』には、詩以外に、仲町貞子、二瓶貢、梶井基次郎、山田清三郎らの小説やエッセイも掲載していて、この文芸誌を通しての高島の多彩な交友関係が窺《うかが》われる。

この期で特記すべきは詩人・山之内獏との交友で、昭和10年9月の高島自刊の小詩集『北方の詩』の序文で、山之内は「高島高の詩には好きな詩があつた／近頃のものにはなほ好きなものがある／たとへば「北方の詩」とか「北方の春」といふ風な詩なんかもあつて／それはまるで彼の肉体にある／あの雪曇りの空をおもはせるかのやうな／あの眼のありさまなんかに即する物があるんだからではないんだらうか」と書き、高島も詩集の「後期」に「幸ひ、畏兄・山之内獏氏に跋文の労をいただいて、この貧しい詩集の光彩となし得たことを感謝致します」と書いている。この頃の高島と山之内とはかなり親密で、その関係は後年まで続くが、その頃の山之内は、まだ無名で住所不定の極貧の放浪生活をしていた。そのような状態の山之内が医学校に通う良家育ちの生真面目な高島と親しく付き合っていたとは不思議な感がする。このことに関して山之内獏を研究している伊勢功治氏は「二人の詩人・山之口獏と高島高」で、「まるでタイプが違う二人が親しく付き合っていたことは意外にも思えるが、お互いの存在を認め、気が合った、人間も詩の作風も違うからこそ、安心して付き合うことができたともいえるだろう。二人は、人として飾り気のない「純粋さ」を共有し、それを互いに肌で感受していたに違いない」と述べている。生真面目で窮屈な自分を意識しているからこそ高島は、山之内の、ものに囚われない率直さに惹かれたのだろう。2人は昭和13年に同じく第1詩集を発刊するが、山之内にその出版費用がなく、思いあまって山之内は、我が身を解剖用死体として専門機関に売却しようと思い立ち、その契約、斡旋を高島に頼み込み、それに応じて高島は、在籍している昭和医学専門学校の森於菟（解剖、組織学・森鷗外の息子）教授に頼み込んだというエピソードも伝わっている。結局は森於菟教授によって、山之内は佐藤春夫に紹介されて、佐藤の世話で詩集を出版することになる。また、山之内は、一時期、3日とあけずに高島の下宿に泊りにきていたこともあり、青春期の垣根のない二人の友情の親密さが窺《うかが》われる。

〈医学と文学のはざま〉

昭和11年3月に昭和医学専門学校を卒業し、東京で2、3の病院を勤めた後、横浜市磯子区の市立電気局病院の内科の勤務医となる。（市立電気局病院の前身は、横浜電気鉄道株式会社経営の鉄道病院で後に交通局友愛病院となり、平成11年に閉院した。）前年の昭和10年に詩のコンクールで1等となっていたとすると、それに自刊の小詩集『北方の詩』の発行、『麺麹』の同人加入などと、詩人としても着実に道を固めており、勤務医の激務の傍ら、詩や評論の創作にも打ち込んでいた。一時、父の病気で帰郷し、医療に従事して詩から離れることに悲嘆するが、伴野英夫、青柳優などに力づけられて、再び勇気を取り戻し、詩作に励むようになる。翌12年5月、高島27歳の時に、女子医学薬学専門学校卒業の高道とし子と結婚し、昭和13年7月には、詩46編が掲載された処女詩集『北方の詩』（ボン書房）を刊行した。序文は萩原朔太郎と北川冬彦が書き、萩原朔太郎は「高島君のことを考えると、僕はいつも鴉のやうな詩人的風貌を聯想する。（中略）僕はこの詩人が、いつかその圧縮された意志の翼で、吹雪に向かって叫びながら、一層の高い上空を飛躍し尽して、もっと太陽の近い国々の方へ、渡り鳥のやうに移住する日のあらうことを考へている。」と書き、北川冬彦は「高島高の詩は、その風貌そっくりに魁偉《かいい》なものである。まるで、蔵王山の雪人形のやうに不気味だが、しかし、あれの姿態の示すがごときメルヘンとリリックとを孕んでゐる。この作者を、新詩壇には稀に見る男性的詩人だと、私は敢えて云ふ。」と高島への期待の意を書いている。だが、残念なことに出版社が火事になったので、焼け残った僅かの部数しか世にでなかった。

この『北方の詩』には、「母は痛みやぶれた手風琴です」（「母」）とか「半島をかすめて風はあれた」（「雪」）など、他にも「力」「影」「雪崩」「吹雪」「寒流」「窓」などと短詩が多く見られる。また、後の彼の詩集にも、「雪の湖」「青空について」（『山脈地帯』）、「歴史」「胸」「ある日」「雪」「光」「こころ」「顔」「手」「仔犬」「仮面」「螢烏賊」「詩作ノート」（『北の貌』）、

「島」「典子詩抄」「別れ」「螢烏賊」（『続・北方の詩』）などと、短詩が多く見られる。これらの高島の短詩は『麺麭』の同人となり、北川の主唱する短詩運動に共鳴したためによるものと思われる。短詩運動は、昭和10年頃より北川が提唱したものだが、これは日常の実感を基礎に、できる限り言葉を削り、寡黙な詩にすることによって、そこから豊かな詩情を生み出そうとするもので、ある面では、詩をより俳句に近づけたものとも言える。この北川の新しい詩の試みに、高島は影響を受けたのだろう。ただし、北川の「軍港を内蔵してゐる」（「馬」）のような社会への鋭い批判的姿勢は高島にはない。そんな高島でも彼の「母は痛みやぶれた手風琴です」（「母」）の詩を、当時、「母をこのように見るのは赤でないか」と疑って、彼の身辺調査をした特高刑事もいたという。

高島の俳句への関心であるが、父・地作は俳人であり、高島も中学時代から俳句や短歌の創作をしていたので、詩人たちを中心に創刊された俳句雑誌『風流陣』にも関わっていた。『風流陣』（昭和10年10月創刊、昭和19年5月廃刊まで66冊刊行）は、毎号16ページ、３００部限定という小雑誌だったが、当時の詩人たちが多く参加していた。創刊号には、室生犀星、津村素雨、田中冬二、八十島稔、岩佐東一郎、北園克衛、城左門の名も見え、それ以降、村野四郎、徳川夢声、佐藤惣之助、衣巻省三、丸山薫、瀧口武士、那須辰蔵、石塚友二、正岡容、小島政次郎、石川淳、高祖保、長田恒雄等も参加して、高島はこれらの人々とも交友を深めていたようである。戦後に、地元・滑川の俳人と俳誌『凡人』を発行し、その選者をつとめたり、「北方荘」の庵号で「鷹鳴」（後に改め「克浪」）の俳号で、句集『鷹』（昭和24年）と『季節の貌』（昭和27年）も編んでいる。『鷹』には195句、『季節の貌』には138句の高島の句が収められている。

この横浜時代が、医師としても多忙だったが、高島にとっては、彼の短い人生の中で最も充実して楽しかった時期に違いない。横浜市磯子区滝頭町の借家には、佐藤惣之助、高橋新吉、安西冬衛、花田清輝、竹森一男、原田勇、浅野晃、内田巌などの若い詩人や作家が訪れ、とし子夫人も加わり、夜を徹しての文学談に花を咲かせたという。これらの人々とは帰郷後にも親交が続いた。しかし、充実した時期は長くは続かなかった。昭和14年に、父・地作が病に倒れたので横浜での勤務医を辞して帰郷し、富山日赤病院（元の陸軍病院）での勤務を経て、郷里・滑川の自宅にて開業医となる。しかし、開業医になっても、その医業の傍らで詩を創作し、詩誌に発表を続けている。昭和9年8月から20年4月までの発表誌を、高島とし子編『高島高雑誌収録作品一覧』（昭和59年）で確認すると、『地平線』（詩1）『日本詩』（詩4）『麺麭』（詩16、随筆6）『三田文学』（詩3）『運河』（詩1）『詩生活』（詩1）『歌謡詩人』（詩と随筆8）『文学層』（詩1）『科学ペン』（詩1）『早稲田文学』（詩1）『文芸汎論』（詩1）『詩原』（詩8）『旗』（詩8）『文化組織』（詩1）『昆侖』（詩4）『培養土』（詩4）『昆侖詩文集』（詩6）『芸園』（詩4）『新紀元』（詩1）『文化研究』（詩4）『青年作家』（詩2）『高志人』（詩と随筆で27）で、他に記載漏れもあるかもしれないが計118編もある。健康に優れず病気がちでもあり、昭和18年から召集で戦地に赴いていたので決して多作ではない。昭和14年以降、昭和18年の召集まで発表していた雑誌等は、前述した『歌謡詩人』『文学層』『科学ペン』『早稲田文学』『文芸汎論』『詩原』『旗』『文化組織』『昆侖』『培養土』『昆侖詩文集』『芸園』『新紀元』『文化研究』『青年作家』『高志人』などで、郷里での多忙な開業医の傍らコツコツと詩作に励んでいた姿が窺える。『高志人』については、昭和17年に『高志人』の詩の選者となるが、昭和20年までの『高志人』での発表は、太田久夫の「高島高著述目録・参考文献目録」によると、詩24編と随筆7、俳句1、通信詩3作品とのことである。通信詩とは、高島が戦地から送ってきたものである。

昭和16年2月に、第2詩集『山脈地帯』（旗社）を刊行した。この詩集の内容は、東京時代の感想や医師としての体験に基づいてのものが多く、帝大新聞や三田文学で好評だった。序文は浅野晃が書いた。この『山脈地帯』の着想に前後して、高島は更に新たな詩集刊行の準備もしていたらしい。「老子と僕」や「神州述志の歌」のタイトルで昭森社から出版予定だったのだが、戦争の激化にともない、出版されなかった。しかし、同年11月には、滑川の印刷所から詩集『久遠の自像』を手書き謄写版刷りで30部ほど出版している。これは試刷りのつもりだったのかもしれない。序文には自ら「やがて印刷刊行するつもり〜自分にとって人生の教書といふ具合になるかも知れない」と書き、『山脈地帯』に、詩「山脈地帯」の第一章しか記載されていないのに、『久遠の自像』には「山脈地帯」の第十章全てが収録されている。また、「寂光」などの高島には少ない散文詩4点も収めている。翌17年に同様の手書き謄写版刷りで、詩集『人生記銘』を少部出版した。昭和7、8年の作品が中心で、彼の手元に残っていた原稿72点を再編集したもので、「大岡山今昔物語」「抒情歌」など、東京時代の生活や、彼の精神的な遍歴を知るのに興味深いものが多い。序文で自ら「自分としては、なつかしく、必要な詩が多く、出版、今後の詩作らに相当な役割を果たすもの」と書き、今後の発展への決意を新たにしているが、戦争の激化にともない、迫り来る召集を予期しての、今までの自作の詩の整理・総括を行っている感がある。『山脈地帯』を刊行してから9カ月後の昭和16年11月に父・地作が亡くなった。享年61。同年12月に太平洋戦争が始まった。翌17年11月に父・地作の遺作句集『聽濤庵半茶遺稿集』を刊行し、昭和18年に軍医として召集される。

〈召集と戦後の再生〉

軍医として高島はフィリピン、シンガポール、タイ、ビルマの南方戦線を転戦し、終戦後はタイのナコンナヨーク捕虜収容所で約3万人の日本兵と共に収容され、昭和21年5月の祖国帰還まで抑留された。高島が帰郷するのは21年6月である。そのナコンナヨーク捕虜収容所の苦しい抑留生活の中で、帰還を願う日本兵の心を癒し、よく口ずさまれた歌があった。「白象の国椰子の国／南十字の星の下／幾年経たる旅枕／南の国よいざさらば」との「復員の歌」だが、この歌詞が高島の作詞したものだった。「復員の歌」は、同じくナコンナヨーク捕虜収容所に抑留されていた軍医の鈴木典郎によって昭和54年にレコード化されるが、鈴木によると、収容所での高島は軍人とは思えないほどの温厚な詩人で、収容所でも雑記帳によく詩を綴っていたという。また、高島の弟・学によると、戦時中、軍医としてタイにいた時、別の部隊で軍医をしていた高島が訪ねてきて、その思いやりに感激したとも言っており、厳《いか》つい外見とは異なって高島の優しい人柄の一端が窺《うかが》われる。

昭和21年6月に復員、帰郷して、12月に父・地作も会員だった滑川の俳句結社「風月会」の宗匠の加藤烏外の懇望によって機関誌『凡人』の選者になる。初めて投句の選をした『凡人』復刊3号に「俳句は詩であり、特に抒情詩であるという立場から、あくまでも創造的文学でなければならぬ」と述べて、語調よりも内面性を強調している。以後、毎号にわたって自句のほか、詩歌論や随筆を発表した。帰郷して1年4カ月後の昭和22年10月に、高島は文芸誌『文学組織』を発行した。僅か9頁の、本文に表紙をつけたものだが、その編集後記に「十三年間の東京生活より、郷里に移り住んでから早や八年。光陰実に矢の如し。この間『麺麭』をはじめ、いくつかの雑誌を彷徨して来た私も、新しくこの『文芸組織』により、真に生きたいと考えている。文学の魂は不死身だ。（中略） 克巳。自己への鞭。私は今、ようやく帰国後一年目にして、疲労を回復しはじめようとしている。」と意気揚々と書いている。

稗田菫平の『高島高覚書』や滑川市立博物館・高島高展の図録によると、第1号には、松岡譲、浅野晃、竹森一男、山本和夫、原田勇、八十島稔、第2号以降には、北川冬彦、杉浦伊作、宮崎孝政、竹内てるよ、翁久允、稗田菫平が執筆していて、隔月刊として第2号は12月に、第3号は翌23年2月に刊行した。4月刊行の第4号からは『文学国土』と改題して、以後7冊を刊行し、昭和24年12月の11号を更に『北方』と改題し、以後2冊刊行し、翌25年6月の12号にて雑誌を廃刊した。昭和22年10月から25年6月の短期間に誌名を3度も変え、12冊も刊行した。この間に執筆したのは前述した者以外に、坂田徳男、古谷綱武、高橋新吉、滝口武士、北沢喜代治、龍積禎一、竹中久七、正木聖夫、穴田澄子、高島順吾、沖野栄祐、坂田嘉英、妻木新平、室生とみ子、壺田花子、室積徂春、島崎曙海、岩倉政治、相馬御風、小塩亨、竹内やんこ、野村玉枝、杉本直、福田正夫、村上成美、三好豊一郎、岩本修造、平木二六、寺門仁、深田久弥、江間章子、浅野喜代子、内田巌などで、高島を入れて46人に及ぶ。その内、30人が詩人で、他は作家、評論家、文学研究者、哲学者、俳人などで高島の人脈の広さが分かる。作品総点数は１２０編で、高島は、詩22編、エッセイ11編を発表している。

だが、文芸誌刊行の運営面では、同人制、会員制をしなく、投稿欄も設けていない。高島の個人誌のような編集の仕方で発行していた。おそらく『文学組織』を創刊するに当たり、発刊に当たっての経済面、編集・販売等の綿密な計画を事前に練ることなく、高まる詩への情熱のままに勢い込んで発刊し、その勢いのまま刊行し続けたのだろう。高島をこのように文芸誌発刊に、性急に駆り立てたのは何だったのだろうか。それは〈焦り〉に近い詩への情熱だったのではないだろうか…。東京の華やかな詩壇から逼塞《ひっそく》するかのように帰郷し、詩に邁進できぬままに医業に追われ、あげく戦地で軍医として多くの命失う人たちを見て命のはかなさを痛感し、短き自分の命において今直《ただ》ちに詩に打ち込まねば、何時《いつ》、詩に打ち込めるかとの〈焦り〉に近い詩への情熱に急き立てられたのではないだろうか…。しかし、詩への情熱だけでは文芸誌刊行を継続できない。高島は裕福な医師の家で育っているので、元々経済的感覚には疎い処もあったものと思うが、同人制や会員制をせず、投稿欄も設けず、高島の個人誌のような編集での刊行では、刊行を重ねる度に経済的負担が募る一方だろうし、それに加え、開業医の傍らでの個人編集なので疲労も重なる。この両面においてかなり苦しい状態が高島に続いていたものと思われる。このような状態で2年半の間に12冊も刊行しており、よく頑張ったものだと改めて敬服し、頭が下がる。その甲斐あってか、文芸誌刊行の実績は、中央文壇でも認められ、『三田文学』においては、『文学国士』は『近代文学』『九州文学』と共に全国主要11同人雑誌の一つに選ばれている。短期間に3度も誌名を変えているが、これについて、稗田菫平は「高島高覚書」で「雑誌発行の困難さを改題することで、自分を鼓舞していたのではないだろうか。」と指摘している。高島の最後の文芸誌『北方』は昭和25年6月に廃刊するが、その原因は、資金面での行き詰まりと、開業医としての多忙さにあったものと思われるが、直接的な原因としては、昭和25年1月に北川冬彦が、第2次『時間』を復刊し、高島がその代表同人となって協力しなければならなくなったことと、6月刊行の『北方』第12号と、高島の第3詩集『北の貌』（草原書房）の刊行とが重なったからであろう。

第3詩集『北の貌』は昭和25年6月に草原書房から刊行された。相馬御風の序文と吉田一穂の序詩、表紙は内田巌の装画である。高島は、学生の頃より利休、芭蕉、良寛を敬慕しており、帰郷してからは特に良寛に強く心引かれて研究を深めている。そのこともあり、良寛研究で著名な相馬御風に序文を依頼したのだろう。相馬は序文で「〜暗い日本海の「北の貌」に直面しつつその渦巻くあらしと波の間に、南の海の凪ぎ渡った静かなさびしい歓びを心ゆくまで味わい得る高島さんらしい。（中略）夜と昼と、東洋と西洋と、中世と近代との間の「トワイライト」「宗教」を「芸術」せんとし、「芸術」を「宗教」せんとする一個の巡礼者の幻影。そんなことをも私は考えた。「北の貌」は南に向いている。そしてそれは頭背を北に向けている。きびしく寒いあらしの中に、ほの暖かい春風が綿々としてつきざるメロディーを奏でている。ふしぎな北の貌だ」と述べている。相馬は、高島の中に詩人だけでなく、真摯に生きようとする求道者の姿も見ているようだ。確かに高島の詩は、技巧を衒《てら》っての奇抜さや感覚の新しさを訴える詩ではない。そこには自らの人生を詩に託し、詩によって真に生きようとする渇望がある。『北の貌』の「あとがき」に、高島は「〜近来、心身すぐれないところが多くあつたが、私はつねに詩によって鼓舞されて来た。苦境に処すれば処する程、私は詩を強めて来たように考える。思へば十五歳にして母を失った私が、つねに絶望を克服してくれたのも詩であったと、その長い年月をいささか、今さらながら回想してみた。詩はつねに柔の中に剛をつつみ、剛の中に柔をつつむと考える。この意味で、詩は人間を落とすものではない。詩はやはり、志であり、即ち意志であり、魂の火花である。その意味では、私は生活を叫ぶ側の人間であろう。しかし、今後は出来るだけ、私は光の詩を志ざしたい。」と述べている。詩に対しての一途な程の純粋な心持ちに満ち溢れている。この「あとがき」を読むたびに、これほど詩に一途なのは、高島が間近に迫ってきている自らの死を薄々感知していたのではないかと思ってみたりする。実際にこの頃から高島は健康面には恵まれず、体の不調が続いた。

高島の詩への評価であるが、『北の貌』刊行の4カ月後の10月発刊の『現代詩辞典』（飯塚書店刊）では、高村光太郎「千恵子抄」、草野心平「蛙」などと、高島の「北の貌」は昭和25年のベスト5に選ばれている。翌26年の6月に『日本未来派』同人として参加し、同年8月に中野重治編『日本現代詩人体系』10巻（河出書房刊）に、「北方の詩抄」「北海」「山脈地帯抄」「雪の湖」「北の貌抄」「雪のふる昼に」が収録され、11月に『世界現代詩辞典』（創元社）に高島が紹介され、27年8月『日本詩人全集』第6巻（創元文庫）に「北の貌」「北アルプス幻想」、29年10月『昭和文学全集』第47巻に「北方の詩」「意欲」「胸」「北の貌」「母」

「ロダンと彫刻」「廣野」、同じく10月『死の灰詩集』（現代詩人会編、宝文館刊）に「光の抗議」が、収録されて高い評価を得ている。また、昭和29年に手書き謄写版印刷の『北の讃歌』（北方詩社・自宅）を刊行する。これは『日本未来派』『時間』『麺麭』『文芸日本』に発表してきたものをまとめたもので、「あとがき」で読む限り、いずれ本印刷で出版するつもりでいたようである。

〈人となりと日常〉

高島の外見は、北川冬彦が『北方の詩』の序に「高島君の詩は、その風貌そっくりに魁偉《かいい》なものである。まるで蔵王山の雪人形のように不気味だが〜」と述べているが、厳《いか》つく、がっしりとした体格だったようだ。また、相馬御風が『北方の詩』の序に「高島さんが私のところに訪ねて見えた時、色眼鏡をかけていた。私を訪ねた人に色のある眼鏡をかけていた人は、これまで高島さんだけだったような気がした〜」と述べているが、高島は茶色がかった眼鏡をかけていた。厳《いか》つい体格の男が茶色の色眼鏡をかけ、言葉少なにムズッと目前に現れたら、どのような人でも怯《ひる》んで警戒するに違いない。だが、そのような男が、ふと笑みを浮かべると、その笑いが妙に人懐っこく、愛らしくて、その口調が優しかったら、あまりにも意外で、驚きと共に一段と興味と親しみを抱くに違いない。おそらく高島はそんな印象を与えたのだろう。彼が色眼鏡をかけていたのは、若い頃より眼精疲労が酷かったのと、日中は診察に忙しく、夜遅くに詩作をするので、日中の光は眩し過ぎたのであろう。「気は優しくて力持ち」の言葉があるが、高島は、まさにこの言葉どおりの、詩人の繊細で優しい心情と、大柄で武骨な男性的風貌とを持ち合わせていたのだろう。そして、その繊細で優しい内面を、日常生活で表すのがあまりにも不器用で、それに男性的な風貌が加わって、本来の内面の優しさを周囲の人たちに伝えがたくして、周囲から誤解されがちだったようだ。身近にいた、とし子夫人や弟・学は、高島は、外出の時は帽子を被り、洋服の内ポケットには鏡と櫛を必ず入れ、髪の手入れをいつもするほどに、お洒落でダンディであり、また、周りに気を配ることから、胸が苦しくなるらしく、いつも胸に手を当てるのでチョッキの心臓の部分には穴があいていたと語っている。子どもがいないので甥や姪を我が子のように可愛がり、また、幼い頃から父にかくれて犬を飼うなど、動物なども可愛がっていた。動物ばかりでなく、草木や石などの自然物までにも目を注ぎ、暇な時には庭の草木や石を見てまわるのを楽しみにしていたという。医師として患者に接する時には、患者の話をじっくりと聞き、優しく丁寧に応対や治療をして、患者からの信頼が厚かった。往診の時には時代遅れの人力車を使っていたが、人力車に揺られながら詩想を練るのに都合よかったこともあろうが、車夫の経済的な面での身の上を心配してのことだったようだ。そして、詩の話になると急に饒舌となり、目を輝かせていつまでも飽きることなく話したという。このように繊細な神経と、温かく深い愛情、無垢の童心で詩への憧憬を持ち続けていたのが高島だったのだろう。だが、周囲の人たちから見ると、服装の細かいところなどは無頓着で、街をセカセカと歩く、田舎丸出しの村長のような風体《ふうてい》で、また、無口でいつも何かを考えているような仏頂面《ぶっちょうづら》で近寄りがたい威圧感があり、話しかけにくかったという。だが、酒が好きで、酒を飲むと口が滑らかになり、詩の話になると更に熱中し、その豹変ぶりに驚いたそうである。

高島へのこのような周囲の人たちの捉え方は、高島の詩人らしからぬ風貌と、高島の育ち方が影響しているものと思われる。一般の人が抱く詩人らしい風貌とは、〈青白く神経質らしい顔立ちと弱々しい体つき〉との思いが強いが、高島の場合は前述したとおり、生まれながらの資質もあるだろうが、幼年時から青年期に至るまで野球、柔道で鍛えた頑丈な体つきで、一般の人が思うような詩人らしい風貌ではない。だが、実際は、さほど壮健ではなく、晩年に至っては健康に恵まれなかった。育ち方においても、高島は次男とはいえ、兄が幼くして亡くなったので、高嶋家の跡取り息子として、父・地作のもとで大切に、かつ厳格に育てられた。地作は医師で俳人でもあるので、高島には父の存在は大きいうえ、幼い頃から父への畏敬の念が強くて親しく話したこともなく、その父に厳しく躾けられて従順に育ってきたと思われる。そして、父が厳格な分だけ、母の優しさに甘えがちで、家付き娘のしっかり者の母は、長男を幼くして亡くしているので、彼の面倒を取り分けこまめにみたようだ。高島は大切に育てられた良家の子に見られる、素直で温和しく、繊細な心持ちの優しい子だったに違いない。男性的な厳《いか》つい風貌とはまるっきり逆の、細かな神経の良家のお坊ちゃん的気質を持っていたのだろう。成人後、高島が衣服に無頓着なのを、細かい事にこだわらない豪放な性格で、それ故に性格的にだらしない処もあると見る人もいるが、良家の子で幼い頃に細かい処まで世話をしてもらっていた者には、成人後、服装をはじめ、身の回りのことに関して、案外、無頓着な者が多いようだ。高島は、豊かで教養が高い家庭で大切に育てられ、いわば純粋培養に近い形で育った優秀なお坊ちゃん的資質の子だったのだろう。両親の言いつけには従順だが、細かな所まで面倒を見て貰っているので周囲の人たちの思惑には案外に疎く、自分の内面世界に没頭するようなナイーブな子だったに違いない。小・中時代にスポーツに熱中したのもその内面世界の延長だったのだろう。成人後も、詩のことになると場所もわきまえず熱中し、人前でも想いに更けるような様子は、幼い頃の心をまだ残しているからなのだろう。しかし、唯一、甘えられる母も彼が15歳という多感な時期に亡くなり、その悲嘆は激しく、この時の衝撃の強さが、(死)そして(生)とは何かの問い掛けと、母から取り残された〈孤独〉の実感を胸に刻みつけ、その解答を求めて哲学へ、宗教へ、そして、詩へと目を向けさせたのだろう。高島自らも『北の貌』のあとがきに「~苦境に処すれば処する程、私は詩を強めて来たように考える。思えば十五才にして母を失った私が、つねに絶望を克服さしてくれたのも詩であったと、その長い年月をいささか今更ながら回想してみた~」と述べている。時たま高島が見せる人懐っこい笑顔や、詩を熱心に語りかける様子には、母を失って以来、身にまとわりついた孤独感から抜けだして、母の如くの（愛）を求めてやまない姿が窺《うかが》われる。彼は「詩は光を生むのだ」と言うが、この「光」を「愛」に置き換えてもよいだろう。母からの「愛」を求めてやまぬ高島は「詩」に母の如くの「愛」を求めていたのだろう。

また、高島は、良家のお坊ちゃんとして育った素直で従順な気質から、父の求めるままに医学校へ転籍し、帰郷して開業医となり、自らの詩への志向を抑えて、家長的な父の命令の犠牲になった悲劇の人のように見えるが、むしろ、彼はそんな父を畏敬し、誇りに思っていた節もある。代々医業に携わってきた医師としての父、仕事の傍ら俳句等に打ち込む父の姿に人生を生き抜く男の姿の一つの規範として見習おうともしている。高島が開業医として患者に接する姿、また、開業医として詩に打ち込む姿などに父・地作の姿が重なってくる。高島は、詩に携わる者としての自負とともに、代々医業に携わってきた家、そして、自らも医師であることに誇りを持っていたものと思われる。彼は常に名刺を持ち歩き、会う人ごとに名刺を渡す「名刺魔」だったとの逸話が残っているが、それは詩人であるが、医師でもあることに誇りを持っていたからだろう。そして、父の死後、昭和17年に父の俳句60句をまとめて『聴濤庵半茶《ちょうとうあんはんちゃ》遺稿集』を発刊する。打ち解けて話をするような父子の間でなかったようだが、高島の父に対しての愛情と尊敬はこの遺稿集発刊からよく分かる。開業医としての父・地作は、多忙な医師としての憂えを俳句、美術、骨董で癒したが、高島は詩と本で癒したのだろう。とし子夫人は、高島が休みの日にはいつも水橋口駅から富山へ行くのを楽しみにしていたと述べているが、富山での詩友との懇談や新本を買うのが何よりの楽しみだったようだ。それは「遠い山脈に綿毛のような雲が二つ三つ浮き／まるっきり掌でつかめそうな風景が／水橋口駅の構内に／上り三時三十二分発の／富山電鉄電車を待っている（中略）／誰もいないこのちっぽけな停車場の／この二十分の待車は大変すっきりして／ルナンを読むのに丁度よい」（「小駅待車」）などの詩から窺われる。

〈最晩年と没後のこと〉

高島の晩年の詩に「春と滑川」（『続・北方の詩』収録）がある。「ああいいな／さっぱりするな／山脈は純白蠟のようにきらきらかがやき／濃紺色の大空をくぎって連なっているし／巻きつ雲も素敵に刷けて光っている／（剣・立山・アルプス幕下）／そこで僕は曹洞宗独勝寺裏の／菜種畑の中の高い一本のはんの木と並び立って／蝶々が菜種の花に静止するのをじっと見ている／（チロル地方って横光利一氏の欧州紀行の中では大変論理的に描写されている）／こんな風にこんな田圃の中にひとりふるさとの山脈と並び立っている僕を／東京の友人たちはちっとも知らないだろう／今日はあの人たちにあてて長い長い手紙を書こうと思う／菜種の花はいい花だと」。この詩で高島は菜種畑を見て「ああいいな／さっぱりするな」

と言いながらも、その田舎の自然を丸ごと堪能するわけでもなく、「東京の友人たちはちっとも知らないだろう／今日はあの人たちにあてて長い長い手紙を書こうと思う」と東京の友人たちに思いを馳せている。田舎での生活を満足しているようでありながら、胸の奥底では常に東京のことを想っている。田舎出の青年が上京して初めて味わった華やかな都会生活で自由と文学を満喫し、医学の勉学は厳しかったといえ、今となれば楽しい思い出しか残らない青春時代への回顧が高島の胸を焦がしていたに違いない。石川啄木は「友が皆／我より偉く／見ゆる日よ／花を買ひ来て／妻と親しむ」と詠んでいるが、この「友が皆／我より偉く／見ゆる日よ」の如く、田舎に逼塞《ひっそく》し、嘗《かっ》ての東京の文学の友に遅れをとり、置き去りにされていくような〈焦り〉の中に身を置いていたのだろう。戦後、『文学組織』『文学国土』『北方』と矢継ぎ早に文芸誌を発行するが、これらの文芸誌を発行する際の高島の目は、文芸誌を通して郷土で詩を広めることもあるが、東京の詩友との縁を保ち、田舎での自らの健在な姿を彼等に示すかのように東京の詩壇に向いていたともいえる。その想いが強いゆえに、同人制、会員制、投稿欄も設けない、東京詩壇の著名な詩人たちの寄稿を中心とする文芸誌づくりとなって、高島の個人誌のようになったのだろう。

また、高島は東京の著名な詩人たちとも進んで親交を繋いでいたらしく、原田勇や竹森一男を始めとして、古くからの東京での友人たちが高島の北方荘（自宅）を訪れている。「春と滑川」には横光利一の名も出てくるが、彼は新感覚派の小説家として著名だが、早大時代は吉田一穂、佐藤一英等と詩を論じ、『詩と理論』、第一次『時間』に詩を発表している。また、横光は高島の師の北川冬彦の強力な支持者、理解者でもあり、北川の第3詩集『戦争』に序まで寄せている。こんな横光に、高島は羨望にも似た畏敬の念をもっていたのだろう。高島は郷土での詩人たちの集まりで、山之口貘などの東京での友人知己などの話をしながら、東京にしきりに帰りたがっていたという話が伝わっている。東京での若い頃の活動が華々しかっただけに、滑川で詩を愛する一介の田舎の開業医として過ごすことに得心がいかなかったのだろう。実直ゆえに、代々医業に携わる家を継いだ医師として、医業をなおざりにできない責任感と、医師を捨て直ぐにでも上京し、詩に専念したい気持ちの狭間で日々悶々としていたのだろう。そして、その苦しい心情を抑えようとして、郷土の雄大な自然（北アルプス、日本海）を見据え、その泰然とした偉容から心の落着きと、郷土で生きる新たな勇気を得ようと詩作し、自らを鼓舞したのだろう。利休、芭蕉、良寛への傾倒が強くなるが、その傾倒は、高島が彼等の心境と同じものになってきたからではなく、自らの悶々とした心境とは逆の、彼等の清澄な心境に強く憧れたからではないだろうか。利休、芭蕉、良寛の心境への願望が、高島の初期の知性的な詩から後期の東洋的、宗教的、思索的な詩風へと変えていったものと思われる。高島の詩のテーマは、求道的で「永遠で不動」なものだと、詩人・高島順吉が言っているが、その「永遠で不動」なものこそ、悶々とした日々からの脱却のために高島が求めていたもので、詩の中でそれを求め、表すことで自らを励まそうとしたことから、彼の詩に求道的・精神的なものが表れてきたのだろう。だが、「永遠で不動」なものは、日々の生活の中で簡単に得られないことから、「わが言葉／詩が光を生むのだ／光が詩を生むのだ」との切望に近い叫びが生まれ、「光」を「生きる希望」と置き換えると、高島の悲痛な声が響いてくる。そんな高島に好機が訪れる。弟・学が医院を引き継ぐことになり、上京して自ら詩へ専心できることが可能になった。しかし、その時は既に遅く、昭和30年4月に高島は病で床についた。そして、翌月の5月12日に死去した。享年44。5月14日に滑川の養照寺で葬儀が行われ、会葬者は200人を越えたという。

とし子夫人から稗田菫平宛の6月27日付けの手紙から、高島の臨終までの経緯を見てみると、1カ月間も病床生活が続き、最後の3週間は食物も喉に通らなく、医師である弟・学の手によって朝晩2回のリンゲルを続けていたという。亡くなる前日に、高島自らが「自分の命は今日か明日まで」とはっきりと言い、12日の零時20分に意識がなくなり、40分に死去した。新聞では病名を黄疸《おうだん》としているが、実際は肝臓ガンであったと書いている。また、高島には子がいなかったが、その分、飼っている犬を可愛がり、彼が亡くなる夜半まで愛犬・パールは悲しげな鳴き声をあげていたが、彼が亡くなった日の朝にはパールの姿は見えず、それ以来、二度と姿を見せなかったという。パールは高島の魂に引き連れられて一緒に東京へと旅発ったのかもしれない。また、亡くなる前の高島の声が録音テープに残っている。彼が亡くなる1日半前ほどに、高島の臨終が近いと聞いた近くの田中小学校（校歌の作詞が高島高）から、高島の言葉を録音で残したいとの頼みがあり、高島は、それに応じて苦しい病状の中から、田中小学校の児童のために、口に氷を含みながら、喉から声を絞り出すようにして次のように語った。「人の生涯には必ず困難がつきまとうと思いますから、信念と誠実を以て生きればいかなることも克服されると信ずるのであります。努力と言うものは一層大切なものと信じるのであります」。その場に居合わせた者は、高島の真剣さに胸を打たれ、厳粛な心持ちになったという。この高島の最後の言葉の中に、彼を解き明かすキーワードが端的に含まれている。「信念」「誠実」「努力」「困難」「克服」である。高島は真摯に人生に向かい、誠実に生きようとするゆえに孤立した。だが、孤立したがゆえに詩に対しての純粋な憧れをいつまでも持ち続けることができた。巌《いわお》のような体に純真な童心を秘めた詩人だった。彼が死去して一カ月後に、とし子夫人が、高島の遺志として遺稿集『続・北方の詩』を上梓した。

高島は、滑川市寺家小、田中小、西加積（現西部）小、呉羽老田小、小杉の各小学校、県立水産高校などの校歌も書いている。「滑川市の歌」「滑川情緒」の作詞もある。『逍遙』『ｓｅｉｎｅ』『詩の谷間』『二人』などの県内の詩誌の指導や、『高志人』詩壇の選者もつとめ、県内詩壇に大いに尽くした。高島の死後10年経った昭和40年5月12日に、滑川市行田公園内に高島高詩碑が建立された。県内では初めての詩碑だった。碑面の詩文字は北川冬彦の筆跡で、高島の詩の一節「剣岳が見え／立山が見え／一つの思惟のように／風が光る」と記されである。除幕式には100人ほどが会し、北川冬彦は「高島高君は日本の詩壇にもまれにみる男性的詩風のすばらしい詩人だったが、詩人であることを、かくしているような謙虚な人だった。こんなりっぱな詩碑ができるとは夢にも思っていなかっただろう」と祝辞を述べた。その後、昭和58年7月に滑川文化センターで「ふるさとの詩人高島高展」が開かれ、それが機縁となり、昭和59年10月に『名作選高島高』が刊行された。表紙カバーの挿絵は棟方志功、序は萩原朔太郎、北川冬彦、相馬御風、序詩に吉田一穂、詩盃に内田巌、浅野晃の『北方の詩』再刊の序も加えてある。詩編には、『北方の詩』より全編（46編）、『山脈地帯』より7編、『北の貌』より31編、『続・北方の詩』より17編、俳句38句、それに「年譜」「後記」が加えてある。詩選と編集は稗田菫平が担当した。その後も、平成17年8月に滑川市立博物館で「いのち輝くとき・孤高の詩人―高島高展」が開かれ、稗田菫平の記念講演と、図録が刊行された。更に平成25年10月に高島高の甥で富山大学付属病院診療教授の高嶋修太郎によって『詩が光を生むのだ・高島高全集』（桂書房）として、『北方の詩』『山脈地帯』『北の貌』『続・北方の詩』の復刻と別冊『焔のように生命燃やした詩人・高島高』が刊行され、富山県内の文学館、図書館、高校に寄贈された。

高島高の44歳にしての死は早すぎるの一言に尽きる。40歳前半までの生き方は、20代前半の青春の日々の生き方の余韻を含んでいる。まして、高島のような、田舎から出て都会でカルチャーショックのような強い衝撃を受けた者には、東京での文学生活がいつまでも眩しく脳裏に浮かび、理想的な日々として思い描いていたに違いない。だが、40歳も後半に至ると、現在生活している地盤に足が着き、地に根を張った生き方に気づき、現状を素直に受け入れて、その中で逞しく生き抜こうとする者も出てくる。そこには青春の夢の諦め・童心の喪失もあるかもしれないが、その分、現実を見据え、地に足が着いた、成熟した文学が生まれてくる可能性がある。仮に高島が44歳にして上京し、中央詩壇で活躍しようとしても、中央での空白の長さで、彼は新たな孤立感と焦りを再び味わうかもしれない。それにしても、44歳の死は残念でならない。彼が、その後も生き続け、東京での生活を、青春の楽しい思い出としてきっぱりと割り切って、郷土で詩と共に生きる覚悟をしたならば、おそらく高島にはもっと新たな骨太の詩が生まれてきていたに違いない。惜しいことだ。しかしながら、人として、医師として、詩人として真摯に懸命に生きた高島高には深く頭が下がる。

最後に彼が華々しく詩壇に躍り出た「北方の詩」を紹介する。「山脈を駆けてゆく白馬のむれがある／空は虹のパンセを孕んでか／朝あけは雲など呼んで／いま山麓の雪を踏む牛群／草は見えない／この冷却の皮膚下に／草は生きている／このひろびろとした高原は生きている／ほのおするものは―氷だ／はりつめてこわれそうな」。彼の魂は現在でも虹のパンセを孕んだ大空を自由に羽ばたいているに違いない。

なお、この稿を書くに当たり、高嶋修太郎氏から種々の貴重な資料の提供を受け、大いに参考となり、改めて高嶋氏には深く感謝の意を表する。

〈参考〉

『とやま文学』号　特集・高島高（第四号）

「いのち輝くとき・孤高の詩人―高島高展」図録（編・滑川市立博物館／発行・滑川市教育委員会）

『高島高覚書』（著・稗田菫平）

『ふるさと文芸』（『ふるさと文芸』編集委員／編・滑川市教育委員会）

『詩が光を生むのだ 高島高詩集全集』（編・高嶋修太郎）

『北の賛歌』（著・高島高／北方詩社）他に富山新聞・北日本新聞の関連記事等

第三部【評　論】

「泉鏡花「蛇くひ」「黒百合」の空間変容について」

〈はじめに〉

鏡花の越中（富山県）に関わる作品群については、越野格氏が、「義血侠血」（明27・11）、「取舵」（明28・1）、「秘妾伝」（明28・3〜4）、「蛇くひ」（明31・3）、「黒百合」（明32・6〜8）、「湯女の魂」（明33・5）、「星女郎」（41・11）を〈富山もの〉として規定したが、その後、それらに秋山稔氏が「蝙蝠物語」（明29・3〜6）「鎧」（大14・2）を加えて9作とし、後に「蓑谷」（明29・7）、「龍潭譚」（明29・11）をも加えて11作とした。そして、それらを

4系統に分類して、(一) 明治22年に鏡花が富山町に滞在した折りに取材した作品(「蛇くひ」「黒百合」「星女郎」「鎧」)、(二) 明治27年9月に鏡花が上京する際の前後に取材した作品(「義血侠血」「取舵」)、(三) 富山県朝日町の小川温泉に取材した作品(「蝙蝠物語」「湯女の魂」)、(四)「蝙蝠物語」「湯女の魂」とも共通する他界の女性との際会を描いた作品(「蓑谷」「龍潭譚」)とした。これらの作品の他に越中(富山県)関連のものとして「さらさら越」(明32・『少年世界』2・3月号)がある。「さらさら越」は富山と直接関係がないという見方もあるが、極寒の立山連峰・針ノ木峠を越えた佐々成政の〈さらさら越〉は地元・富山ではよく知られていて、その「さらさら峠」の地名も佐々成政の「佐々」に由来しているとの伝承もあり、また、「さらさら越」発表と同じ年の6~8月に佐々成政・早百合姫伝説をモチーフにした「黒百合」を鏡花は発表し、同じ佐々成政の伝説に関わるモチーフでの「さらさら越」から「黒百合」への連続性が窺えられるので、「さらさら越」を越中(富山県)関連の作品として考える。以上のことから、鏡花の越中(富山県)に関わる作品は、秋山稔氏指摘の11作に「さらさら越」を加えた12作とし、佐々成政の伝説をモチーフにしているので「黒百合」と同じく明治22年の鏡花が富山滞在時に取材したものとして捉えている。

鏡花の(富山もの)の12作品の中でも、「蛇くひ」は、鏡花自筆原稿での句読点の有無や、作品内容での碓氷峠のトンネルの開通の事項から、最も早い時期に取材されて書かれたものと推定される。また、鏡花が初めて富山町を訪れた明治22年頃に、鏡花の(富山もの)の基底にある富山へのイメージが形作られたものとも思われる。そこで、「蛇くひ」、そして、「蛇くひ」に密接に関わる「黒百合」の成立過程を考察し、鏡花の富山に抱くイメージも明らかにしようと思う。

〈金沢での生活と富山滞在〉

泉鏡花は、明治6年11月4日、金沢町下新町23番地で、白銀細工（彫金）職人の清次を父に、葛野流大鼓師・中田萬三郎豊喜の娘・すずを母として生まれた。明治13年4月東馬場養成小学校に入学（6歳）し、明治17年4月金沢高等小学校に入学した。後に一致教会派に属する真愛学校（明治18年北陸英和学校と改称）に転校し、明治20年5月北陸英和学校を退学、石川県金沢専門学校（後の旧制第四高等学校）の受験準備にかかる（15歳）。だが、第四高等中学校への昇格を予定されていた金沢専門学校の10月初めの入試を怪我で断念し、翌21年の第四高等中学校補充科（前年の入学者の学力不足のために全国的に入学者を充足し得ず、その対策として設けられたもの。尋常中学校1、2学年に相当する。）を受験するが、不合格。私塾・井波塾（経営者・井波他次郎）に入る。塾では直ちに英語の代稽古を任され、翌22年6月に富山へ赴く。

鏡花が明治22年に富山に滞在したことは、（一）春陽堂版『鏡花全集』巻一の「年譜」（昭

2・4）「明治二十一年富山に赴き友人の許にあり、国文英語補習の講座を開き、又出稽古を試む。半歳ならずして帰郷」（二十一年は二十二年の誤りとみられる）、（二）「自筆年譜」明治22年の項「六月富山に旅行し、友人の許にあり、国文英語の補習の座を開きしが、いまだ三月ならずして帰郷す」、（三）小寺菊子「屋敷田甫」（新小説臨時増刊「天才泉鏡花」大14・5）「～鏡花さんがずつと昔、氏の郷里の金沢から十八里隔たつている私の郷里富山へ来ていられたことがあつて、然かも私の家の斜向ふにあつた私の友達の家へ英語を教へに来られたとかいふことを、さきごろ人から聞いて、私はなんだか大変珍しい感じがしました。～」、（四）「鎧」（大14・2）「～十六七の頃で、私は学塾の友だちが、病気保養のため帰省するのに誘はれて、北陸道富山へ出掛けた事がある。規律の立つ公私の学校だと、そんな時なら休暇はとれないはずだが、そこは塾といふものの気安さに、親たちさへ承知なれば、いくらでも遊んで居られた。尤も知らぬ他国を見るのも、学問の一つだからと、そんな言ひぬけもあつて、二月ばかりその友だちの家になまけて居た」の以上4点から、鏡花が実際に富山町に赴き、数カ月間滞在したと確認できる。この鏡花の富山町滞在については、これまで鏡花の研究者はあまり問題にしていないが、幾つかの不明点がある。富山への旅は鏡花にとって初めての長期の一人旅なのにもかかわらず、溺愛していた家族がその旅についてあまり心配をしていない。また、富山町での数カ月に及ぶ滞在の目的も、富山町での滞在場所も不明である。富山町の何処で滞在したかによって富山での取材の内容も異なってくるだろうし、それによる作品への反映も違ってくると思うのだが、これらのことについては言及されていない。このことは後に触れるとして、先ず金沢での鏡花の生活をみてみる。

鏡花9歳の明治15年に母・すずが出産後の産褥熱で亡くなり、それ以来、肉親をはじめとして周囲の人々は、母を慕う鏡花を気遣って大切に育て見守ってきた。荒川法勝氏の『泉鏡花伝―生涯と作品―』（昭和図書出版・昭56）の「少年時代の鏡太郎」によると、母の死後、祖母・きては、鏡花の面倒をこまめにみて鏡花には常にのりのきいた着物を着せるほどであったという。鏡花は典型的な〈おばあちゃん子〉のようだった。また、信仰心の厚い父・清次も鏡花のことを常に心に掛け、寺参りなどには鏡花を伴い（鏡花の摩耶信仰の契機になる松任の行善寺摩耶夫人参詣もその一つ）、鏡花が義母になつかないからといって再婚（明治16年）した後妻を翌年には離縁するほどだった。更に鏡花が第四高等中学校の受験に失敗すると、直ちに鏡花を井波塾に入塾させたのも父・清次の配慮だった。鏡花は15歳になってもまだ親がかりの状態で、祖母、父にとっては、鏡花は早くに母を亡くした可哀相な子で、それ故に可愛さが募り、成長しても身近に常に置いて面倒をみていたいとの気持ちが強く、過保護まではいかないが、それに近い環境のもとで鏡花は育てられたようだ。成人した後の鏡花の奇矯のエピソードから窺われる、依存性が強く、我儘、臆病で用心深い鏡花の性格はこのような幼い頃からの家庭環境で形成されたのであろう。このような状態なので、鏡花17歳の明治23年に、彼が小説家を志望し、上京したいと告げた時、祖母、父は猛反対をした。だが、その反対理由は、小説家を志望したこと自体にもあったが、それよりも鏡花一人で東京までの長旅をするのが一番の心配だったようで、後に清次の師・水野源六の妻が東京の夫の許へ赴くのを聞きつけ、その一行（同業の職人・山尾光侶も同行）に鏡花を加えてもらうことで鏡花の上京を許している。父の清次は師匠筋の水野家にはよほど信頼を置いていたらしい。だが、前年（明治22年）の鏡花の富山町行きには、いかに隣国とはいえ、生まれて初めての鏡花の一人旅を、それも長期の旅であるにも関わらず、さほど心配している節はみえない。同じ富山行きでも父・清次は高岡に度々出稼ぎに行っているようなので（明治6、15年）、その縁で知人の多い高岡への鏡花の旅ならば、さほど心配しなかったかもしれないが、関わりのない富山町への旅である。それにも関わらず心配していないのは、鏡花の富山町行きが、祖母、父にとっては気遣う必要のない、もしくは反対できない理由があったからではなかろうか…。

父・清次の師匠筋の水野家と言えば、鏡花が入塾した井波塾の経営者・井波他次郎は清次の師である水野源六の実兄で、その縁から清次が頼んで鏡花を入塾させたものと思われる。金沢の明治期の英語教育と井波他次郎との関わりを調べている今井一良氏によると、井波他次郎は独学で英語を学んで相当に英語力があった人で、明治18年に金沢で『新撰英𥿻字典』（795頁に及ぶ英和辞典）を編纂している。また、教育にも熱心で、金沢に数箇所、英漢数の塾を経営しており、その塾は全寮制で舎監の管理のもとで夜間の外出が禁止されているほどの厳しい塾であったという。おそらく井波塾は小規模な家塾ではなく、現在の専門予備校のような金沢でも名の知れた進学塾の一つだったのだろう。それ故に清次は受験に失敗した息子・鏡花をこの塾に入れたものと思われる。その塾で鏡花は早々に英語の代稽古をしていたというのだから、鏡花の英語力はかなりのものだったに違いない。だが、英語の実力があるからといって、隣国・富山で直ちに「国文英語補習の講座を開き、又出稽古を試む」ことが可能だったとは考えられない。

鏡花が富山を訪れた明治22年に、「黒百合」の主要舞台の一つとなっている総曲輪町に富山県最初の受験予備校「私立富山英語学校」があった。明治18年に設立、一時期は百名を超える人気校であったが、生徒数の激減で明治22年末に閉校した。それ以降、明治末期まで富山県内で公的に認可された英語学校は存在しないし、英語を教える中等学校以上の公立学校は北陸の他県に比べて極めて少なく、これに相当する私学校は富山では皆無であった。明治18年にようやく富山県中学校が設立されたとはいえ、上級学校へ進学するには金沢か東京の予備校に通うしかなかった。だが、一般市民間では、英語学習熱は高く、当時の新聞には英語の研究会への生徒募集の広告が毎号のように掲載され、二、三十人程度の夜学での英語会が市内各地で開かれていたようだ。その講師は元教員や現職の教員、海運・貿易での実務英語の経験者などであったが、講師が圧倒的に少なかった。しかし、講師が不足しているからといって、素性の分からぬ他県の15歳の青年を直ちに講師に迎えるとは考えにくい。鏡花が記している「国文英語補習の講座」は、富山町滞在数カ月という短期間の面から考えて公立の学校ではあり得ないし、『明治二十二年富山県学事年報』『明治二十二年富山県統計書』には、「私立富山英語学校」の教員に鏡太郎（鏡花）の名前はない。それに、講義内容に「国文」も含んでいるので実務英語を中心とする一般市民対象の夜学の英語会とも考えられない。鏡花が講師をしていた講座は、おそらく進学を目的として、出稽古もあるような、それなりにしっかりとした私塾だったと考えられる。それならば猶更のこと、閉鎖性の強い土地柄の富山町で、素性の分からぬ他国者の15歳の青年を、信頼できる人の紹介もなしに講師にするとは考えられず、上田正行氏が、「鏡花『黒百合』考―立山と洪水」（註1）で、鏡花の富山町滞在を「塾がらみで富山に赴いたのではないか」と示唆しているが、示唆のごとくに、鏡花の富山町での滞在及び講座は、井波塾がらみのものだと思える。鏡花を溺愛した祖母、父が、鏡花の富山町行きを猛反対しなかったのは、父の師（水野源六）筋の井波他次郎の塾がらみの依頼だったので断りきれなく、また、富山町での講座期間も予め決まっていたので、井波塾（水野家筋）を信頼して家族は鏡花を富山町へ送り出したのではないだろうか…。富山町での滞在場所は「蛇くひ」「黒百合」の作品中で取りあげた富山町の口碑・伝説、噂、稗史・民俗の分析から推測はできると思うが、その滞在場所を明確にしていないところに、作品で

(註1)『山から見た日本海文化』2巻 平19

の富山町の空間変容に至った理由があるものと推察している。それでは「蛇くひ」についてみてみることにする。

〈「蛇くひ」の原形と成立〉

「蛇くひ」は『新著月刊』（明治31年3月）に発表されたが、その元原稿である鏡花自筆の「両頭蛇」が慶應義塾大学図書館に残っている。その原稿には、「此文佳調」「評日細流妙音あり」「評日万里一條鉄」などの紅葉の率直なコメントが途中に書き込まれてあるが、誤字や文章表現の添削のみにとどまって内容の改訂はされていなく、「両頭蛇」執筆当時の原形を「蛇くひ」は完全にとどめていると言える。また、村松友視氏は、「鏡花初期作品の執筆時期について—『白鬼女物語』を中心に—」（註1）で、鏡花の初期作品は句読点が少ないのが特徴で、「両頭蛇」は句読点が皆無であるとの指摘があり、魯恵卿氏も、「泉鏡花「蛇くひ」論—自筆原稿との比較を通して—」（註2）で、「両頭蛇」は句読点が皆無とは言えないが、他の初期作品の自筆原稿に比べると圧倒的に句読点が少ないと指摘している。これらから「両頭蛇」はかなり早い時期に執筆されたと考えられる。更に村松友視氏は、作品中の「上野の汽車最後の停車場に達すれば、碓氷峠の馬車に揺られ、再び汽車にて直江津に達し」のくだりから、中山道の難所・碓氷峠にトンネルが掘られて、「横川—軽井沢間」が開通したのが明治26年4月1日のことである点と、同じく作品中の「何ぞ君が代を細石に寿かざる！」のくだりから、文部省が「君が代」を学校の祝日大祭日儀式に用いることを公示したのが明治26年8月12日のことなので、これらのことから、「両頭蛇」の実際の執筆は、明治26年4月以前、25年頃まで溯ると考えられると述べている。このことから、現存する鏡花の作品の中で「両頭蛇」（「蛇くひ」）は、鏡花の最も早い時期の執筆と考えられる。また、「蛇くひ」の原稿には、題名左に「第一　餓ゑ食ふ物の何なるを見よ」との章題がある。章立てが「第一」だとすると、後に第二、第三と続くのだろうが、第一のみで終わっているので未完だと考えられる。すると、第二、第三と続く原稿があったのだろうか、なかったとしても後に続く作品の構想は、「両頭蛇」の題名に符合する内容の展開だったと考えられる。題名を後に「蛇くひ」に変更したことも問題だが、「両頭蛇」の題名に符合する内容があったと前提して、その題名のもとで、当初、鏡花が何を書こうとしたのかを推測してみる。

中国、日本においての「両頭蛇」に関わる話をみると、中国では、前漢・賈誼の『新書春秋』の孫叔敖の両頭蛇の話が先ず思い浮かぶ。この孫叔敖の逸話は、中国南北朝の宋・劉義慶の『世説新語』（徳行）や、唐・李瀚の『蒙求』の「両頭蛇」の故事にもある。中国では、「両

（註1）「三田国文」第4号　昭60
（註2）筑波大学大学院博士課程日本文化研究学際カリキュラム紀要9　平10

頭蛇」(二つの頭を持つ蛇)を見た者は死ぬとか、(陰徳あれば陽報あり(人知れず善い行いをすると善い報いに授かる))という意を含んでいるようだが、鏡花の「両頭蛇」(「蛇くひ」)の内容には、中国で意味するようなものは見当たらない。日本においての「両頭蛇」(二つの頭を持つ蛇)となると、松平定信の『花月草紙』の「両頭の蛇」や、鈴木牧之の『北越雪譜』の「双頭蛇」が思い浮かぶ。「両頭の蛇」「双頭蛇」の両話とも、二つ頭の蛇を捕まえ、前へ進む様子を観るに、二つの頭なので前へ進み難く、『花月草紙』の「両頭の蛇」では、「二つの蛇和らぎて、心をともに合はせ、尾の形を縄のごとくにして、頭を二つ並べて行くにぞ、常のよりははるかにすみやかに這ひ行きけり」、『北越雪譜』の「双頭蛇」では、「双頭が一心になったときは、真っ直ぐ走った」とあり、二つの頭が共に心を合わせた時に一体の蛇として速やかに前進できたことが話の中心になっている。

『北越雪譜』は長谷川覺氏の「泉鏡花蔵書目録」の目録中にあり、鏡花が好んで読んだものであるから、『北越雪譜』の「双頭蛇」から「両頭蛇」の題名の発想を得た可能性もある。これらの話の内容と、後に触れる「黒百合」での千破矢瀧太郎と若林拓の両悪漢の存在を含めて考えると、鏡花が「両頭蛇」の題名のもとで書きたかったのは、二つの異質のものが、心をあわせ、一つ(一体)となって驚くべきことをなし遂げるような内容のものだったのではないかと思える。また、それを人に嫌われる蛇に例えることから、陰性のもの、つまり、世間並みの陽の当たる所では暮せないアウトロー的な者たちの活躍に関わる内容ではなかったかと推測している。このことについては、「両頭蛇」（「蛇くひ」）と「黒百合」との関わりで述べる。

更に疑問がある。「両頭蛇」の原稿末尾に、尾崎紅葉が朱筆で「評曰立案凡ならず、文章亦老手のごとし。小蛇巳に龍気の顕然たるものあるに似たり。予数年諸子の小説を閲す、未だ曽て如斯きを見ず。子はそれ我掌中の珠か、乞ふ自重せよ」との最大級の賛辞をしているにもかかわらず、紅葉は鏡花に「両頭蛇」を発表するのを許さなかった。紅葉はこれほど賛辞しているのにどうして許さなかったのだろうか…。同時期の作と思われる「冠弥左衛門」が不評で、同様の評価を受けるのではないかと紅葉が心配したためなどとも言われているが、京都日の出新聞での「冠弥左衛門」の連載は確かに不評だったが、後に連載した北国新聞では好評であり、京都日の出新聞での不評は作品の質とは異なる理由からだろうとも言われている。また、東郷克美氏は、「民俗／芸能／一揆―「神に代わりて来る」ものたち」（註3）で、題材が異常で、紅葉の文学意識及び当時の小説読者の好尚とも隔絶していると紅葉が判断したためだろうと指摘し、本田隆文氏は、「泉鏡花「蛇くひ」私註―〈お月様幾つ〉をめぐって」（註4）では、作品中に出てくる「応」の行動で「法はいまだ一個人の食物に干渉せざる以

（註3）『国文学』36巻9号　平3
（註4）京都学園中学高校論集30巻　平12

上は、警吏も施すべき手段を如何せむ」の箇所や、子供たちが「君が代」を口ずさむことを頑なに拒否する点などから、警吏が「応」を取り締まれない〈法の無力さ〉を浮彫にしたり、国の〈唱歌教育制度を否定〉しているかのようで、「応」の行動を通して国家体制そのものの否認を意味しているように捉えられる可能性があるからと指摘している。本田隆文氏の指摘のように、私も、鏡花が「法」「君が代」といった国民統合の諸要素を次々に無効にするかのように「応」を描くので、紅葉は、「応」を多分に国家を含めての〈体制への反抗的性質〉を宿している存在と捉えて、そのような存在を描く鏡花が国家を非難しているように見なされはしないかとの危惧から、鏡花に「両頭蛇」の発表を禁じたのではないかと思っている。

その後、明治31年3月に「両頭蛇」は「蛇くひ」として『新著月刊』に発表される。「蛇くひ」発表に関して、川島みどり氏は、「泉鏡花「蛇くひ」小論―変移する言葉たち」（註5）で、前年の30年に鏡花は「化鳥」を発表していて、鏡花の幻想的な作風を受容する下地も整ったので、その流れの中で、埋もれていた初期作品を発表する機会と捉えて明治31年に「蛇くひ」として発表し、更に流れに沿って翌32年に「黒百合」を発表したと述べている。私は、鏡花には「蛇くひ」に続く構想が元々あり、発表を紅葉に禁止された以後、それを胸に秘していたが、明治28年に博文社の編集部に入社以降に同社関係の文芸誌で富山に関わる作品に遭遇し、それにより、富山町滞在でのことを想起し、富山町を舞台にした作品を書こうと思い立って、その過程で埋もれていた富山町関連の初期作品の「蛇くひ」を先ず発表し、後に

「蛇くひ」に続くはずの構想に新たな内容を加えて「黒百合」として発表したものと考えているのだが、それについては後の「黒百合」の構想の成立で述べる。

さて、「両頭蛇」を「蛇くひ」と改題して発表したが、改題したのは、「両頭蛇」執筆当時の作品の構想を切り捨て、この未完の作品を一編の独立した短編として発表するのに、内容的に最も鮮烈な印象を与える「蛇飯」の場から「蛇くひ」と改題したものと思う。「蛇飯」の場の「最も饗膳なりとて珍重するは、長蟲の茹初なり。蛇の料理鹽梅を潜かに見る人の語りけるは〜（中略）〜むしやむしや喰らへる様は、身の毛も戦慄つばかりなりと。」の描写の衝撃は強く、夏目漱石の「吾輩は猫である」（明治38年）の作品中の、迷亭の悪食談の中に「その時分の僕は随分悪もの食いの隊長で、蝗、なめくじ、赤蛙などは食い厭きていたくらいなところだから、蛇飯は乙だ。早速御馳走になろうと爺さんに返事をした。〜（中略）〜名々に蛇の頭を持ってぐいと引く。肉は鍋の中に残るが、骨だけは奇麗に離れて、頭を引くと共に長いのが面白いように抜け出してくる〜（中略）〜それから蓋を取って、杓子でもって飯と肉を矢鱈に掻き交ぜて、さあ召し上がれと来た」と「蛇くひ」の「蛇飯」と同様の内容がある。だが、「蛇くひ」の「蛇飯」とて鏡花独自の創作とは言い難く、同様のものが、江戸期の荻生徂徠の随筆中にもある。荻生徂徠が筑紫に赴いた時に遭遇した奇事異聞を録し

（註5）　明治大学大学院文学研究論集22巻　平15

たもので、それを大田南畝が随筆『三十輻』として収めるに当たり、首章の書出しによって「飛騨山」と命名したものである。森銑三氏によると、『三十輻』の「飛騨山」は、内容は僅か十条で、南畝の手写本によって『甘雨亭叢書』に収められ、活字本は『三十輻』所収のものがあるに過ぎず、広くは注意せられずにいると述べている（森銑三著作集続編・第11巻）。長谷川覺氏の「泉鏡花蔵書目録」に『三十輻』はなく、鏡花が『三十輻』の「飛騨山」を実際に読んだか、あるいは、何かで読んだか、あるいは伝え聞いたのかは分からないが、鏡花も、その内容に興味を抱いたので「両頭蛇」に取り入れたのだろう。ただし、「吾輩は猫である」の場合は、「蛇飯」を語る迷亭の言葉の直前に「うん、そりゃ一応もっともな質問だよ。しかしこんな詩的な話しになるとそう理窟にばかり拘泥してはいられないからね。鏡花の小説にゃ雪の中から蟹が出てくるじゃないか」と鏡花の作品（「銀短冊」）のことに触れており、このことから漱石は鏡花を意識して「蛇くひ」の「蛇飯」の場面を作品中に取り入れたものと思える。

「蛇くひ」の内容を大別すると四つのプロットからなっている。（1）「応」の出現、（2）「応」の行動、（3）「応」の生活（食生活）、（4）「応」に呼応する子どもたちの反応である。だが、（1）「応」の出現は、「応」そのものの出現よりも出現する土地（御屋敷田甫の一本榎付近）の状況を、（2）「応」の行動は、富山町中心街での彼等の強請りの様子を、（3）「応」の生活では、一本榎付近での彼等の奇異な食べ物のことを、（4）「応」に呼応する子どもたちの反応は、「応」の出没と「わらべ唄」との関わりから描いている。（3）の奇異な食べ物に「蛇飯」があり、その強烈な印象から「蛇くひ」との題名を付けたのだろうが、だからといって（3）の奇異な食べ物の箇所が全編の中心で（1）（2）（4）を統括しているわけでもない。このことは、おそらく（1）（2）（3）（4）はそれぞれ別々の話であって、それを「応」の存在で結びつけ、一つにまとめたものだと考える。そのことは（2）の富山町中心街にある「富家」「豪商」で「応」が米銭を強請るが、（3）で「応」は蛇などを食って生活しているのだから、敢えて米銭を強請る必要はなく、（1）の「応」の屯する地は富山町の西の外れで、（2）の「富家」「豪商」が建ち並ぶのは、当時の富山町では東の地域であり、「応」が富山町の西の外れから町の中央を人知れず横切って東の地域へ強請りに出掛けるのは不自然である。他にもまだ幾つかの矛盾がある。これらのことについては後に触れるが、この矛盾は、鏡花が別々の話を結び付ける際の齟齬から生じたものではないだろうか。それでは（1）（2）（3）（4）について順次みていくことにする。

〈御屋敷田甫の一本榎と「応」の出現〉

「蛇くひ」の研究は民俗学的な方法等によって、作品の細部の読みに広がりを見せているが、15歳の少年が初めての一人旅で未知の富山町（現富山市）を訪れ、その異郷の地で何に興味・

関心を抱いたのだろうか。その興味・関心が後に富山を舞台にした作品を描く際に大きく影響を与えたと思われるので、鏡花が目の当たりにした当時の富山町の状況についてみてみる。

前述した小寺菊子の「～鏡花さんがずつと昔、氏の郷里の金沢から十八里隔たつている私の郷里富山へ来ていられたことがあつて、然かも私の家の斜向ふにあつた私の友達の家へ英語を教へに来られたとかいふことを、さきごろ人から聞いて、私はなんだか大変珍しい感じがしました。～」の文章の続きに「～そして、今一寸古い氏の小品集をくりひろげましたら、偶然私の郷里にあつた『御屋敷田甫』と云つて、常に妖怪変化の現れる場所と称へられ、私などはときどき友達と一緒に遊びに行つても、日の暮れぬうちに急いで帰つた、その場所のことが書かれてあるのを発見しました。私たちが聞いていた話はその御屋敷田甫に一本の大きな古い榎がありましたが、昔さより姫といふ美しいお姫さまが北国名代の健児佐々成政とかの意に背いて此木に逆吊りにされ、下斬りにあつたのだと伝へられました。それでその当時でもその榎の下へ行つて、『さようり、さようり、』とよぶと、髪を逆さに振り乱したさより姫の恨みに充ちた妖艶な姿が現われるといふのでした。私たちは子供心に怖くて怖くてなりませんでした。その御屋敷田甫は私の家のあつた西四十物町を通りぬけて、町端れの森を越すと、常に溺死者の絶えないといふ北陸一の大河神通川の下流が青黒い深淵をのぞむように淋しく流れていましたが、その辺一体が常に凄惨な気に充ちていました。夏など若し夕方まで此川に泳いでいる子供があつたら、きつとそのまま姿が見えなくなつてしまふむと云はれていました。それはその川に大きな『ぬし』蛇が棲んでいて喰ふのだといふことでした」（新小説臨時増刊「天才泉鏡花」大14・5）。小寺菊子のこの話は、昭和の終わりまで富山市に伝わっていた話で、現に富山市で生まれ育った私も祖父母から何度も聞かされた話だが、御屋敷田甫近くの西四十物町まで出稽古に行っていた鏡花ならば当然知っていたはずだろうし、怪奇好きの鏡花にとっては〈一本榎〉と〈神通川〉にまつわるこれらの怪しげな伝説に興味を覚えたに違いない。現在でも神通川の右岸・磯部堤の富山県護国神社付近には一本榎があり、佐々成政に斬り殺された早百合姫の怨念が未だ彷徨うとされる早百合姫伝説の案内板と石碑がたっている。この伝説は『絵本太閤記』から生まれたようで、『絵本太閤記』五編巻之八には「～直ちに廣式に駆け入り早百合が長なる黒髪を左の手に巻き引提げ、此神通川の川添に走出で、持ちたる髪を逆手に取り宙に引上げ、提斬に切つて落とし、柳の枝の垂下りたるに～」とある。だが、早百合姫が逆吊りにされたのは城近くの神通川沿いの柳の木であり、また、当時の神通川の川筋は現在とは異なって富山城を巡って東へ流れていたので「蛇くひ」での「御屋敷田甫」の地は佐々成政と直接には関係はない。ただし、この地は佐々成政の後に富山城に入った加賀前田家の分家・富山前田家の広大な磯部庭園の跡で、その地を鏡花は「北陸名代の健児、佐々成政の別業の舊跡（あと）」として佐々成政ゆかりの地に変え、未だ早百合姫の恨みが彷徨う不気味な土地として「蛇くひ」で設定している。

また、神通川の不気味さにも興味・関心を抱いていたらしく、後の「鎧」（大正14年）の前半部に、女の生霊に取り憑かれた男が、神通川で女神に救いを求めたが逆に手酷い仕打ちを受けた話が書かれている。鏡花が愛読した堀麦水『加越能三州奇談』巻五「神通の巨川」などからも影響を受け、神通川に強い興味・関心を抱いていたものと思われる。特に神通川の「ぬし」が大蛇だという地元の伝説は、鏡花の頭に深く刻みこまれたに違いなく、「蛇くひ」での〈蛇〉もその残像のようにも思え、また、その〈蛇〉は「～一本榎の洞より数條の蛇を捕へ来り～」とあるように〈一本榎〉に巣くう〈蛇〉で、それは〈一本榎〉と一体となって、〈神通川〉と〈一本榎〉にまつわる別々の佐々成政・早百合姫伝説を結び付けて一連のまとまりのある話とする発端ともなっている。その伝説についてみてみる。

〈神通川〉にまつわる佐々成政・早百合姫伝説としては、『絵本太閤記』五編巻之七〈秀吉の越中攻め〉に、佐々成政軍が神通川を境に秀吉軍と対陣している折りに起こる奇妙な話がある。「秀吉の御勢は一揉に佐々が本陣を乗落さんと～（中略）～、時に不思議や一陣の怪風俄に吹起り、川水を巻上げ石を飛せ、北國勢の旗指物をばたばたと吹折り、大風面に對し難く、鎗先寛み崩れんとす。成政こは口惜しと鐙踏張り、四方を屹と見渡せば、神通川の水上呉服村の傍より、一面怪げに恐しき鬼の手に刀を持ち身に鎧を着し、幾百萬といふ限もなく、天に蔓り地に充ちて、おうおうと鬨を作り、成政を目がけ湫き來る」とある。神通川の水上の呉服村から武装した幾百萬の鬼たちが現れ、佐々成政を襲うのだが、この鬼たちは何ものだったのか。早百合姫は呉服村の豪農（奥野与衛門）の娘で、早百合姫が殺される際に、同じ木の下で呉服村の彼女の一族が皆殺しされたと同書にあり、加えて『絵本太閤記』五編巻之八に「秀吉公と對陣の時、數萬の愁鬼顯れしも、早百合をはじめ一族等が怨念にやと、恐ろしさかぎりなし」ともあり、このことから数万の鬼たちは早百合姫とその一族の恨みの化身であることが分かる。ただし、鬼たちの出現は神通川ならではのことであり、つまり、神通川が有する神秘の力による出現なのであろう。

『絵本太閤記』のこれらの関わりから秋山稔氏は、「泉鏡花と富山」（註1）で、「応」の呼称は「おうおうと鬨《とき》を作り、成政を目がけ」て来た異形の集団のイメージから想定してよいのではないかと指摘し、「おうおう」と鬨を作る異形の集団が「蛇くひ」の中に「応」として転成したと想定してもよいのではないかと指摘している。「蛇くひ」では「夜陰人静まりて一陣の風枝を払へば、愁然たる声ありておうおう唸くが如し。されば爰に忌むべく然るべきを（おう）に譬へて假に（應）といへる一種異様の乞食ありて」とあり、一本榎が風に〈おうおう〉と騒ぐ音に促されて乞食集団が現れ、その〈おうおう唸く〉音から、この乞食集団を「応」と名付けたとしている。すると、この一本榎の〈おうおう唸く〉音は、『絵本太閤記』五編巻之七の鬼たちの鬨をあげる〈おうおう〉と呼応していて、その鬼たちの鬨の声は、早百合姫をはじめとする一族の怨念の声であるから、一本榎のざわめく〈おうおう〉の音も、

（註1）平成24年度泉鏡花記念館企画展「鏡花わーるｉｎ富山」文学講座　平24・6

早百合姫をはじめとする一族の怨念の声ともとれる。そして、その音で乞食集団が現れるので、乞食集団は怨念が形をなしたもので、その怨みの象徴として乞食集団を「応」と呼ぶことになる。一本榎に憑依した早百合姫とその一族の怨念が、「おうおう」の音で目覚め、大樹を震わせて怨念が形をなした集団（「応」）を樹下に出現させ、嘗ての佐々成政の城下町たる富山町へと攻め寄せる構図になるのであろう。

更に〈一本榎〉にまつわる佐々成政・早百合姫伝説として、これも『絵本太閤記』五編巻之八に、無実にもかかわらず早百合姫が処刑される時、「早百合死する時罵り叫び、歯をかみ砕き血の涙を流し、美しかりき紅顔忽ちに變じ悪相を顯し、「おのれ成政、此身は爰に斬罪せらるる共、怨恨は悪鬼と成り、數年ならずして汝が子孫を殺し盡し、家名断絶せしむべし」と叫びながらに斬られたり。（中略）今も猶越中富山神通川の邊に、風雨の夜は女の首を斬て釣りさげたる貌の鬼火顯れ出づるを、土人號けてぶらり火と云ふ。又風雨もなき夜ても「さゆりさゆり」と大聲に呼ば、此ぶらり火顯れ出づるよし、數百年の星霜を經るといへども、一念の怨氣消せずして、世の人の語りぐさと成りぬ。後天正十六年、佐々成政百合の花より災生じ、終に尼ヶ崎において自殺し、佐々の家断絶せしも、正しく早百合が怨恨の成す所なるべし。」とある。このことにより早百合姫が処刑されたとされる神通川磯部堤の一本榎に、早百合姫の怨霊が宿り、未だに祟るという「早百合姫のぶらり火伝説」と、この時の佐々家断絶の呪詛を叫んで息絶えた早百合姫の呪いどおりに佐々家が断絶したことが、『絵本太閤記』五編巻之七の〈北政所と淀君の茶会〉での黒百合をめぐる北政所と淀君の諍いから佐々家が断絶する話と絡み合い、立山に黒百合が咲くと佐々家が滅ぶという「黒百合伝説」になって伝わってきているのだろう。

このように〈神通川〉〈一本榎〉には早百合姫と、その一族の怨念に関わる伝説がつきまとい、その両伝説を結びつける接点に〈一本榎〉がある。言わば〈一本榎〉は早百合姫とその一族の怨念の象徴的なものであり、その〈一本榎〉の洞に〈蛇〉が巣くっているのであるから、〈蛇〉は〈一本榎〉と一体のもので、早百合姫とその一族の怨念を宿すものとも考えられる。野口久美氏は、『「黒百合」論―鏡花的聖域の創造―」（註2）で、この蛇は「ぶらり火」にこもった、早百合の方の怨恨を身に帯びていて、これを食べることで、早百合の方に発する、強力な呪詛の力を帯びるとし、「蛇」に象徴された無法集団は、俗社会の論理―毒―に対する、より強力な毒であると指摘している。〈一本榎〉に宿る早百合姫とその一族の怨念が〈蛇〉を通して「応」に伝わり、その怨念を帯びた「応」が現世の富山町で暴れるというのだ。

鏡花は、『絵本太閤記』と、佐々成政・早百合姫伝説の口碑（ぶらり火・黒百合伝説）を下地にして、〈一本榎〉を介して明治期の御屋敷田甫周辺を戦国期の伝奇的な物語世界（異界）

（註2）『上智大学近代文学研究』昭58・9

の様相を帯びさせようとしている。〈一本榎〉は、その伝説由来の早百合姫と一族の怨念によって、〈おうおう〉の音で神通川の鬼たちの怪異と、「応」の出現を結びつかせ、その機縁で神通川の「ぬし（大蛇）」の霊力が示現して榎に蛇を巣くわせ、その蛇が更に「応」の怨念を増幅させて現世で暴れさせるという構図になる。このように考えると〈一本榎〉の役割は極めて重要なのだが、〈一本榎〉について、東郷克美氏は、「民俗／芸能／一揆―「神に代わりて来る」ものたち」（註3）で、「鏡花に樹木崇拝、木精信仰というべきものがあった」として、「応」を〈一本榎〉の〈木精の化身〉でもあると指摘し、亀井秀雄氏は、「鏡花における木精とわらべ唄」（註4）で、「応」を〈一本榎〉の木精的なものとして「応」を「その生涯を蔑視され疎外された人たちを木精的にイメージしたものであろう」と指摘している。民俗学的な見方には、年経た大樹には「ものの怪」が棲みつくとか、他界からの来訪者がよりつく依代《よりしろ》であるとかの大樹の霊力を示す「木霊」信仰があるようだが、鏡花の興味関心は、〈一本榎〉という榎の「大樹の霊力」にあるのではなく、その〈一本榎〉が宿す奇怪な佐々成政・早百合姫伝説にあり、それゆえに後々までそれをモティーフにして「黒百合」や、それに関わっての神通川の怪異を「鎧」で書いているのである。これらのことからも榎の老樹の霊力のみに重点をおいて「応」を〈木精の化身〉とする見方よりも、伝奇的な物語世界（怨みに満ちた伝説世界）が、〈一本榎〉を介して現世（明治の世）に蘇り、その際に、早百合姫にまつわる怨念が具象化したもの、もしくはその怨念が転成したものとして「応」をとらえた方が妥当だと考える。

また、『絵本太閤記』では早百合姫が殺されたのは「富山城近くの神通川添の柳の木」となっており、本来ならば「御屋敷田甫の一本榎」とは異なるのだが、鏡花はそのことを十分に承知していながらも富山町の伝説として有名な佐々成政・早百合姫伝説（ぶらり火・黒百合）の怪異を宿す〈一本榎〉をそのまま活用して、『絵本太閤記』の伝奇的な物語世界を、嘗ての富山藩の磯部庭園の跡地に展開させたのだろう。佐々成政・早百合姫伝説（ぶらり火・黒百合）について言うならば、越中での佐々成政の足跡に詳しい郷土史家の廣瀬誠氏の『神通川と呉羽丘陵』によると、この伝説は、佐々成政の後に越中（富山）を支配をした前田家が、前領主で善政を施し、領民に評判のよかった佐々成政をおとしめるために意図的に作ったものであるとし、『絵本太閤記』や土地の口碑では皆殺し、根絶やしにされたはずの早百合姫一族の家系も現在に続いており、富山市五福の長光寺の榎の大樹の下に早百合姫血筋の奥野家歴代の墓もあるとのことである。

また、神通川磯部堤の〈一本榎〉に佐々成政・早百合姫伝説が結びついたのは、おそらく御屋敷田甫付近が神通川を挟んでの早百合姫出生の呉服（五福）の地の川向かいであったこ

（註3）『国文学』36巻9号　平3
（註4）『文学』6月号　昭58

とと、御屋敷田甫付近が嘗ての前田家の別荘・庭園で、同じ領主の別荘ということから佐々成政の別荘との混同が生じたことによるものだ考える。それに、このような地縁的なことに加え、柳田国男が「昔の人は樹に依って神を迎える場合に多くは榎を選び、又老たる榎を仰いで乃ち神を思った」（「神樹篇・争ひの樹と榎樹」）と指摘する民俗学的な「木霊」信仰にもよって、神通川磯部堤の榎の大樹に早百合姫の怨霊が宿る口碑が生まれたものだろう。

〈強請と蛇くい、「応」の行動〉

「応」は富山町で狼藉を繰り返すが、その行動に不可解な点が目立つ。「富家、豪商、外面は窮乏を粧ひ、裏中却って温かなる連中」に「応」は「米銭」を強請るが、「貧家を訪ふことなし」で、強請りを拒むと蛇の生齧《かじ》りで脅す。不可解なのは「蝗、蛭、蛙、蜥蜴の如きは最も喜びて食する物とす。～最も饗膳なりとて珍重するのは長蟲の茹初なり」として、日常「応」は御屋敷田甫で「蝗、蛭、蛙、蜥蜴、長蟲」などの異物を食べて十分に飢えをしのいでいるのに、あえて町中に出て「米銭」を強請るが、それらを強請る必要があるのだろうか。それに、どうして「富家、豪商」などばかりを強請り、その際に〈蛇〉を使って脅かすのだろう。東郷克美氏は、「民俗／芸能／一揆―「神に代わりて来る」ものたち」（註1）で、「富家、豪商」等に限っての強請りと「応」の風体（長髪黴衣、杖の所持）の特徴などから「応」

の中に「一揆性」があるとし、「応」の強請りを下層民の一揆と見なしている。しかし、乞食が何のために一揆を起こすのだろう。「米銭」を求めているので、一見すると「飢え」かららの一揆のように思えるが、前述したように「応」は御屋敷田甫で異物を食べて十分に飢えをしのいでいるし、また、「飢え」が切迫しているのなら「富家、豪商」などに限らず、近辺の町家の家々を見境なく襲うはずである。だが、彼らは襲う家を選別している。このことから、「飢え」からの「米銭」の強請りは見せかけで、おそらく「富家、豪商」などを襲うことに主眼があったのだろう。言い換えると、彼らは一致団結して富裕層を襲い、〈富裕層を戒め、罰すること〉自体に強請りの目的があったのではないかと思える。

前章で「応」を怨念が具象化したもの、もしくは怨念が転成したものと述べた。この場合の怨念とは、佐々成政という横暴な領主（権力者）に殺された早百合姫と、その一族（無辜の民・虐げられた人々）の怨みのことで、その怨みが〈一本榎〉を介して蘇り、明治の世に転成、具象化して「応」となって現れ、嘗ての横暴な領主（権力者）の城下を襲い、祟るのである。その手始めに、無辜の民を虐げる横暴な権力者と同類の、欺瞞的な富裕層を襲い、戒めて罰するとも考えられる。こうして「応」は、富山町で乱暴狼藉を尽くすのだが、それだけでは終わらなく、「赫奕たる此の明星の持主なる、〈應〉の巨魁が出現の機熟して～」と

（註1）『国文学』36巻9号　平3

「応」の巨魁の出現を示し、その巨魁に率いられた「応」が更なる大事を起こすかのように期待を込めて描いている。富山町の富裕層への乱暴狼藉以上の更なる大事とは何なのだろうか。それは「応」に宿る怨念の本来の目的である横暴な領主（権力者）への復讐、言い換えれば、佐々成政に代表される為政者への反抗であり、体制への反逆に繋がるものだろう。東郷克美氏が指摘する「一揆性」という言葉で表すと、下層民の「世直し一揆」に相当するものだろう。このことは虐げられた民の怨念から発した体制批判に通じ、前述したが、その危惧から師の尾崎紅葉は鏡花に「蛇くひ」の発表を許さなかったのかもしれない。また、この為政者や体制への反抗・反逆志向を、上田正行氏は、「鏡花『黒百合』考―立山と洪水」（註2）で、『水滸伝』を踏まえているとし、神通川のほとりの御屋敷田甫を梁山泊に見立て、権力に立ち向かう無頼漢の集まりが「応」にもあると示唆している。確かに鏡花は「蛇くひ」発表の翌年の明治32年の1月から3月頃にかけて、明治の『水滸伝』の構想のもとに「湖のほとり」を執筆しているので、『水滸伝』への関心も強い時期だが、明治32年発表の「黒百合」との関わりはまだしも、「蛇くひ」の元原稿たる「両頭蛇」の明治26年以前の作品との関わりについては疑問が残る。「応」には権力に立ち向かう姿勢は窺われるが、彼らには顕著な義賊性は見られなく、まして梁山泊のような定住を郷屋敷田甫ではしていない。このようなことから「応」を『水滸伝』のような旺盛な義賊性を持つ盗賊集団としては捉え難い。

改めて富山町での「応」の行動をみると、彼等の別の顔が浮かんでくる。「応」は町の中心街に入り込んで「軒毎に食を求め」るが、拒まれると再度訪れ、戸口で蛇を生齧《なまかじ》る。そのことで家主は「応」に「米銭」を与え、「応」は「蛇食の藝は暫時休憩を呟きぬ」として戸口から立ち去っていく。この蛇の生齧り行為を、彼らを拒んだ家主への〈嫌がらせ〉として捉えるのでなく、訪れた家の戸口で多少強引だが「蛇食の藝」をして「米銭」を求める行為とすると、「応」の別の顔が思い浮んでくる。それは町内の家々の門口で芸を演じて金品をもらう「門付け」の姿である。乞食と言うと、穢多・非人の被差別民を連想しがちだが、明治といえども、その者たちならば、差別によって住居を含め、行動の範囲にかなりの拘束があるだろう。「応」のように自在に〈一本榎〉周辺に出没し、町内を自由に彷徊して「蛇食の藝」で「米銭」を求めることなどは許されるはずがない。だが、「応」は町内を彷徊し、戸口で「蛇食の藝」をしても「警吏も施すべき手段なきを如何せむ」で、実際には警吏から黙認されている。「蛇食の藝」が極めて刺激的なものにしろ、黙認されているのは「応」のこの種の〈門付け的行為〉が規制されるべきものではなかったからであろう。このことから、「応」は「普通の乞食と等しく、見る影もなき貧民なり」としているが、乞食のようでありながら乞食ではなく、そのくせ町内には自由に入り込め、機動性があって特有の芸等で食や銭を得ているような集団にも見える。江戸期ならば「乞胸（ごうむね）」のような部類の者

（註2）『山から見た日本海文化』2巻　平19

なのであろう。江戸期の下層民の実態を調査している塩見鮮一郎氏の『乞胸―江戸の辻芸人』によると、「乞胸」とは、門付け、大道芸などで金銭を得て「乞胸頭」（時には「非人頭」）によって厳しく統制され、町人身分という特殊性もあったが、大道芸での投げ銭などで暮らしていたので「芸能乞食」「乞食芸人」として差別・蔑視され、賤民扱いを受けていたという。「応」には、この「乞胸」のような「芸能乞食」「乞食芸人」としての姿が垣間見えてくる。ましてや「応」の屯する御屋敷田甫は、神通川の河川敷に連なる地域であり、いわゆる河原に準ずる地域で、そのことからみると「応」に「河原者」「河原乞食」の姿も重なる。河原付近に屯する、卑賤視された労働や雑芸能などに従事する者たちの姿である。

また、「応」の「蛇食の藝（蛇の生齧《なまかじ》り）」は刺激的ではあるが、大道芸、見世物芸と蛇の関係は深く、蛇を使った「蛇遣い」芸は近世初頭からあり、『天和笑委集』での呼び込みの口上「厭ようるさや、てんと気の毒、見る目もうるさし差合ひ知らぬ蛇女、こはし危うし恐ろしき見世物、やれ安き物、僅か六文～」や、江戸の見世物について詳述した『嬉遊笑覧』での蛇遣いの蛇の操り方、朝倉夢声の『見世物研究』での蛇芸の様子「蛇遣いの多くは女子で、笊に大小の蛇十数疋を入れ、それを掴出しては首や両手に巻付かせて見せたのである」などからも、「蛇遣い」の芸は大道芸、見世物での代表的なものの一つであったことが窺える。蛇芸は蛇を体に這わせるのが主だったようだが、現在でも神社の祭の境内で興行する見世物小屋の看板に「火吹き」や「蛇くい」が見られ、この「蛇遣い」の芸の中には「蛇食の藝（蛇の生齧り)」をした者もいたと思われる。塩見鮮一郎氏は『貧民に墜ちた武士―乞胸という辻芸人』の「あとがき」に東京都新宿の花園神社境内の見世物小屋で若い女芸人が蛇を齧りきる芸を目撃したと述べているし、現に私も昭和30年代後半に富山市総曲輪町に隣接する山王町の日枝神社の縁日の見世物小屋で生きた蛇の首を齧りきる女芸人の芸を見たことがある。「応」の行う蛇の生齧りは創作でも特殊なものでもなく、案外、当時は見世物小屋や大道芸で見ることが可能だったものなのかもしれない。

鏡花は、前述した小寺菊子の住んでいた(旅籠町、西四十物町周辺)に英語の出稽古に来ていたから、旅籠町や隣接する西四十物町、総曲輪町界隈を実際に歩いて、その土地柄をよく知っていたに違いない。そのことは「黒百合」の「富山で賑やかなのは総曲輪といふ大手先、城の外濠が残った水溜があって、片側町に小商賈が軒を並べ、濠に沿っては昼夜交代の露店を出す。観世物小屋が氷店に交って居り、町外れには芝居もある~」と続く総曲輪の描写からも窺える。明治から昭和期までの総曲輪町の変遷を調べた水島直二氏の『明治の富山をさぐる―総曲輪を中心として』(昭53)によると、明治期、総曲輪界隈は、京都の本願寺の東西の両別院の門前町として賑わい、参拝を当て込んだ商店や見世物小屋、露店等が所狭しとひしめいて、総曲輪からイタチ川沿いの餌指町(現・堤町通り)の中教院辺りまでに、初音座、末広座の見世物小屋、新富座、清水座などの芝居小屋、高砂座、稲垣座、諏訪座などの寄席、他にも掛け小屋による見世物が、この界隈の日枝神社や中教院の境内で入れ替わり立ち替わり興業されていたという。その他にも「黒百合」の「白魚のお兼」のような呼び込み芸で物を売る香具師たちや、大道芸で銭を得る類《たぐい》がこの界隈に溢れていたようだ。この中には「蛇遣い」芸を演じる芸人や、毒々しい「蛇食い」の看板を掲げた見世物小屋などもあったと思われる。明治23年11月5日の「北陸政論」に「富山市総曲輪旧大手埋立地区小屋にて、珍奇獣の見世物」の記事があり、小屋は「変動物共進博物館」の看板を掲げ、「八足猫、双頭蛇、双頭亀、二頭猫、六足西洋犬などを見せた」とある。鏡花が富山に滞在した翌年のことだが、富山滞在中にもこのような見世物を鏡花が見た可能性もあり、実際に双頭蛇、おそらく見世物用のまがい物だろうが、それを見て「両頭蛇」の題名の発想を得たのかもしれない。鏡花はこれら芸能に関わる賤民（大道芸・見世物・門付け・香具師等）の様子を総曲輪・中教院界隈でつぶさに見て、それを「応」に重ね合わせたとも考えられる。

〈蛇〉と〈蛇を食うこと〉について更に言及する。「蛇食い」では、「応」の富山町での蛇による狼藉の場面が、御屋敷田甫での蛇飯の場面よりも先にあり、前述した「蛇食の藝（蛇の生齧り）」を生業《なりわい》とする「芸能乞食」の姿が時たま「応」に垣間見《かいまみ》れるが、〈一本榎〉周辺に現れた当初の「応」には、〈蛇〉などを好んで食う集団としては描かれていない。〈蛇〉は〈一本榎〉に巣くい、その〈一本榎〉は早百合姫伝説に関わり深いから、〈蛇〉も早百合姫伝説と深い関わりを持って後に「応」と関わってくるが、蛇飯の場面に至ってはじめて「応」は〈蛇〉や、異物（下手物）を好んで食べる異様な集団となっている。これは富山町での「蛇食の藝（蛇の生齧り）」の狼藉を描いた後に、蛇を〈囓る〉ことから蛇を〈食う〉ことへの連想に膨らみ、『三十輻』の「飛騨山」のような好んで〈蛇〉を食う者たちへと話が膨らんだためと考えられる。「飛騨山」は荻生徂徠が実際に筑紫で見聞した風俗を随筆に収録しているので、この種の「蛇を食う話」は巷では知られていたのかもしれなく、興に乗った鏡花がその話を「応」のこととして挿入したのかもしれない。しかし、〈蛇を食うこと〉で「応」は一段と変容したことは確かで、脇明子氏は、「幻想の論理―泉鏡花の世界」（註3）で、〈蛇を食うこと〉や〈蛇になること〉を「禁制の食物、禁じられた行動、それをおかすことは、一つの次元の突破を可能にする」とし、「無法を働くことによって、人は力ある蛇となる。ならば、蛇を食べるとは、蛇になることにほかならないのではあるまいか」と述べているが、「応」は〈蛇を食うこと〉で〈力（毒）ある蛇〉になったのだろう。その時の力（毒）とは、「これ（蛇）を食べることで、早百合の方に発する、強力な呪詛の力を帯びる」と、野口久美氏が「『黒百合』論―鏡花的聖域の創造―」（註4）で述べるところの早百合姫とその一族の強力な怨念、悪の力のことで、そのことによって（力（毒）ある蛇）になった「応」は（蛇）に象徴される無法集団となり、悪に染まる俗社会（権力者と欺瞞的な富裕層からなる社会）

（註3）　講談社現代新書　昭49
（註4）　『上智大学近代文学研究』　昭58・9

に対して「より強力な毒（悪）」を以て復讐する。そのことを野口久美氏は「毒を以て毒を制する、蛇の論理」であるとも述べている。〈戦国の世から現世〉への次元を越えた復讐には、このような〈蛇を食う〉〈蛇になる〉ような極めて刺激的な設定が必要だったものと思える。ちなみに鏡花には蛇を食べる話として「湖のほとり」（明治32年）と「尼ケ紅」（明治43年）があるが、前者は空腹のあげく蛇を食べ、後者は薬用として蛇の生胆を呑み込むので、「蛇くひ」とは趣が違っている。

更に一つ付け加えたい観点がある。持田叙子氏の「明治のバイリンガル」（註5）によると、鏡花は、母が急逝した九歳の頃より宣教師が近所で開く日曜学校に通い、十四歳までミッションスクール真愛学校で学んでいるので、鏡花の「五感にキリスト教文化が浸透していないはずがない」として、聖書からの鏡花作品への影響を指摘している。鏡花の作品の特徴を、江戸文芸からの影響を深く受けた怪奇趣味と特有のロマンティシズムとしてばかりとらえがちだが、少年期の長い年月のキリスト教文化、特に聖書からの影響についても考えなければならないだろう。

この観点から「応」と〈蛇〉との関わりを考えてみると、先ず、林檎でなくて榎の樹ではあるが、〈樹に巣くう蛇〉として、『旧約聖書』「創世記」第三章エデンの園に出てくる〈罪の象徴〉としての〈蛇〉との関連が思い浮かぶ。無実なのに処罰された早百合姫一族の怨念を絡めた〈罪の象徴〉としての〈蛇〉である。更に〈戒め〉〈懲罰〉〈復活〉からみると、『旧約聖書』〈民数記〉二十一章の「青銅の蛇」との関連が思い浮かぶ。出エジプトでモーゼはイスラエルの民を引き連れて荒野を彷徨う時、人々は飢えの苦しみから神を非難し、不平を言う。それを聞いた神は燃える蛇を民の中へ送り、多くの民が蛇に咬まれて死に、それに対してモーゼは神に許しを乞い、神の言葉に従って青銅の蛇を作り、旗竿に掲げると、それを見た者は死から蘇るという話である。驕《おご》った人間に対しての神の〈戒め〉〈懲罰〉に使われたのが〈蛇〉で、死者を蘇らせた〈復活〉の象徴も〈蛇〉である。幼い頃に親しんだ聖書のこれらの話が、富山での体験と共に、魔樹〈一本榎〉に蛇を棲まわせ、驕《おご》り高ぶる欺瞞的な富裕階級を戒め、罰するのに蛇を使い、蛇を食べることで早百合姫とその一族の怨念を明治の世に復活させ、「応」に転成させるとの発想を鏡花は聖書から抱いたのかもしれない。持田叙子氏は鏡花の文学は多層的、曼荼羅状で様々な要素が重なり融合しているが、「ひときわキリスト教文化の要素は、日本の民間伝承や民俗、仏教文化などに、内包され覆われ吸収される傾向があるようだ」述べているが、今後は、キリスト教文化、特に聖書の面からも鏡花の作品を考えていかねばならないだろう。

（註5）『泉鏡花　百合と宝珠の文学史』所収　平24

〈「応」とわらべ歌、子どもの反応〉

鏡花の富山町滞在中の状況から創作の過程を追究している秋山稔氏は、『新編泉鏡花集』第9巻（北陸）の解説で、「応」が富山町の「富家、豪商」などを強請る場面は、鏡花が富山町に滞在した明治22年6月24日及び7月24、25日の豪雨での神通川の氾濫によって米価が高騰し、それによって同年9月に富山市内の貧民が度々富裕な商家、米屋に押しかけることがあり、そのことが「応」の富山町での狼藉の場面に生かされていると指摘している。異郷の地で多感な少年・鏡花が遭遇した異常な体験は、強烈な印象として胸に刻み込まれたに違いなく、滞在中の9月の、この商家、米屋への押しかけは、鏡花が「応」の富山町での狼藉を描く契機になったとも言える。だが、この9月の騒動は、東仲間町、西仲間町、下金屋町、北新町、小島町、新川原町、清水町の貧民が柳町にある商家、米屋を襲った騒動で、該当する町名は、富山町の東部、常願寺川の支流イタチ川の下流沿いの地区である。当時の富山町は町の東部が発展、賑わっていた。しかし、「応」が屯する神通川近くの御屋敷田甫周辺は富山町の西の外れで、騒動が生じた地区とは町の反対の位置にある。すると、「蛇くひ」では、「応」は町の西の外れから町の中央を横切り、東部の、当時の町の中心街にある「富家、豪商」等へ押しかけたことになる。異様な一群の集団が咎められることなく、町の中央を横切るのは困難であろうし、また、当時の神通川の流れは富山城を巡り、イタチ川と合流しているので御屋敷田甫から神通川の河原沿いに人知れず移動することは可能かもしれないが、あえて迂回してまで遠方の町へ押しかける必要はないだろう。この矛盾に秋山稔氏は触れていないが、この矛盾に「蛇くひ」を創作する折の、鏡花の富山町での視座を窺い知ることができる。このことは、おそらく御屋敷田甫に屯する異様な集団の話と、町の中心街で「富家、豪商」等を強請る集団の話とは、元々別の話で、それらを「応」という集団で結びつけ、関係づけたことによるものだろうが、問題なのは、町の東部のイタチ川沿いで生じた騒動（「富家、豪商」等を強請ること）を、町の西の外れの御屋敷田甫周辺で生じたような描き方をしている点である。どうしてこのような描き方をしなければならなかったのか。そのように描かなければならない必然があったのかという点である。そのことについては後述する。

次に富山町東部のイタチ川沿いでの、子どもたちの反応をみてみる。「応」の巨魁の出現を告げるわらべ唄として「屋敷田畝に光る者ア何ぢや／虫か、蛍か、蛍の虫か／虫でないのぢや、目の玉ぢや」がある。このわらべ唄を、小寺菊子は小さい頃に富山町で唄った盆踊り唄の「さいさい節」であると述べ、笠原伸夫氏は、「乞食のいる風景―「蛇くひ」（註1）で、富山に伝わる盆行事唄「さいさい踊唄」（さんさい節）の「東タンボニヒカルモンナナンジ

（註1）『論集泉鏡花』第2集　有精社　平3

ャ／虫カ螢カコガネノムシカ／虫デナイモノ目の玉ジャ／サーイサンサイヨンサノヨイヤナイ」が、このわらべ唄の原型であるとし、更に加えて、この「さいさい踊唄」（さんさい節）の元歌は、越中五箇山に伝わる「神楽踊こきりこ唄」らしいと述べ、山の民の文化の影響があるとして「応」の姿に「山人」の面影を窺えると述べている。このわらべ唄の元歌は笠原伸夫氏の指摘のごとく、加賀藩領越中五箇山に伝わる「神楽踊こきりこ唄」だろうが、このわらべ唄が、富山町全域の盆踊りの際に唄われたものとするのも、その唄の元歌が山の民の文化の影響が強いので、「応」は「山人」の面影があると考えるのも早計だろう。「さいさい踊唄」は、富山初代藩主・前田利次が入国した寛永16年（１６３９）頃から富山町で唄われたといわれているが、承應2年（１６５３）7月に富山町東部・イタチ川沿いの真興寺で盆踊りを見物していた加賀、富山の両藩士が喧嘩をし、それにより両藩の間がこじれ、あげくは切腹者まで出る大事件になった。そのために富山藩では即刻富山町での相撲と盆踊りを禁止して、その禁令は幕末まで繰り返し出し続けられた。長い年月、富山町では盆踊りが厳しく禁じられていた。ただし、子どもは無害とし、子どもだけは盆に踊ることを許され、その折りに唄われたのが「さいさい踊唄」で、富山町全域で唄われた一般的な盆踊り唄との認識は誤りで、ある程度限られた地域で、子どもが中心になって唄い、踊ったものである。現在でもその名残として、富山市内のイタチ川沿いの梅沢町の天台宗円隆寺で毎年祇園会の7月14、15日の月の夜に「さいさい踊り」が行われている。円隆寺は、立山信仰とも深く結び付いていて、承應2年の富山、加賀両藩士の喧嘩が起きた真興寺の近くにあり、「さいさい踊り」の夜には、近在の子ども（特に女の子）たちが境内に集い、円陣を作って手拍子おもしろく、「サーイサッサヨイサノヨヨナーイ」の囃詞《はやしうた》で、月の光の中で踊り、全国でも珍しい女の子だけの盆踊りとして富山市指定の無形民俗文化財になっている。このように「さいさい踊り」は、藩政期から現在に至るまで円隆寺を中心に行われてきていて、子どもとの関係が深く、それゆえに「応」の巨魁の出現を告げる〈わらべ唄〉に、この盆行事唄が用いられたものと思われる。また、この円隆寺の「さいさい踊り」と、イタチ川は佐々成政ともゆかりが深い。佐々成政は、イタチ川上流の常願寺川との合流地点に、氾濫を防ぐための堤防「佐々堤」を築き、城下町（富山町）のためにイタチ川を改修した。このような佐々成政の善政を讃えて、川沿いには「成正（政）大明神」を祭る「一夜泊稲荷神社」をはじめとして成政信仰の足跡が点在している。一方、その佐々成政像とは反対に、円隆寺が富山藩主前田家の祈願所であるところからか、「さんさい踊唄」の囃詞「サーイサッサヨイサノヨヨナーイ」は「最佐々（早々）漸サノ漸々ナ早百合ナー」の「転訛したもの」で、佐々成政を厭い、早百合への同情を表したものだとか、「もはや佐々の世ではない」の意に解して佐々成政を非難するものだとの言い伝えも残っていて、神通川の〈一本榎〉と同様に佐々成政・早百合姫伝説と関わり深い寺と川である。

更に子どもと「さんさい踊唄」との関係に触れると、前述したように「さいさい踊り」は、

7月14、15日に行われるが、この夜は旧暦では満月に当たり、子どもたちだけが月の光に照らされて唄い踊る盆行事で、「月」とも関係深い行事である。言い換えると、「さんさい踊唄」は〈子ども〉と〈月〉との関係が密接で、満月の夜の子どもたちの活発な活動を思い起こさせるものでもある。「蛇くひ」で「応」が集合し、解散する際に「お月様幾つ」「お十三七つ」との叫び声をあげるが、この掛け合いも、わらべ唄の「お月様いくつ」を思い起こさせるもので、「お月様いくつ」のわらべ唄も、「月」と「子守り」との問答形式で〈子ども〉と〈月〉との関わりが深いものである。また、「応」が出現する一カ月前から「拾《ひろ》呼《お》、拾呼、豆拾呼、鬼の来ぬ間に豆拾呼」のわらべ唄が流行ったとあるが、川島みどり氏は、「泉鏡花「蛇くひ」小論―変移する言葉たち―」（註2）で、このわらべ唄での〈鬼〉を、「（おう）が子どもの耳では（オン）から（オニ）に転ずる可能性もある」と指摘しているが、それならば逆に（オニ）から〈オウ〉に転じて「拾呼、拾呼、豆拾呼、応の来ぬ間に豆拾呼」とすると、子どもたちの行動願望が窺えるわらべ唄となり、次に述べるような〈子ども〉と〈月〉との関わりが深いものに繋がってくる。

『日本伝記伝説大辞典』によると、旧暦8月15日（現在の9月中旬）の十五夜、旧暦9月13日（現在の10月中旬）の十三夜には、子どもたちが公然と〈月〉への供物を盗み歩く〈公認された盗み〉の風習が全国的にあり、この風習の背後には、初秋（旧暦7月）、中秋（旧暦8月）、晩秋（旧暦9月）の満月を楽しむ「月見」の風習があって、旧暦8月15日（現在の9月中旬）の夜を十五夜（中秋の名月）、旧暦9月13日（現在の10月中旬）の夜を十三夜（名残の名月）と言い、また、この時期は農作物の収穫期でもあるので、十五夜には里芋を供えるので〈芋名月〉、十三夜には豆や栗を供えるので〈豆名月〉〈栗名月〉と言うという。わらべ唄での「豆拾呼」は、その〈豆〉から〈芋名月〉〈豆名月〉の夜での、子どもたちの供物盗みを思い起こさせる。すると、このわらべ唄にも満月の夜の子どもたちの活発な活動（盗みという無法・狼藉）が窺われる。富山県においても『富山県史・民俗編』では「旧8月15日を十五夜というのは（中略）芋名月ともいって、畑作物の初ものを供える風習が多い。また、この夜に限ってだれの畑のものでも取って食べてよいといっていることなどは、いずれも収穫の喜びを、多くの人々とともにしようとしたことの名残であろう。」とし、県内の高岡市、立山町五百石、富山市の富南の開発での「ろくやまつ」や黒部市地方の「かぼちゃぬすみ」などの子どもたちの〈公認された盗み〉の事例を挙げている。前述した「お月様いくつ」のわらべ唄についても、金関丈夫氏は、『お月さまいくつ』（註3）で、「十三夜の夜に十五夜を数えて待っている様が歌われている。十三夜に対する一種の信仰を示している」という「月待ち」「月見」の風習が背後にあると指摘している。この風習と月夜の子どもたち

（註2）　明治大学大学院文学研究集22巻　平17

（註3）　法政大学出版会　昭55

の活発な活動の関係の中に「豆拾呼」「お月様いくつ」「屋敷田畝に光る者ア何ぢや」のわらべ唄が含まれると考える。子どもたちは、「豆拾呼」のわらべ唄を介して「応」を招き呼び、自らの「豆拾呼」の行動を「応」の姿・行動（「お月様いくつ」の掛け声、富山町での狼藉）に託して、活動の更なる活発化（偉大なリーダーの統率）を期待して「屋敷田畝に光る者ア何ぢや」のわらべ唄で表明しているのではないだろうか…。木田隆文氏は、「泉鏡花「蛇くひ」私註―〈お月様幾つ〉をめぐって」（註4）で、〈芋名月〉〈豆名月〉での子どもたちの〈公認された盗み〉の風習が町を荒らし回る「応」の狼藉に投影されていて、「応」が集合し、解散する時の「お月様幾つ」「お十三七つ」の叫び声、「豆拾呼」のわらべ唄などに、それらを見いだすことができると指摘している。

鏡花が〈子ども〉と〈月〉と（わらべ唄）にこだわるのは、彼が（わらべ唄）に神秘的な力の顕現を認める傾向があるにしろ、月に照らされて唄い踊る円隆寺の子どもたちの姿や、月見の夜に富山町周辺の田園地帯で暗躍する子どもたちの姿を実際に見て、その印象を「蛇くひ」の中に投影した可能性もある。そして、この月見の夜に暗躍する子どもたちの姿に視点を置くと、亀井秀雄氏が「鏡花における木精とわらべ唄」（註5）で述べる「〈応〉の狼藉は十五夜の祭りにおける子どもたちの行動を極端化したイメージと推定できる。～「蛇くひ」の根底はごく当たり前のわらべ唄の世界だった」との見方もできるのだが、子どもたちの「ごく当たり前のわらべ唄の世界」をどうして「応」と結びつけたのかが問題で、その「応」の姿にも、これまで述べてきたように早百合姫とその一族の怨念の転成したもの、富家・豪商を襲う貧民たちの一揆化した姿、芸能に関わる賤民の姿、満月の夜に暗躍する子どもたちの姿などと様々なものが重なり融合しているようなので、亀井秀雄氏が言うような「(「蛇くひ」の根底はごく当たり前のわらべ唄の世界だった」と一様には断定できないだろう。

以上のように「応」の巨魁の出現を告げる「屋敷田畝に光る者ア何ぢや〜」のわらべ唄は、イタチ川沿いの円隆寺で最も盛んに行われていた、満月の晩の子どもたちの活発な活動と関わり深い「さいさい踊唄」を本拠としていると考えられ、「応」の富山町での狼藉のモデルとなった明治22年9月の貧民の「富家、豪商」等への押しかけも同じくイタチ川沿いの町々であるとすると、「蛇くひ」には、富山町東部のイタチ川沿いの町部のことが多く取り上げられていることになる。「応」が富山町の西の外れの御屋敷田甫の〈一本榎〉周辺に出現することから、「蛇くひ」の主な舞台が、富山町西部の神通川周辺のように思われがちだが、内容的には当時賑わっていた富山町の東部・イタチ川下流沿いの町部が多く取り上げられていて、あたかも富山町西部の神通川沿いの御屋敷田甫〈一本榎〉付近に、富山町東部のイタチ川下流周辺でのことを被せて二重写しにして描いているような感がある。また、「蛇くひ」

（註4）『京都学園中学高校論集』30巻　平12
（註5）「文学」昭58・6

では「東は町盡の樹木境を為し、南は海に至りて盡き、北は立山の麓に終る」とあり、実際の富山町の方角では日本海は北、立山はやや南であり、南北が逆になっている。鏡花の他の作品でも、「水鶏の里」（明治34年）「銀短冊」（明治38年）では、白鬼女川の源流近くに白山があるとして白山を北との誤った見立てをしているようだが、これらのことを含めて上田正行氏は、『風流線』の背景」（註6）で、「鏡花の中に立山、白山は北に位置するという独特な方向感覚があったとしか思われない。霊山は北に位置し川は南に流れるという言はば固定観念があったのではないか。」と指摘し、日本人一般の「北」に対して持つ感受性が無意識に鏡花に働いて北方に対する固定観念が生じたのではないかと述べている。立山信仰の強い富山では、地図を描く際には霊山として立山を地図の上方に描くことが多く、富山の古絵図、立山案内図にその例が数多く見られる。そのような地図を見なれている地元では地図の上方は北であるとの思い込みも生まれ易いように思えるのだが、「蛇くひ」には「或時は日の出づる立山の方より、或時は神通川を日没の海より溯り」と実際の方角に近い表現もあり、「北」に対して持つ感受性が無意識に働いたと言うより、意図的に南北を逆にしているようでもある。このことに関して、越野格氏は「『蛇くひ』の舞台の方角は、南北だけが逆なのではなく、東西も逆、即ち百八十度回転した空間である可能性」があると、「〈越中もの〉の空間性その（1）―『蛇くひ』から『黒百合』へ」（註7）で、指摘している。そのことは「黒百合」で更に顕著になっているが、単に「百八十度回転した空間」ではなくて、富山町の西部の御屋敷田甫〈一本榎〉・神通川周辺に、東部のイタチ川周辺のことを反転して覆い被せたような、つまり、実際の富山町の地形の上に「百八十度回転した富山町の空間」を覆い被せたような二重写しの世界を築いているようで、、そのことは鏡花の意図的なものだと考えている。

（註6）金沢大学文学部論集文学科編　昭62・12
（註7）「国語国文学」第35号　平8

〈「応」の後継者と魔処の夢〉

「蛇くひ」と「黒百合」の関わりについて考えてみる。秋山稔氏は、「泉鏡花『黒百合』の生成」（註1）で「黒百合」に登場している勇美子（県知事令嬢）を実在した県知事令嬢・藤島雪子とし、後の閨秀作家としての彼女の作品が、鏡花が「黒百合」を書く契機となったと指摘している。明治32年初頭に『水滸伝』を念頭に置いて「湖のほとり」を構想、執筆し

（註1）『金沢学院大学紀要　文学・美術・社会学編第十一号』平25・3

ていた鏡花が、三島霜川の「黄金窟」により、その「黄金窟」を転成する物語を構想した。その折り、「黄金窟」に影響を与えた矢野竜渓の「報知異聞　浮城物語」（明治23年）を取り入れるとともに、自らの富山滞在と重なる藤島雪子の「手箱の内」の花売りをモデルにし、その折りに作品に出てくる菫の花を『絵本太閤記』に描く早百合姫の怨念を宿す黒百合に代え、立山信仰に関わる伝承や先行文芸の記述を、石瀧の山中他界に取り入れて書き上げたのが「黒百合」であると述べている。だが、「黒百合」と「蛇くひ」との関わりについては、さほど触れていない。越野格氏は、「〈越中もの〉の空間性その（1）—『蛇くひ』から『黒百合』へ」（註2）で、「蛇くひ」と「黒百合」の冒頭の比較から、「蛇くひ」では、「佐々成政の別業の舊跡」たる御屋敷田甫、「黒百合」では「富山県知事なにがしの君が、四十物町の邸」と同じ権力者ゆかりの地で、両所の近くには早百合姫・黒百合伝説にまつわる榎があるという設定で、また、「蛇くひ」では「応」がわらべ唄で登場し、「黒百合」では異常な目（重瞳と盲目）の持ち主（瀧太郎、若山拓）が、子どもの囃《はや》し唄によって登場していることなどから、わらべ唄による巨魁の出現の予兆、その舞台設定の二点において、「蛇くひ」と「黒百合」の構造はよく似ていて、「風流線」とは違い、その巨魁による活劇が未だ小説内で発揮されていないことも両者同じであると指摘している。上田正行氏も、「鏡花『黒百合』考—立山と洪水」（註3）で、『蛇くひ』と『黒百合』は、おどろおどろしいトポス［早百合姫の呪いを宿す榎のある地］と、凶花［早百合姫の呪いを込めた黒百合］を巧みに組み合わせて構成していて、「黒百合」は「蛇くひ」の続編と思われるが、充分に「蛇くひ」のモチーフを生かしきれなかったと指摘している。私は、「蛇くひ」と「黒百合」は密接な関係にあると考えているが、そのことについては後述する。

両作品は冒頭ばかりが同じ設定というわけではない。「蛇くひ」では「目の玉、目の玉！赫奕たる此の明星の持ち主なる（應）の巨魁が出現の機熟して天公其の使者の口を藉りて豫め引をなすものならむか。」と、「応」の巨魁の目の特徴と、その出現の予兆を「天公其の使者」（天使）によって告げられているが、この表現からは、悪食や乱暴狼藉を為す異様な集団の、不気味で凶悪な巨魁が出現するという予兆より、希望の未来を担う救世主が出現するかのような表現になっている。また、「黒百合」でも「いずこにも籍を置かぬ一艘の冒険船が、瀧太郎を乗せて、拓・お兼等が乗組んで、大洋の波に浮かんだ時、必ずこの黒百合をもって船に号けるであろう」と、悪漢たちの船にもかかわらず、乗り出す大洋の彼方には希望の未来が待ち受けているかのような表現になっている。いずれも輝く未来が待ち受けているかのような描き方である。物語の発端も、「蛇くひ」では、御屋敷田甫〈昔の大名の別邸〉、「黒百合」では、「四十物町の邸」〈県知事の屋敷〉という権力者ゆかりの地からはじまり、御屋

（註2）「国語国文学」第35号　平8
（註3）『山から見た日本海文化』2巻　平19

敷田甫に屯する「応」は町内《まちうち》の「富家、豪商」などを強請り、県知事屋敷に縁ある（屋敷に住む者の権力に連なる）島野、多磨太は町民の秘事を暴き、恐喝を楽しんでいる。町内での狼藉、悪事、災害（知事令嬢・勇美子の黒百合所望による大洪水の発生）は、全て権力者ゆかりの地から発している。そして、御屋敷田甫近くの神通川の畔や、県知事屋敷近くの総曲輪の外濠跡の水溜りの傍らには、佐々成政・早百合姫伝説ゆかりの〈一本榎〉があり、この樹の呪力によって物語は展開する。更に、県知事屋敷を「黒百合」では「四十物町の邸」と設定しているが、「黒百合」発表当時の県知事屋敷は総曲輪にあり、それを四十物町（西四十物町）との設定で御屋敷田甫と隣接させて、「蛇くひ」での御屋敷田甫の〈一本榎〉周辺と「黒百合」の県知事屋敷が近距離のようにしている。これらの地域は、富山町全体から見ると、富山町西部の同じ地域内である。そして、「蛇くひ」のわらべ唄「屋敷田畝に光る物ア何ぢや、〜目の玉ぢや」での「応」の巨魁の出現の予兆や、「目の玉、目の玉！赫奕たる此の明星の持ち主なる（應）の巨魁〜」での「応」の巨魁の目の特徴は、「黒百合」で目に特徴ある瀧太郎〈重瞳〉、拓〈盲目だが千里眼的透視能力を持つ〉の出現として呼応し、この二人は「応」と同様に悪の世界に関わっている。これらのことに、前述した「蛇くひ」に改題する前の「両頭蛇」の題の意図する〈二人の頭目（両頭）が心を合わせて蛇的存在（醜悪な存在）の集団を率いること〉を考え合わせれば、瀧太郎の「重瞳」と、拓の「千里眼的透視能力」が結合し、それらを左右の目とする、「赫奕たる明星の如き」異能の目を持つ一体の「応」の巨魁が現れたことになる。これは、わらべ唄での巨魁の出現の予兆どおりで、「蛇くひ」と「黒百合」とが強く結び付いているからだと思われる。

だが、「黒百合」は、その内容面で、例えば、勇美子の父が仏蘭西公使館付きだったので、彼女は巴里で教育を受けたとの設定だが、鏡花の富山滞在時の県知事・藤島正健は、明治17年から2年間巴里領事を勤めていたのでこの設定に適するが、総曲輪の賑わいの描写での夜店の開店は、明治26年から始まっており、倶利伽羅峠のトンネル工事にも触れているが、この工事は明治29年11月から31年9月までであり、鏡花の富山滞在時に取材されたものばかりではない。また、西川貴子氏は、「「冒険」を語り出す場―泉鏡花「黒百合」試論―」（註4）で、勇美子が「黒百合」で博物学に夢中になっているが、博物学がめざましく普及したのが明治30年代のことで、これらから「黒百合」の時代背景は、明治20年代後半から発表時（明治32年）頃までと指摘している。このことからも、「黒百合」は、「蛇くひ」と構造的に似通っているにもかかわらず、内容面では鏡花の富山滞在時に取材されたものばかりではない。「両頭蛇」（「蛇くひ」）の実際の執筆は、前述したが、明治26年4月以前、25年頃まで溯ると考えられているので、「黒百合」の執筆時とは時間的に隔たっている。

このことは、「両頭蛇」第一章（「蛇くひ」）に、元々その内容に続く章、もしくは構想が

（註4）『日本近代文学』平12・5

あり、それは、「両頭蛇」から「蛇くひ」への改題で前述したが、おそらく二つの異質のものが心をあわせ、一つ（一体）となって驚くべきことをなし遂げるような内容で、それを人に嫌われる蛇に例えることから、陰性のもの、つまり、世間並みの陽の当たる所では暮せないアウトロー的な者たちの活躍に関わる内容だったと推測され、それは、鏡花が富山町に滞在した明治22年の翌年に、二人の統率者による集団の活躍を描いた海洋冒険小説の矢野龍渓の「報知異聞　浮城物語」があるが、それを念頭に置いた構想だったとも推測される。だが、「両頭蛇」の発表を紅葉に禁止されたことで時が経ち、秋山稔氏の「泉鏡花『黒百合』の生成」での指摘のごとくに、三島霜川の「黄金窟」や藤島雪子の「手箱の内」の作品らで富山でのことを作品に書こうと思い立ち、秘していた「両頭蛇」を先ず「蛇くひ」として発表し、元々の構想に更に「報知異聞　浮城物語」などから発想を得た新たな内容を加えて膨らませ、「黒百合」を発表したものと考えている。「黒百合」の〈核〉に、「両頭蛇」第一章に続く章、もしくは構想的なものがあり［以下、これを「原・黒百合」と言う］、それに秋山稔氏の指摘の過程が加わって「黒百合」が成立したのではないだろうか。次に「原・黒百合」に関わっての「蛇くひ」での疑問点について考える。

「蛇くひ」には幾つかの疑問が残る。「応」が富山町で狼藉を働いている時、彼らの巨魁はどうして行動を共にしなかったのだろうか。おそらく巨魁には「応」と行動を共にしたくてもできない事情があり、その後、その事情に変化が生じて、共に行動できる条件が揃ったので、そのことに期待を込めて「わらべ唄」で巨魁の出現の予兆がなされたのだろう。また、「赫奕たる明星の如き目」として、巨魁の目に殊更こだわるのはなぜなのだろうか。その〈特殊な目〉が、物語の展開に必要だったからに違いない。更に、物語の展開に〈一本榎〉の佐々成政・早百合姫伝説が深く関わっているが、この伝説は物語展開にどのような働きをしているのだろうか…などと多くの疑問が残る。これらの疑問から「黒百合」との関わりをみてみることにする。

先ず「蛇くひ」での「応」の行動をみると、彼等は決して烏合の衆ではない。「お月様幾つ」「お十三七つ」の叫び声で集合・解散し、欺瞞的な富裕層を強請る。目的を一にして敏速に集団的にまとまって行動する、組織化された反社会的な集団の相を帯びていると言える。「黒百合」の中にもこのような集団がいる。非職海軍大佐某を頭（指導者）と仰ぐ全国的に組織された「組合」である。しかし、この「組合」は表立った活動はしていない。世の中に華々しく出る機会を狙いながらも地下に潜り、暗躍し続けている。表立った活動ができないのは、「組合」を率いる頭（指導者）の非職海軍大佐某が入獄していることと、非職海軍大佐の息子で「父とともに社会の暗雲に蔽われた、一座の兇星である」息子の若山拓が消息を絶っていて、「組合」を統率する頭（指導者）の代理がいないからである。このことから、「組合」は父子二人によって統率されていることが分かる。二人の頭、「両頭」の意から「両頭蛇」の題名が思い浮かぶ。折しも非職海軍大佐某が満期出獄で自由の身となり、行方知れずの息子・若山拓とも連絡がとれ、これによって「組合」の両頭が揃い、いよいよ「組合」が世に出る好機が訪れたのである。このことが「蛇くひ」で、「応」の巨魁の不在、そして、巨魁出現への期待と、その予兆として描かれたのではないだろうか…。以上のことからも「原・黒百合」は、目に特徴を持つ巨魁（二人）に率いられた集団（「応」＝「組合」）の活躍を主として描こうとしたものだったと想定される。この考えに立つと、「黒百合」での一番の主人公は瀧太郎であるが、「応」の巨魁としての正統性は若山拓が有していると思われる。そして、「原・黒百合」の主人公は若山拓の可能性が強くなる。

しかし、その若山拓は盲目である。ここで鏡花作品での盲人について触れる。沼田真里氏は、「盲目と鏡花文学」（註5）で、鏡花の初期から晩年に至るまでの16作品に盲人を登場させて、その内10作品は、盲人が悪役で鏡花の根強い盲人嫌悪が窺われるとし、盲人の特徴を「醜男で美女に執念深くつきまとう、愛欲につかれた不気味な存在」であると指摘している。また、秋山稔氏は、「泉鏡花『舵取』考」（註6）で、沼田真里氏の指摘の悪役盲人像以外に、『舵取』（明治28年）の盲目の船頭・「磁石の又五郎」から始まり、「黒百合」（明治36年）、「風流線」（明治36年）、「わか紫」（明治38年）、「龍胆と撫子」（大正11年）へと続く霊性（超越的な透視力）を有する盲人の系譜もあると指摘している。若山拓を見ると、彼は元々「組合」所属の悪漢で、花売り娘・お雪への愛欲を断ち切れないので富山を去ることもできず、また、石瀧でのお雪と瀧太郎の行動を、嫉妬にかられてヤキモキしながら見てもいるので、沼田真里氏指摘の悪役盲人像の片鱗も多少窺える。だが、悪役盲人像に共通の「醜男で不気味な存在」ではなく、端正な風貌の美青年の理学士であり、それに夢を通して石瀧での出来事を見ることができる透視力を持っているので、悪役盲人像とは異なる、秋山稔氏指摘の霊性（超越的な透視力）を有する盲人の系譜に入る。そして、この盲目なのに千里眼的透視力を持つ特性が、若山拓を秀でた能力保持者としての証となり、「盲人がどうした、ものを見るのは私の役か（　中略　）船の行く処は誰が知っている、私だ、目が見えないでも勝手な処へ指揮をしてやる」と、盲人であるけれども「組合」の指導者（巨魁）としての適性・資格を十分有している者として印象づけている。鏡花には、盲人を嫌悪し、悪役とするばかりでなく、盲人の特異な能力（霊性）を信じるところもあり、そのことが、盲目だが、特異な目の能力を持つ若山拓が「組合」の指導者にふさわしい者として、それを前提に「蛇くひ」では、出現する巨魁の目にこだわったのではないだろうか…。「赫奕たる明星の如き目」を瀧太郎の「重瞳」に見がちだが、「赫奕たる明星（光輝く明星）」の「明星」には古来、船を導く航海神としての民間信仰があり、「赫奕たる明星の如き目」とは〈船を安全に導く航海神のような働きのある目〉のことであり、若山拓の「船の行く処は誰が知っている、私だ、目が見えない

（註5）『日本文学誌要』72巻　平17・2

（註6）秋山稔（『金沢女子大学紀要（文学部）』平2・12

でも勝手な処へ指揮をしてやる」との言葉と呼応する。「原・黒百合」では、若山拓が、「応」の巨魁の正当の後継者で、彼に率いられた「組合」(「応」の流れをくむ集団)〉の活動が元々の物語の要だったと思われる。そして、若山拓が「組合」の指導者(巨魁)としてふさわしい証として、盲人なのに夢の中で石瀧の奥の魔処での出来事を透視する力があるという彼の目の超能力性を印象付ける必要があったためではなかろうか。その場合、千里彼方の遠方を見る若山拓自身は動けないので、若山拓の分身のように活躍する人物が必要で、その人物は、本来なら、前述した「両頭」の意味する若山拓の父・非職海軍大佐がふさわしいのだろうが、非職海軍大佐では花売り娘・お雪とのロマンスに難があり、新たな人物として瀧太郎を設定したものと思われる。それにより、「両頭」の意味するものが、若山拓と千破矢瀧太郎となり、瀧太郎とお雪の関係から新たに多くの人物が設定されて、それにより物語が膨らみ、「原・黒百合」の内容が後退し、新たな装いの「黒百合」が生まれたのだろう。また、それとともに主人公の座から若山拓が降り、代わりに瀧太郎がその座に居座ることになったのだろう。

若山拓が夢で見る魔処での黒百合採取の場は、「原・黒百合」では、若山拓が「組合」の指導者としてふさわしいことを証拠立て、「黒百合」では、若山拓、瀧太郎、お雪の、三角関係の愛の最大の葛藤を迎える最高潮の場でもあるのだが、その場は〈一本榎〉の佐々成政・早百合姫伝説とも深く関わってくるので、そのことについて考える。

若山拓が夢で見る魔処での黒百合採取の場の状況について、秋山稔氏がその状況を表す出典を詳しく提示している。例えば、魔処で瀧太郎とお雪の周囲をおびただしい蝶の群れが舞うが、それは『和漢三才図会』『諸国里人談』の立山地獄の記述からで、二人の周りを「間断なく」牛群が歩くが、それは立山地獄の畜生ケ原の伝説にあり、二人を執拗に襲う鷲は、山東京伝『善知鳥安方忠義伝』での安方を襲う化鳥や、立山開基伝説の鷲からであるとして石瀧の奥の魔処を立山の奥に見立てている。（註7）。富山では、立山と黒百合の花にまつっての黒百合伝説が巷間広く流布している。その伝説とは、早百合姫が、佐々成政に斬り殺される真際に「立山の奥に黒百合が咲く時に佐々の家は滅びる」という呪いの言葉を残し、その後、その言葉の通りに立山に黒百合が咲いた時に佐々家が滅びたという伝説である。この伝説は、上田正行氏の「『風流線』の背景」（註8）によると、『絵本太閤記』『加越能三州奇談』『肯構泉達録』を原典としていて、早百合姫が殺されたことと、佐々成政が政所や淀君に黒百合を贈ったこととは別の話であるが、結果的に領国経営の失敗で成政が自害させられたことから結び付いて生まれたと述べているが、その通りであろう。そして、この黒百合伝説は、富山では〈一本榎〉の伝説とともに一連の佐々成政・早百合姫伝説として受け止められている。黒百合伝説は、立山の奥に黒百合が咲くことと（『絵本太閤記』では白山に黒

（註7）「泉鏡花と富山」平成24年度泉鏡花記念館企画展「鏡花わーるｉｎ富山」文学講座　平24・6

（註8）『金沢大学文学部論集文学科編』　昭62・12

百合が咲く〉早百合姫の呪いのこもった黒百合で、佐々成政が滅亡することの二つが要になっていて、立山になぞらえた魔処で黒百合が咲き、それを採取すると大洪水が発生し、嘗ての佐々成政の城下町・富山町が壊滅する。権力の象徴たる城下町の崩壊は、権力者自身の滅亡をも意味するので佐々成政の滅亡にも通じ、これらのことから「黒百合」は、黒百合伝説を根底に置いての筋立てと考えられる。「蛇くひ」の「応」を早百合姫にまつわる〈怨念が具象化したもの・もしくは転成したもの〉と前述したが、その「応」の巨魁の流れをくむ若山拓が、夢で見た魔処での黒百合採取によって、富山町は大洪水で崩壊する。そのことは早百合姫の怨みを宿す「応」の巨魁の流れをくむ若山拓が、恋人・お雪を介して伝説の黒百合で、嘗ての佐々成政の城下町を壊滅させたことになり、早百合姫の黒百合に込めた呪いは、その流れを継いだ者によって繰り返されて、時の権力者に対して怨みを晴らすことになる。

「蛇くひ」では、〈一本榎〉に屯する「応」を介して、早百合姫の怨みが明治の世に蠢動し、「黒百合」では、その怨みは、「応」の巨魁ゆかりの者が、呪いの黒百合によって県都を崩壊して恨みが晴れ、新しい世の到来へと向かうことになる。このように考えると、「両頭蛇」(「蛇くひ」)に直接的に繋がる「原・黒百合」の内容は、盲目の若山拓の超能力的な透視力によって「組合」が華々しい活動をすることを中心に置いて、恋人・お雪が若山拓のために、彼女を恋慕する男(瀧太郎)と共に立山で黒百合を採取し、そのために早百合姫の呪いを宿す黒百合によって成政ゆかりの城下町が崩壊するが、それを契機に、若山拓はお雪に恋慕した男と手を繋ぎ、「組合」を率いて新たな世界を築くために更なる活躍をするというようなものではなかったかと推測する。黒百合伝説と、後述する洪水伝説を根底に置いて、お雪、瀧太郎、若山拓の三角関係に、お雪に横恋慕する者（島野、多磨太）で作品の人間関係を複雑に膨らませ、特に若山拓の恋敵たる瀧太郎を彼に匹敵するほどの個性的で非凡な能力を持つ人物に作り上げて、早百合姫伝説による幻想性とともに、お雪をめぐる恋愛物語風に装いを整えて「黒百合」が生まれたのではないだろうか…。

〈目と黒百合伝説、そして、大洪水〉

「蛇くひ」で「応」の巨魁の目に殊更こだわった理由について千破矢瀧太郎からみてみる。「黒百合」では、先ず瀧太郎が登場し、その左の目が「世に有数の異相と称せらるる重瞳」であることから、瀧太郎が「応」の巨魁に当たり、「黒百合」での主人公のように思われがちである。それに比べ、若山拓は同じように目に特徴を持ちながらも瀧太郎に次ぐ位置に置かれている。だが、野口久美氏は、「『黒百合』論―鏡花的聖域の創造―」（註1）で「重瞳」は『准南子』『史記』『五雑組』『分類大節用集巻五』などの諸書で「異相」とされて該当人物は偉

（註1）『上智大学近代文学研究』昭58・9

大と設定されているが、「異相」のために特別能力があるという段階までは踏み込んでいなく、滝沢馬琴の『椿説弓張月』では「重瞳」が最初に一度触れられている程度で、『和漢三才図会』でも「皆有重瞳而不克終者過半相何足拠哉」（『五雑組』）の記述はあるが、「重瞳」のために特別の能力があるとは記していないと述べている。このことを受けて西川貴子氏も「「冒険」を語り出す場―泉鏡花「黒百合」試論―」（註2）で、「重瞳であるということによって大きな力が与えられているわけではないのである」と述べている。しかし、鏡花は「重瞳」を「世に有数の異相と称せらるる」とか、瀧太郎の母や、白魚のお兼の口を借りて「重瞳」であるので瀧太郎は特別の力があると説いたり、モウセンゴケなどの発見で勇美子に瀧太郎の目の凄さを賞賛させたりして、「重瞳」であることで瀧太郎が優れた能力者であるかのように強調している。だが、「重瞳」は、中国において確かに異相として神聖さを有している者を表すものであろうが、神聖の象徴だけで、それが、ある面での特殊の力を発揮するものの証ではないとすると、彼の目は「赫奕たる明星の如き目」（特別の力を持つ者の目）ではなく、神聖な人物を表すものかもしれないが、実際的に目の特殊能力を発揮する人ではないということになる。目において特別な力を持つとしたら、前章で述べたが、盲目でありながら千里眼的な透視力を有する若山拓の方が、瀧太郎よりもはるかに目の特殊能力者として勝っていると言える。それなのに「重瞳」によって殊更瀧太郎を特別の能力を持っているかの如くに設定するのは、そこに鏡花の意図的なものがあると考えられる。泥棒華族としての瀧太郎の設定は奇抜で、「両頭蛇」の題名で当初から抱いていた（二人頭目）構想で、若山拓の片方の頭目を父親の非職海軍大佐とするよりも、美少年の泥棒華族で恋敵でもある瀧太郎とした方がはるかにドラマ性があるに違いない。「重瞳」によって瀧太郎を異能者として殊更強調したのは、お雪を取り巻く恋模様で物語を膨らますため、恋敵の瀧太郎を若山拓に匹敵するほどの異能者として描く必要があったからだろう。そして、瀧太郎のモデルとして、鏡花は、合巻の『児雷也豪傑譚』の主人公・雷太郎を参考にしたのではないだろうか…。高貴な家の子が義賊になる点や、孤児同然の育ちなのに快闊な点、また、雷太郎の妹が「美雪」で、石瀧での大鷲の来襲場面と児雷也が大鷲になって刑場の富貴太郎を救う場面との類似などからである。また、お雪を恋一筋の純情な女性として恋人・若山拓のために瀧太郎と禁断の地に呪いの花を採りに行き、目的を果たしながらも最後には命を失うのは、優れた二人の男性から求愛され、迷ったあげく自らを犠牲にする『万葉集』真間手児奈のような悲劇的恋物語を加味して、作品の浪漫性を高めたかったからだろう。自らを犠牲にしてまで恋人のために尽くし、新たに求愛する男性の真情にしだいに惹かれながらも、恋人への貞節を必死に守ろうとするお雪の姿、恋のためには自己犠牲も厭わない純真な女性としてのお雪の姿は、早百合姫の呪いを込めた〈黒百合〉に対して、純粋で清楚な〈白百合〉のようで、この〈白百合〉

（註2）『日本近代文学』平12・5

のようなお雪の〈自己犠牲・死〉によって、黒百合の呪いは浄化され、それにより、若山拓と瀧太郎とのわだかまりもとけて二人は手を携えて船出するのである。早百合姫・黒百合伝説に基づく伝奇性の強い「原・黒百合」に、お雪を介しての若山拓と瀧太郎との三角関係、島野、多磨太など小悪人の横恋慕などの入り組んだ悲恋性の強い物語を加え、浪漫性を高めて「黒百合」が誕生したものと考える。

次に黒百合伝説と目との関わりをみてみる。黒百合が咲くのは石瀧の奥の魔処で、その地は前述したように黒百合伝説に関わり深い立山に見立てている。この魔処（立山）での黒百合採取の場を盲人の若山拓が透視するのだが、このことが若山拓の異能者として、また、「組合」の統率者としての資格に繋がる重要な証になるのだが、この「魔処（立山）」と「盲人（目を患う者）」と「若山拓」を結び付けているのが石瀧の地である。「黒百合」で、子どもたちの悪戯で倒れた若山拓を見ていたお雪は、彼に「お知り合いのお医者様へいらっしゃるのは嘘で、石瀧のこちらのお不動様の巌窟の清水へ、お頭を冷やしにおいでになさいますのも存じております」と言うが、若山拓は眼病を治すために「石瀧のこちらのお不動様」へ通っている。このことに関して、富山には「魔処（立山）」と「石瀧（滝と関わり深い所）」と「お不動様（不動尊）」と「眼病治癒」の四つを結びつける名刹がある。富山県東部の立山山麓・上市町の大岩山日石寺（通称・大岩不動）で、本尊の不動明王は、眼病治癒にあらたかで、境内には六本滝があり、清流、奇岩の風光明媚な地でもある。秋山稔氏は、「石瀧」を大岩山日石寺であると指摘（註3）しているが、大岩山日石寺は、『越中志微』に「此尊像霊験あらたかにして、殊に眼目をやむ者立願し、信仰の志あらば忽ち平癒する事其數をしらず。（中略）、利常卿予が領内に大岩不動尊あれば、眼科の醫師を召置に及ばず。」とあり、現在でも眼病治癒祈願で賑わっている。また、大岩山日石寺は平安末期より立山鑽仰の真言の道場として立山とは結び付きの深い寺でもある。眼病を治すために若山拓は石瀧に通い、その石瀧の奥の魔処（立山）には黒百合が咲いている。そして、目が見えないことでかえって石瀧の奥の魔処での出来事を見通すことができ、そのことから特別の力がある異能の目を持つ者として、「組合」の統率者（「応」の巨魁）の資格を有する者に見なされるのだが、その魔処（立山）で見えたこと［黒百合採取］で天候が急変し、石瀧から水が溢れるが如くに神通川が氾濫して富山町に大洪水が起こり、町は崩壊する。「眼病治癒」と「魔処（立山）」は「石瀧」を介して結びつき、その「魔処（立山）」に咲く黒百合を採ることが、盲人の目の異能性の発揮となり、富山町の崩壊へと続く黒百合伝説に結びついていく。若山拓の目の特徴［盲目だが千里眼的透視能力］が、「黒百合」での最高潮の場を描くのに大きな働きがあり、こ

（註3）「泉鏡花と富山」（平成24年度泉鏡花記念館企画展「鏡花わーるｄｉｎ富山」文学講座　平24・6）「泉鏡花の〈越中もの〉について―『義血侠血』『黒百合』『湯女の魂』を中心に」（日本文学研究年誌12巻　平15）

の場を設定するために、「蛇くひ」では「応」の巨魁の目を殊更こだわったものと思われる。そして、立山や、上市町大岩山日石寺へ向かう富山町での拠点が「新庄」である。新庄から五百石往来（新庄から立山町五百石へ）、上市往来（新庄から上市町へ）が伸びて、それらの道は立山山麓の芦峅寺で合流して立山参詣路になる。別路として昔は大岩山日石寺の裏から山伝いの立山参詣路があり、「新庄」「石瀧（大岩不動）」「魔処（立山）」との密接な関係が浮かび上がってくる。地理的には「蛇くひ」での〈一本榎〉のある御屋敷田甫付近から立山を望むと、立山三山が正面に見え、その左脇の低い山々の中腹に大岩山日石寺があり、大岩山日石寺（石瀧）の奥が立山であることには視覚的には違和感があるが、富山市東部のイタチ川を越え、新庄にかけての地から立山を望むと、彼方の上市町、立山町の奥に立山、剣岳が聳えていて、視覚的にも上市町大岩（石瀧）の奥に立山が控えているのが肯ける。実際に新庄から五百石・上市往来を歩いて大岩山日石寺へ向かうと、日石寺の奥に立山・剣岳があるとの実感が込み上げてくる。「黒百合」で、「石瀧」の奥に魔処（立山）があるとの設定は、大岩山日石寺と立山との深い結びつきもあるだろうが、富山市東部のイタチ川を渡り、新庄にかけての地から立山を望んだ折りの発想かと思われる。

「新庄」について更にみる。「黒百合」では、女の子たちが唄う「新庄通れば、茨と、藤と藤が巻付く、茨が留める、茨放せや、帯や切れる、さあい、さんさ、よんさの、よいやな。」の「さんさい踊唄」に囃されて若山拓が登場する。越野格氏は、「〈越中もの〉の空間性その

（1）―『蛇くひ』から『黒百合』へ」（註4）で、この唄は「山へ登ればいばらが止める、いばら離しゃれ、日が暮れる」の形で富山県八尾町盆踊唄「越中おわら節」の一節にあり、全国での他の類歌もあげて唄の情調が、「応」の巨魁の出現を予兆する「屋敷田畝に光る者ア何ぢや」のわらべ唄に通うものがあるとし、この唄の元歌の代表型「山を通れば茨がとめる茨放しゃれ日が暮れる」が浅野健二校注『山家鳥虫歌』では「男を誘惑して引き留めている女をイバラに例えた擬人法」との解釈があることから、「引き留める」と「新庄」との関わりに何か意味があるのではないかと問題を提起している。また、この唄を真鍋昌弘校注『新日本古典文学大系62』では「男に袖引かれ難儀する女の科白」との解釈もあり、これらのことから西川貴子氏は、「「冒険」を語り出す場―泉鏡花「黒百合」試論―」（※註2）で、「茨」をお雪の存在として捉え、若山拓の愛欲の葛藤を暗示したものと指摘している。だが、西川貴子氏のように若山拓の関係から「茨」をあえてお雪と捉えなくても、『山家鳥虫歌』の元歌の代表型の解釈にあるが如く「茨」を「男を誘惑して引き留めている女の擬人法」とし、それが「新庄」の地と関わりがあり、「さんさい踊唄」にこの歌詞があるとすると、ある地域との関係が浮かび上がってくる。前述したようにこの「さんさい踊唄」は、イタチ川沿いの円隆寺で特に女性（女の子）を中心に唄われていたものである。円隆寺の如意輪観世音菩

（註4）「国語国文学」第35号　平8

薩は「かわうそ大明神」の呼び名で女性の川流れ除けの神として女性の参詣者が多く、殊に円隆寺の対岸、イタチ川東岸の廓の遊女たちに厚く信仰されてきた。円隆寺の「さんさい踊唄」を前章では、満月の夜の子どもたちの活発な活動から捉えてきたが、女性、特に遊女と繋がりの深い寺での盆行事でもあり、そのこともあってか、子どもでも女の子ばかりの盆行事として今日にも姿をとどめているのだろう。その背景のもとに、「新庄通れば、茨と、藤と藤が巻付く、茨が留める、茨放せや、帯や切れる、さあい、さんさ、よんさの、よいやな。」の「さんさい踊唄」をみると、「新庄」と「茨」の言葉の裏に、廓での遊女と客との愛欲劇が思い浮かび、その意を含んだ歌詞によって、盲人の若山拓が登場することになる。この歌詞を西川貴子氏は〈若山拓のお雪への愛の葛藤〉の暗示と指摘したが、この歌詞が愛欲の坩堝たる廓と関わり深いものとすると、女性への愛欲につかれた男の姿の暗示になり、それは、沼田真里氏が鏡花作品での盲人の特徴で指摘した「美女に執念深くつきまとう、愛欲につかれた不気味な存在」(註5)の一面も宿していると言える。若山拓は霊性を有する盲人の系譜に繋がる者だろうが、沼田真里氏の指摘の如く「愛欲につかれた」(この場合、対象はお雪だろうが)「不気味な存在」(この場合は超越的な透視力のことだろうが)となり、愛欲に悶え、苦しんでいる富山町での若山拓の狂おしい姿が浮彫になり、後に夢で見る魔処での瀧太郎と、お雪の成り行きに嫉妬して悩む若山拓の愛欲の葛藤の予兆にもなる。また、若山拓が登場するのが、総曲輪町から旅籠町へ抜ける小路、富山町西部の地区だが、歌詞の背後にあるイタチ川下流沿いから廓も含んで新庄へかけては富山町の東部地区である。「蛇くひ」では、御屋敷田甫付近の富山町西部地区を小説舞台にしているようだが、イタチ川下流沿いの富山町東部地区の事柄が多く描かれていると前述したが、「黒百合」でもイタチ川下流沿い周辺や、新庄の富山町東部地区を念頭に置いて描かれているように推測される。この観点から、次に若山拓とお雪の住む「湯の谷」や、島野、多磨太が暗躍する富山町をみてみる。

若山拓とお雪が住む「湯の谷」を、越野格氏は、安政の大鳶崩れの際に源泉が埋まった立山温泉を念頭に置いていると指摘（※註4）しているが、大岩日石寺（石瀧）周辺を調査したところ、「湯の谷」によく似た口碑があった。大岩日石寺への途中に現在でも湯治客で賑わう大岩湯神子温泉があるが、『白萩小史』によると、この温泉の西方、白岩川付近の堤谷に湯が湧き出ていたので「湯之谷」と呼び、湯神子の地名の起源にもなったのだが、後に涸れて住む人はいないという。「石瀧」として大岩日石寺のことまで知っていた鏡花のことだからこの口碑を聞き知っていたのかもしれないが、富山町からあまりにも遠いので「黒百合」中の「湯の谷」そのものとは直接に関係はないだろう。越野格氏は引き続いて「湯の谷への洪水は何処から押し寄せてたのだろうか」と疑問を投げかけ、総曲輪一帯を湖にした神通本流の洪水時に、総曲輪から一筋路の湯の谷へは水が押し寄せてきていない。しばらくして湯

（註5）「盲目と鏡花文学」（『日本文学誌要』72巻　平17・2）

の谷へ大きな濁流が襲ってきている。この洪水の水の流れは辻褄があわなく、湯の谷を襲った濁流は神通本流の洪水とは異なるものではないか。それは安政5年の大鳶崩れの際の大土石流による大洪水ではないのかと指摘（※註4）しているが、その指摘には私も同感である。鏡花が富山に滞在していた明治22年には、6月24日、7月24、25日に神通川が豪雨によって氾濫している。特に7月の氾濫はひどく、千四百戸余りの家屋が浸水したが、「黒百合」では「漲る水は、随所、亀甲形に畝り畝り波を立てて、ざぶりざぶりと山の裾へ打ち当てる音がした」と激しい濁流が一気に湯の谷を襲ったような表現になっている。その一方で、若山拓が「湯の谷」を尋ねてきた慶造に、富山町の洪水の様子を尋ねた答えが「それから三日間、富山中は真暗で、止むかと思うと滝のように降り出します。いや神通が切れた、郷屋敷田圃の堤防が崩れた、牛の淵から桜木町へ突ッかかる、四十物町か少し引くかと思うと、総曲輪が湖だという。それに、間を置いちゃ大雨ですから市中は戦です」と「湯の谷」とは関わりのない土地のように富山町の洪水のことを語っている。それに神通川から溢れた水が「湯の谷」に押し寄せるまでにあまりにも時間がかかりすぎている。このようなことから「湯の谷」を襲った洪水は、富山町を水没させ、更に水かさを増して「湯の谷」に押し寄せてきた神通川の氾濫による洪水ではないように思える。「湯の谷」を襲った洪水は、大量の水が勢いよく一気に押し寄せた表現で、越野格氏の指摘の如く、安政5年の大鳶崩れによる大土石流の襲来を念頭に置いていたものではないだろうか。

安政5年に生じた飛越大地震によって立山の大鳶・小鳶山が崩壊し、その土石が常願寺川上流の真川・湯川を埋めて大きな塞止め湖を造った。その後、塞止め湖が決壊し、溢れ出た大量の水が大土石流となって一気に富山平野に流れ込み、平野一帯を泥海にして甚大な被害を与えた。だが、常願寺川上流の、佐々成政が築いた佐々堤が、この濁流を防ぎ、それによって富山町中央部は被害を免れたが、その分、支流のイタチ川に土石流が殺到し、イタチ川東側の、柳町、稲荷町、新庄町一帯に多大な被害が生じ、稀代の大惨事となった。現在でもこの地域には土石流が運んできた多くの石像・巨岩等の遺物や、被害にあった犠牲者供養の水神や、地蔵堂が数多くあり、今日でも線香の煙が絶え間なく上っている。特に被害の多かったイタチ川沿いの3キロの間には、21の水神社と地蔵堂が建ち並び、24の橋の傍らには49の地蔵と観音像を安置する御堂があり、現在に至るまで犠牲者供養が行われている。安政5年の大鳶崩れによる洪水は、現在の富山市、特にイタチ川沿いの東部地区においては古い昔の出来事ではなく、近年の出来事のように今日に至るまで語り継がれ、事あるごとに水害の恐怖を蘇らせるものになっている。豪雨で神通川が氾濫した7月24、25日は、折しもイタチ川沿いでは土石流での犠牲者を供養するために毎年地蔵盆が営まれる日である。安政年間に近い明治ならば、この日の神通川の氾濫は、安政の土石流による大洪水をまざまざと思い起こさせたに違いない。「黒百合」での洪水場面は、明治22年の6、7月の神通川の氾濫を契機にして、安政5年の大鳶崩れの大土石流の氾濫を重ねて描いたものではないだろうか。〈一本榎〉での佐々成政・早百合姫に関わる伝説は富山市西部で有名な伝説であるが、安政の大鳶崩れでのイタチ川沿いの土石流の氾濫に関わる伝説も富山市東部で有名な伝説であり、富山市のこの二つの有名な伝説を、鏡花は当時の富山町に巧みに重ね合わせて「黒百合」へ導入したものと思われる。

それに更に一つ加えるならば、鏡花作品には洪水を扱ったものが多いが、その洪水を扱った作品について持田叙子氏は「多くの作品にあふれる大小無数の洪水は、日本各地の湖沼伝説もさりながら、ノアの箱船すなわち神が人類に下す罰としてのダイナミックな洪水物語に、おおいに由来するだろう」（註6）と述べている。確かに大洪水で崩壊する富山町のそれ以前の状況は、島野、多磨太等の悪漢や、淫蕩な男女が満ち溢れ、神が罰として滅ぼしたソドムとゴモラの町のようでもある。また、富山町が大洪水で崩壊した後に、瀧太郎と若山拓が大洋の彼方に希望を求めて船出するが、その場面を、上田正行氏は矢野龍渓の『報知異聞浮城物語』との関係（註7）から述べているが、それも多分に影響はあるだろうが、世界が大洪水によって崩壊した後、新たな天地を求めて船出するノアの箱船の話にも似通っていて、幼い頃に植え付けられたキリスト教、特に聖書の影響が鏡花にはかなりあったものと考えられる。持田叙子氏は、鏡花文学の特徴として、様々な要素のものが重なり融合して多層的、曼荼羅状になっていると指摘しているが、「黒百合」「蛇くひ」においても、その諸要素を一つ一つを分析し、確認していく必要がある。

以上のように、新庄から石滝・魔処（立山）への地理的関係、「さんさい踊唄」によって登場する若山拓の登場の背景、「湯の谷」の洪水の状況などから、「黒百合」は「蛇くひ」と同じように富山町西部を舞台にしているように描いているが、イタチ川下流沿い、及びイタチ川以東の富山町東部での事柄を念頭に置いて描いているものと思われる。

（註6）「明治のバイリンガル」『泉鏡花　百合と宝珠の文学史』所収　慶應義塾大学出版会　平24
（註7）「鏡花『黒百合』考―立山と洪水」（『山から見た日本海文化』2巻 平19）

〈『蛇くひ』『黒百合』の空間変容〉

「黒百合」「蛇くひ」は、富山に関わる稗史、口碑、わらべ唄、噂などを取り入れ、編み上げて作品となしている。そして、それぞれの冒頭は、『「蛇くひ」では「一本榎」の御屋敷田甫付近、「黒百合」では県知事邸のある四十物町・総曲輪町付近などと富山町西部に設定して、小説舞台の中心が富山町西部であるかのような体裁をとっている。だが、その実、取り入れられた稗史、口碑、わらべ唄、噂などは富山町東部のものが多いということを繰り返し述べてきた。だが、その描き方は、富山町西部のことに富山町東部でのことを混入させたというのではなく、富山町西部の実際の地形の上に、富山町東部の地形が被さっているような描き方になっている。例えば「黒百合」での「お兼は新庄の山の頂を越えた。～高岡を指して峠を下りたとのことである。お兼が越えた新庄といふのは、加州の方趣く道で、別に又市中の北のはずれから、飛騨へ通ずる一筋の間道がある。即ち石瀧のある処で、旅客は岸伝に行くのであるが、此処を流るるのは神通の支流で、幅は十間に足りないけれども、僅少の雨にも忽ち暴溢て、屡々堤防を崩す名代の荒河。」の描き方で、現在の富山市の地図と照合すると、富山町から高岡へ行くには、確かに町外れの山越えが必要だが、その山は「新庄の山」ではなく富山市東部の呉羽丘陵の「呉羽山」である。また、富山町から「新庄」を越えて向かう先は、「加州」ではなく「越後」である。方向が東西逆である。それに、「新庄」から「石瀧」を経て「飛騨へ通ずる一筋の間道」は確かにあるが、それは「市中の北のはずれ」からでなくて「南のはずれ」であり、南北逆で、「神通の支流で幅は十間に足りない」川はイタチ川のことであろう。このように富山町の地図上の西部地区に、富山町の東部地区が重なったように描いている。越野格氏は「東西南北が百八十度回転した空間」の可能性を指摘（註1）しているが、単に平面的に「百八十度回転した空間」ではない。実際の「新庄」は、平野部で百八十度回転したところで平野部には変わりはないはずだが、そこを「新庄の山」としているのは、富山町の実際の地形での「呉羽山」があるからであり、越野格氏が指摘するような「百八十度回転した空間」という平面的な回転では説明不足であろう。それは、むしろ、実際の富山町の地形の上に、「百八十度回転した富山町の空間」を覆い被せて両者ともが存在している空間、つまり、二重構造、二重写しの富山町を設定している。「蛇くひ」「黒百合」では、富山町の実際の地形のもとで物語が始まり、しだいに「百八十度回転した富山町の空間」がその上に被さり、同一画面の中で、実際の富山町の地形を下地に「百八十度回転した富山町」でのことが浮かび上がるように物語が展開していて、あたかも二重写しのようになっている。

鏡花はどうしてこのような回りくどい空間を設定したのだろう。富山町の西部、東部をそのままに描いては差し支えがあったのだろうか。少なくとも富山町東部でのことを小説背景に多く用いていることから、富山町東部の情報を鏡花はよく知っていたものと思われる。それをそのまま描かなかったのは、富山町東部の情報をそのまま描けれない何らかの事情があったのか、それとも、富山町西部に極めて強い関心事があって、その関心事に富山町東部の情報を結び付けて両方とも描きたかったのか、どうも釈然としない。

一般に、旅から帰り、その旅の思い出として後々まで印象に残るのは、歩き回って見聞した所もあるが、宿泊した所とその周辺でのことが多い。そのことから考えて、鏡花が旅先でよく知り得た情報とは、彼が滞在した所や、その周辺でのことが多いだろう。「蛇くひ」で「応」

（註1）「〈越中もの〉の空間性その（1）―『蛇くひ』から『黒百合』へ」「国語国文学」第35号　平8

が強請る富家・豪商が建ち並ぶ界隈や、「黒百合」で島野や多磨太が暗躍する町家は、当時賑やかだった富山町東部の商業地区であろうし、「さんさい踊唄」ゆかりの寺や石瀧への往路、新庄の土地柄、湯の谷に襲いかかる洪水の様子なども富山町東部に関わることである。このようなことから推測して、鏡花が数ヶ月滞在したのは、情報を収集し易い富山町東部のイタチ川下流沿いの中心街か、それ以東の新庄辺りまでの間だったのではないだろうか…。野口武彦編『鑑賞日本現代文学・泉鏡花』の年譜では「明治二二年〜六月、富山市の中心街旅籠町に下宿〜」とあるが、旅籠町は当時の富山町の中心街ではなく、小寺菊子「屋敷田甫」(註2)で、鏡花が西四十物町周辺へ出稽古していたとの記述から、総曲輪や四十物町周辺の旅籠町のことは詳しかっただろうが、鏡花が旅籠町で滞在していたとの根拠はない。また、「黒百合」で「場末ではあるけれども、富山で賑やかなのは総曲輪という、大手先。〜観世物小屋が、氷店に交じっていて町外には芝居もある。」と総曲輪を「場末」と表現しているが、当時の富山町の賑やかな中心街は、イタチ川沿いの東四十物町周辺から新庄へかけての東部であり、仮に富山町西部の旅籠町から総曲輪に向かうとすると、その方向は富山町の中心街へ、つまり、賑わっている所へ向かうことになり、「場末」という賑わった所から離れていくという表現の地にはふさわしくない。まして、富山町は明治18年の大火で町の東部の大半は焼け、その後の復興はめざましく、鏡花が滞在した明治22年頃には町の東部は装い新たに以前よりも賑わいをみせており、その繁華街から離れて総曲輪方面へ向かうと「場末」の感がしたに違いない。このような表現などからも、鏡花は富山町東部に滞在していた可能性が強いと思われる。

また、「蛇くひ」「黒百合」には、佐々成政・早百合姫伝説ゆかりの「一本榎」を登場させている。「蛇くひ」では、早百合姫の怨念に関わるものを「一本榎」を介して「応」に転成させ、富山町で狼藉を働かせる。「黒百合」では、「一本榎」に関わる佐々成政・早百合姫伝説ゆかりの黒百合伝説を基に、瀧太郎とお雪に黒百合採取を課せて富山町を大洪水で崩壊させている。いずれの作品も「一本榎」が物語展開の要となっている。言い換えると、成政・早百合姫伝説を基に「一本榎」から両物語は始まっていると言える。このことから鏡花は、佐々成政・早百合姫伝説に極めて強い興味関心を持っていたものと思われる。そして、この佐々成政・早百合姫伝説は、「早百合姫のぶらり火」などの口碑が今なお伝えられている神通川堤の磯部（御屋敷田甫）周辺の富山町西部での代表的な伝説であり、そのために鏡花は、富山町西部の〈一本榎〉周辺の地を主要な小説舞台として書き出す必要があったのだろう。だが、その〈一本榎〉周辺に、富山町東部で見聞きしたことをそのまま混入させて描いてもいいはずなのに、富山町西部の地形に富山町東部の地形を百八十度回転させるように覆い被せるという手の込んだ描き方をしている。それは、実際の富山町でなく、よく似た架空の町を

（註2）「屋敷田甫」（新小説臨時増刊「天才泉鏡花」大14・5）

印象づけたかったのかもしれないが、それは取りも直さず、うがった見方になるかもしれないが、富山町東部で見聞きしたことが、作品中で富山町東部でのことだと知られるのが都合悪かったのかもしれない。そのために実際の地形の上にあえて百八十度回転させた地形を被せ、富山町の東西を二重写しとした架空の空間を設定して、富山町東部でのことをぼかし、目くらましをしたためではないだろうか。では目くらましをするほどに具合の悪いこととは何だったのだろうか。「蛇くひ」で「応」が屯し、富家を強請り歩き、「黒百合」で、小悪漢・多磨太に摘発される町家の風紀の乱れ、洪水の惨状などと、これらのことが、鏡花が滞在中に実際に身近で見聞したことをもとにして描いたとすると、どうであろうか。中には、そのまま描くと、鏡花が、滞在中に世話になった家とか、あるいは、その家と関わりがある人々に、後々迷惑がかかる恐れがある。まして、富山へは井波塾がらみの依頼できていたとすると、井波塾を含め、その関係者に多分に迷惑がかかる恐れも生じるに違いない。富山町東部のイタチ川下流沿いから以東の新庄辺りまでは、当時は栄え賑わっていたが、その賑わいには、富山町の陰の部分も寄り添っていた。イタチ川の東岸の街道沿いには廓・色街が軒を並べ、近辺の賑やかな町内にも淫靡な空気が漂い、廓・色街で働く芸能に関わる賤民や、その日暮らしの貧民の粗末な家々も周辺に立ち並んでいたようである（註3）。

また、越野格氏は富山町東部の新庄に触れ、鏡花の新庄への関わりが問題だとして「新庄の地が小説の構造に深く関わっていくことを明らかにすることが更に必要」だと述べ、交通の要所の地としての新庄の役割を強調（※註1）しているが、新庄付近は、交通の要所ばかりでなく、当時、江戸期から富山町にある特殊な地域としての面も持っていた。富山町の東の外れで、イタチ川からさほど遠くない新庄への入り口付近には、現在とはまったく異なり、江戸期から被差別民の住居区域があった。鏡花が滞在した当時も、この地区には被差別民の住居地が多数あったはずで、前述した明治22年の6月、7月の大洪水後の米価の高騰に際して貧民が富裕な商家、米屋に押しかけることがあったが、その中にはこの付近の者も多数加わっていたと推測される。鏡花は、被差別民や下層民問題に強い関心を持っていたようで、これらを題材にした作品が初期に多くある。住田利夫氏の「明治三十年代の文芸作品の中の「差別」―泉鏡花の場合―」（註4）によると、鏡花の被差別民や下層民問題を題材にした初期作品には、「貧民倶楽部」（明28・7）、「ねむり看守」（明28・8）、「化銀杏」（明29・2）、「龍潭譚」（明29・11）、「化鳥」（明30・4）、「清心庵」（明30・7）、「蛇くひ」（明31・3）、「山僧」（明31・4）、「鶯花径」（明31・9）、「妖僧期」（明35・1）、「白羽萷」（明36・11）があると指摘している。その他にも被差別民や下層民問題を題材にしたものに「風流線」（明36・10）、「由縁の女」（大8・1）、「妖剣紀聞」（大9・1）、「卯塔場の天女」（昭2・4）

（註3） 島原義三郎・中川達編『鼬川の記録』桂書房 平14・3

（註4） 第31回部落問題研究者全国集会レジメ・平5・部落問題研究所

などがある。そして、このような鏡花の被差別民や下層民問題への関心（被差別民・下層民に対しての同情的な見方）は、渡邊巳三郎氏の「鏡花と部落問題文学」（註5）によると、鏡花の妹が被差別部落へ養女にやられたことからだとか、鏡花が貧困家庭で育ったところからの共感だとか、近代的な基本的人権の思想に基づくところからだとかという見解もあるが、そういうものではなく、「彼の異界、魔界好みと関係があるのではないであろうか」と指摘している。鏡花は、富山という異郷で異界を見るような好奇の目で、滞在地近くの被差別民や下層民などの生活を見聞きし、そこから受けた印象を「応」の姿に投影したのかもしれない。しかし、その印象をそのまま描くと、その人たちへの新たな誤解が生まれ、また、富山町東部辺りが、小説で描かれた小悪漢・多磨太に摘発されるほどの風紀の乱れが目立つ所だと思われると、その周辺の人たちに迷惑をかけると思ったのかもしれない。だが、そう思う一方、その強烈な印象を描きたい欲求も強いので、新庄周辺と御屋敷田甫周辺が重なるように、百八十度回転させた富山町の地形を、実際の富山町の地形の上に重ね合わせ、富山町西部と、反転した東部が二重写しとなって浮かび上がる架空の空間を設定したのではないだろうか。そのため、鏡花が富山で滞在していた場所を曖昧にして、その地で実際に見聞したこと「被差別民や下層民、芸能に携わる賤民の生活ぶり、安政の大洪水での悲惨さや、賑わう町の風紀の乱れなど」を佐々成政・早百合姫伝説に絡み合わせて「蛇くひ」「黒百合」にて物語として展開させたのではないだろうか。

（註5）「法政大学院紀要」32巻・平6・3

〈終わりに〉

鏡花は、富山から帰った翌23年の3月に、辰口鉱泉の叔母の家で、紅葉の「夏痩」を読んで創作の念が強まって試作を始め、その年の11月に上京して尾崎紅葉のもとを訪ねた。鏡花に文学への強い志が芽生えてきたのは、おそらく前年の22年あたり頃からであろう。22年の4月に、鏡花は紅葉の「二人比丘尼色懺悔」を読んで感激し、6月から富山に赴き、帰郷してからは辰口鉱泉の叔母の家で小説を耽読しているが、このような流れの中で順当に文学熱が高まり、作家になる夢を膨らませて23年11月に上京したのだろう。すると、紅葉の「二人比丘尼色懺悔」を読んだ後の感激が尾をひいて文学熱に更に火が点き、作家への志望も仄かに芽生え始めてきたのは、富山での滞在の頃ではないだろうか…。富山滞在は、鏡花にとって初めての長期の一人旅だけに一人の人間として自己を見つめ、自我の目覚めとともに将来への夢を具体的に抱きはじめるのにふさわしい期間だったに違いない。また、この富山滞在中に取材したと思われる「蛇くひ」（両頭蛇）について、笠原伸夫氏は、「乞食のいる風景―

「蛇くひ」」（『論集泉鏡花』第2集・有精社・平3）で、「事実上の第一作「蛇くひ」のなかに、鏡花文学の原型的発想が硬質のきらめきを放ちつつも内在している」と述べ、鏡花文学での原点としての「蛇くひ」（両頭蛇）の重要さを指摘している。これらのことから、鏡花の富山での滞在が、彼が文学に更に没頭していくのに重要な時機であり、鏡花の創作の原点となるべき重要な期間だったと思われる。それなのに鏡花の富山滞在のことについては、さほど論じられていない。例えば、鏡花における被差別民や下層民問題を考えるにしても、「蛇くひ」の発表が明治31年3月なので、明治28年7月発表の「貧民倶楽部」を主に取り上げられるようだが、「蛇くひ」を「両頭蛇」だとして、その発表が25年頃まで遡れるとしたら、むしろ「蛇くひ」（両頭蛇）での「応」が、一連の鏡花作品の被差別民や下層民の原初的な姿になるはずで、この観点からの富山滞在中の鏡花の足跡や興味関心、動向からの調査・研究をするべきだが、それについてもなされていない。鏡花が富山へ赴いた目的、彼が滞在した場所、滞在中の彼の動向など、曖昧模糊としたままで、鏡花自らもその間のことをあえて曖昧にしているかのようにも感じられる。その中で秋山稔氏は、鏡花の富山での足跡を追い、富山関係の当時の新聞記事や、関連文献などから作品成立の考察を深め、「蛇くひ」「黒百合」「星女郎」「鎧」などを、明治22年の鏡花の富山滞在中に取材したものとして示されたことについては敬服する。「蛇くひ」「黒百合」には、これまで説明してきたように、富山町の口碑・伝説、稗史・噂・民俗・事件等が数多く取り入れられ、それらを編み上げて作品化されている。特に「蛇くひ」は、それらの集合体のような体をなしているので、作品構成面で、それらと土地との関係を吟味・分析する必要がある。やはり、これらの作品に関しては、その作品舞台である土地のフィールドワークでの調査・研究がとりわけ必要であろう。フィールドワークを通して「蛇くひ」「黒百合」の内容矛盾が浮かび上がり、それによって鏡花の富山での口碑・伝説、稗史・噂・民俗・事件などへのスタンスが窺え、そのスタンスの偏りから、鏡花の作品の主題と、創作の特徴も浮かび上がってくると思える。具体的に述べると、「蛇くひ」「黒百合」では、富山の口碑・伝説、稗史・噂・民俗・事件などの中でも、富山町東部を背景にしたものを多く取り上げて、それを富山町西部を背景にしたもののように装っているところに鏡花のスタンスの偏りがみられる。そのことから富山町の実際の地形の上に、東西南北を百八十度回転した富山町の地形及び関連ある口碑・伝説、稗史・噂・民俗・事件などを被せて、架空空間を設定し、その中で物語を進展させているところに特徴がある。

本論は、鏡花文学の原型的発想としての「蛇くひ」（両頭蛇）や、それを発展させた「黒百合」の各世界を、富山で過ごした青年・鏡花の目を通してみることで、鏡花文学の萌芽の状態を明らかにして、後に開花した鏡花文学の特質を理解したいとの思いと、単純に富山について鏡花はどのようなイメージを抱いていたのかを知りたい思いによって、両作品の特徴や成立過程及び特徴の一つである空間変容について考察を試みた。その結果を次にまとめる。

明治22年に、鏡花は、井波塾がらみの依頼で富山町（現富山市）に赴き、進学を目的とした私塾で出稽古も含めて約3カ月間ほど国文と英語を教えた。その折りの富山町での滞在は、鏡花にとって初めての一人での長旅だったこともあり、この地で見聞したことが強烈な印象として脳裏に焼き付き、その後の鏡花作品での富山の基本的なイメージを作り上げることになった。

滞在していた当時、富山町には、町西部の神通川磯部堤の〈一本榎〉付近には「佐々成政・早百合姫のぶらり火伝説」、町東部のイタチ川沿いには「安政の大鳶崩れによる大洪水伝説」、日々仰ぎ見る立山連山には「立山開山・立山地獄伝説」及び「黒百合伝説」があり、これらの伝説が地元に根強く伝わっていて、それらに鏡花は強く興味関心を募らせた。そして、『絵本太閤記』『加越能三州奇談』『和漢三才図会』『善知鳥安方忠義伝』などによって、それらの伝説は、更に鏡花の想像力を刺激し、膨らませて、佐々成政・早百合姫伝説を主軸にして明治の富山町にそれらを蘇らせて、その折りに富山町で見聞した好奇的な事柄も加えて物語化した。だが、鏡花は富山町東部の、当時の富山町の中心街に近いイタチ川下流沿いか、イタチ川以東の新庄までの間に滞在していたので、見聞きして加えた事柄も富山町東部を背景にしたものに偏った。

創作の契機は、滞在中に生じた神通川の氾濫と、その後の貧民の騒動にあったと考えられるが、それに鏡花が関心を抱いていた「目」（盲人の特性も含む）」と、「子ども」（わらべ唄の力も含む）を絡めて、前述した構想のもとに「両頭蛇」を書いた。だが、師の紅葉に発表を止められ、長らく保留していた。その後、発表の機会を得て、当初の佐々成政・早百合姫伝説を軸とした伝奇性の強いものに、新たに男女の三角関係をも含めたロマン性の高い筋立てを加えて「黒百合」として発表した。だが、鏡花が滞在していたと思われる富山町東部［当時の富山町の中心街に近いイタチ川下流沿いから以東の新庄辺りまでの間］には、遊郭や芸能に関わる賤民たちの住まい、被差別民の住居などがあり、それらの印象をそのまま描くと関わりある人たち（井波塾、鏡花の寄寓先、寄寓先周辺の住民等）に後々の差し障りが生じる怖れがあるので、実際の地形の上に東西南北を百八十度回転させた地形を被せて架空の空間を設定し、目くらましをしたものと思われる。

鏡花の富山を舞台にした主な作品をみると、越中と加賀の国境には「星女郎」（倶利伽羅峠）、越中と越後の国境には「湯女の魂」（朝日町・小川温泉）、越中の中心・県都には「蛇くひ」「黒百合」「鎧」（富山町）、そして、越中・越前と飛騨の国境近の松本寄りには、狡猾で好色の越中売薬人の登場する「高野聖」と、富山を取り巻く三方の県境付近は、奇怪な物語で封じられ、県都も奇怪な物語で占められている。鏡花は、越中の地を魑魅魍魎が蠢く伝説が未だ息づいている奇怪な土地だとのイメージを強く抱いていたように思える。富山には少なくとも好感を抱いてはいなかったのだろう。この富山のイメージは、明治22年に富山を訪れ、しばらく滞在した少年・鏡花が富山で見聞きした体験に基づいているものと思われる。異郷の地で一人で暮らし、そこで知り得た、おぞましい伝説の数々や、滞在中に周辺で生じた異様な事柄は、若い鏡花の脳裏に刻み込まれ、想像力を膨らませ、後の鏡花の幻想的な物語への志向を育んだに違いない。案外、鏡花にとっては、富山は未だに伝説が息づいている土地との思いから、東西南北を百八十度回転させた地と重なることもあり得ると信じていたのかもしれない。少なくとも明治22年の富山滞在は、鏡花にとって奇怪な伝説の地の中で自らも生きているとの感が強かったのではないだろうか。

おわりに

「色眼鏡をかけて人を見るな」とよく言われるが、確かに色眼鏡（先入観）で人を見るのは誤解を生む大本になるが、何の変哲もない土地を「文学」「歴史」という色眼鏡をかけて見ると、それまでの寝とぼけた土地は忽ち豹変し、血の通った活き活きとした表情で物語を語ってくれる。４年にわたり、県内各所を巡り歩き、その土地ゆかりの文学作品や歴史事件等を直《じか》に肌で触れると、土地は人と共に生きている、郷土は太古の昔から未来にかけて今なお確実に人と共に息づき、脈打っていることが実感できた。

４年間の取材の前半・２年間分は、県内の駅を中心に『とやま駅物語』（平29・富山新聞社）として刊行したが、後半の２年分の取材に『越中文学の情景』（平25・桂書房）を刊行した折りの取材も加えて今回、本書に第一部「とやま文学街道」としてまとめた。読み返すつど、その時々のことがまざまざと思い浮かび、書き足らなかった悔やみと我ながらよく巡りまわったと驚いている。第二部では、本県には『富山県文学事典』（平４・桂書房）があるが、かなり以前のものであるし、未だ郷土文学全集もなく、郷土ゆかりの作家たちの業績が曖昧になりつつあるので、前々から、郷土が生み出した、または郷土で生き抜いた作家たちの足跡を再度しっかりと書き留《とど》めたいとの想いがあったので、その試みとして五人の郷土ゆかりの作家たちの略伝をまとめてみた。なおまとめるにあたり、作家のご親族や研究者の皆様から貴重な資料等の提供を受け、改めてこの紙上にて感謝申し上げる。第三部は、郷土ゆかりの作家の一つの研究例として泉鏡花の初期作品論を載せた。修士論文を基にしているので文芸評論とは言えないかもしれないが、富山という土地が泉鏡花の文学を生み出した要因の一つであることをご理解いただければ幸いである。

また、本書第一部「とやま文学街道」では、新聞連載において北國新聞社富山本社の当時文化部長だった久保勉氏や、川渕満氏に様々な面でお世話になり、深く感謝する。更に出版にあたっては桂書房代表の勝山敏一氏にお世話になり、感謝する。それに、様々な形でご支援を賜った畏友・前田和良氏には深く感謝する。そして、県内取材中、同行し、様々な形で手助けしてくれた妻・清恵にもこの場を借りて深く感謝の意を表したい。

令和元年七月

立野　幸雄

立野幸雄《たてのゆきお》　プロフィール

昭和25年（1950）　富山県富山市生まれ。
立命館大学文学部（日文）・慶應大学文学部（国史）・武蔵野大学人間科学部（心理）卒業。
仏教大学大学院文学研究科修了（文学修士）。
現在は、射水市大島絵本館・館長（公財・射水市絵本文化振興財団専務理事）
　　　全国絵本ミュージュアム協議会・会長
　　　富山国際大学非常勤講師（地域文学）
　　　高志の国文学館運営委員

民間企業で働いた後、県立高校教員、県教育委員会生涯学習室社教主事、県民カレッジ学習専門員、県警察本部警務部及び県警察学校管理官、県立八尾高校校長、県立図書館館長、平成23年に退職し、現在に至る。

これまでの主な活動歴は、県高等学校教育研究会国語部会長・県高等学校文化連盟副会長文芸部長。全国公共図書館協議会理事・日本図書館協会評議員。県図書館長会会長。
県立文学館開設準備委員・富山ふるさと文学資料選定評価委員など。

北日本掌編小説賞、とやま文学賞、富山新聞文化賞を受賞。
令和元年度富山県学校教育功労者表彰

著書として『越中文学の情景』（桂書房）『とやま駅物語』（富山新聞社）
　小説は『ケ・セラセ・ラ　戸隠の熱い夏』（オブアワーズ）
　　　『翳りかけの林檎』（オブアワーズ）
　　　『夢を覚えている朝』（新風舎）など。

富山文学探訪

二〇二〇年五月一五日

定価　二、二〇〇円＋税
著者　立野幸雄
発行者　勝山敏一
発行所　桂書房
〒九三〇-〇一〇三
富山市北代三六八三-一一
電話＝〇七六-四三四-四六〇〇
FAX＝〇七六-四三四-四六一七

印刷　モリモト印刷株式会社

地方・小出版流通センター扱い

ISBN: 978-4-86627-84-5